Edexcel AS French

Teacher's Guide and CD-ROM

Clive Bell
Anneli McLachlan
Nancy Brannon
Helen Ryder
Rachel Sauvain
Geneviève Talon

A PEARSON COMPANY

Published by Pearson Education Limited, a company incorporated in England and Wales, having its registered office at Edinburgh Gate, Harlow, Essex, CM20 2JE. Registered company number: 872828

www.heinemann.co.uk

Edexcel is a registered trademark of Edexcel Limited

Text © Pearson Education Limited 2008

First published 2008

12 11 10 09 08
10 9 8 7 6 5 4 3 2

British Library Cataloguing in Publication Data is available from the British Library on request.

ISBN 978 0 435 396138

All rights reserved. No part of this publication may be reproduced in any form or by any means (including photocopying or storing it in any medium by electronic means and whether or not transiently or incidentally to some other use of this publication) without the written permission of the copyright owner, except in accordance with the provisions of the Copyright, Designs and Patents Act 1988 or under the term of a licence issued by the Copyright Licensing Agency, Saffron House, 6–10 Kirby Street, London EC1N 8TS (www.cla.co.uk). Applications for the copyright owner's written permission should be addressed to the publisher.

Photocopiable worksheets:
All rights reserved. The material in this publication is copyright. Pupil sheets may be freely photocopied for classroom use in the purchasing institution. However, this material is copyright and under no circumstances may copies be offered for sale. If you wish to use the material in any way other than that specified you must apply in writing to the publishers.

Produced by Tek-Art
Cover design by Jonathan Williams
Cover photo: Rex Features/Mike Longhurst
Printed in the UK by Ashford Colour Press Ltd.

Contents

Introduction	4
List of photocopiable worksheets	6

Teaching notes

Module de Transition	7
Module 1	29
Module 2	50
Module 3	69
Module 4	89

Photocopiable worksheets

Worksheets 1–24	109
Answers to worksheet exercises	133
Acknowledgements	138

Introduction

Edexcel A-Level French is Heinemann's new two-part A-Level French course written to match Edexcel's new AS and A2 examinations.

This Teacher's Guide accompanies the first part of the course, which helps students to progress with confidence from GCSE to AS Level. Written by a team of experienced authors, including an Edexcel examiner, *Edexcel A-Level French*:

- provides comprehensive coverage of the Edexcel A-Level specification in an easy-to-use format
- teaches and practises grammar in context
- develops study skills, including pronunciation, to prepare students for the final examination
- encourages independent study.

Components

The course components are:

- Student's Book with CD-ROM
- Audio CDs
- Grammar Practice and Revision Book
- Teacher's Guide with CD-ROM
- Assessment Pack.

Student's Book with CD-ROM

The AS Student's Book is divided into five modules: a *Module de Transition*, which serves as a bridge between GCSE and AS-Level topics and language, followed by four modules that directly correspond to the four topics and language specified in the Edexcel AS specification, namely:

1. Youth culture and concerns (*Culture Jeunes*)
2. Lifestyle: health and fitness (*Styles de vie*)
3. Education and employment (*Éducation et avenir*)
4. The world around us (*Autour de nous*).

The modules are subdivided into two-page units. Each unit starts with topic, grammar and skills objectives, which are then developed through listening, reading, speaking and writing exercises to build up to productive spoken and written tasks. Grammar is presented in context via the *Grammaire* panels, with grammar practice exercises on the Student's Book page. Study skills and pronunciation are practised via the *à l'examen* and *Prononciation* panels respectively. To help build their confidence and develop their knowledge of the language, students are given useful guidance via advice panels and key language boxes. *Culture* panels also appear periodically, providing background information on cultural issues raised in the stimulus material.

At the end of each module there are topic-related vocabulary lists (*Vocabulaire*) and an exam preparation section in the style of the Edexcel examinations (*Épreuve orale, Épreuve écrite*), which provides invaluable advice and practice for the speaking and writing elements of the AS examination.

Towards the end of the Student's Book there is a comprehensive grammar reference section and a student reference section listing useful phrases for productive spoken and written work.

In the back of the Student's Book you will find a self-study listening CD (Student listening activities CD-ROM), which contains extra listening practice material with interactive activities, so that the students can practise their listening independently.

Audio CDs

There are three audio CDs, recorded by native French speakers, containing listening materials to support the Student's Book.

Teacher's Guide with CD-ROM

Printed Teacher's Guide

This includes:

- overviews for each module listing the topics, grammar and skills covered
- detailed teaching notes, including suggested starter and plenary exercises, audio transcripts, answers, and suggestions for additional or follow-up exercises where appropriate
- 24 photocopiable worksheets offering further practice of language, grammar and skills covered in the Student's Book units
- answers for the worksheets.

The following symbols are used in the Teacher's Guide:

 material on audio CD

 an activity from the self-study listening CD (student listening activities CD-ROM) could be used at this point

 a related worksheet can be used at this point.

Accompanying CD-ROM

This contains:

- Scheme of Work planning sheets to help you plan your AS course on a yearly and week-by-week basis
  Week-by-week Scheme of Work For each of the five Student's Book modules there are weekly planning documents which break down the content of the module week by week. This breakdown is an estimate and is designed to help

you work through the book in the teaching time available. It is based on 30 weeks' teaching time in the year, but can be adjusted if you have more or fewer weeks at your disposal, because the Word files are completely customisable.
Yearly Scheme of Work There are two yearly planning documents. The first one assumes that two teachers will share the teaching of the Student's Book and suggests how the teaching could be split between them. If the teaching is to be shared between more than two teachers, the scheme can be adapted by cutting and pasting. The second overview assumes that one teacher will teach 'the book', i.e. the topic content, and another will teach the grammar. The Grammar Practice and Revision Book that accompanies the course (see below) covers the grammar in the same order as the Student's Book and is designed to be used alongside it. If you choose to use your own grammar resources, this overview will help you decide what to teach and when.

- vocabulary tests with mark sheets to revise the language covered in each module, including GCSE revision vocabulary tests for the *Module de Transition*
- verb tables, set out in a student-friendly format, which can be printed out
- a full set of audio transcripts from the audio CDs, set out as one transcript per page, which can be printed out for teacher or student reference.

You can use these transcripts to help the students acquire listening skills vital for both their AS examinations - Spoken Expression and Response in French (Unit 1) and Understanding and Writing (Unit 2). The transcripts are Word documents that are fully customisable and can be used in a variety of ways. For example, you can create double spacing between the lines for students to note vocabulary and you can remove words from the transcripts to create activities where students listen for key items of vocabulary.

Grammar Practice and Revision Book

The Grammar Practice and Revision Book is designed to be used alongside the Student's Book. It organises the grammar students need to learn on a month-by-month basis, to provide an invaluable and personal grammar reference, and activities that will help students put grammar into practice.

Assessment Pack

This contains photocopiable end-of-module tests in the style of the Edexcel examination, to help you and your students prepare for the AS examination.

Free topic updates

All users of *Edexcel A-Level French* will receive FREE twice-yearly updates, one for AS and one for A2, in the form of worksheets containing authentic texts and exercises that supplement the work in the Student's Book. This service will ensure that the course content is as up to date as possible.

Useful addresses

Edexcel
Customer Service
One90 High Holborn
London
WC1V 7BH
Tel: 0844 576 0025
www.edexcel.org.uk

Association for Language Learning
University of Leicester
University Road
Leicester
LE1 7RH
Tel: 0116 229 7453
www.ALL-languages.org.uk

Centre for Information on Language Teaching and Research (CILT)
3rd Floor
111 Westminster Bridge Road
London
SE1 7HR
Tel: 020 7379 5102
info@cilt.org.uk

Central Bureau for Educational Visits and Exchanges (CBEVE)
British Council Information Centre
Tel: 0161 957 7755
general.enquiries@britishcouncil.org

European Bookshop
5 Warwick Street
London
W1B 5LU
Tel: 0207 734 5259
www.eurobooks.co.uk

Institut français
17 Queensberry Place
London
SW7 2DT
Tel: 0207 073 1350
www.institut-francais.org.uk

Alliance française
6 Porter Street
London
W1U 6DD
Tel: 0207 7723 6439
www.alliancefrancaise.org.uk

Photocopiable worksheets

Worksheet 1	Transition Module, Unit 2	109
Worksheet 2	Transition Module, Unit 4	110
Worksheet 3	Transition Module, Unit 5	111
Worksheet 4	Transition Module, Units 6–7	112
Worksheet 5	Transition Module, Units 8–9	113
Worksheet 6	Module 1, Unit 1	114
Worksheet 7	Module 1, Units 3–4	115
Worksheet 8	Module 1, Unit 7	116
Worksheet 9	Module 1, Unit 9	117
Worksheet 10	Module 2, Units 1–2	118
Worksheet 11	Module 2, Units 3–4	119
Worksheet 12	Module 2, Unit 6	120
Worksheet 13	Module 2, Unit 7	121
Worksheet 14	Module 2, Unit 8	122
Worksheet 15	Module 3, Unit 1	123
Worksheet 16	Module 3, Units 2–4	124
Worksheet 17	Module 3, Unit 5	125
Worksheet 18	Module 3, Unit 6	126
Worksheet 19	Module 3, Units 7–8	127
Worksheet 20	Module 4, Units 1–2	128
Worksheet 21	Module 4, Unit 3	129
Worksheet 22	Module 4, Unit 4	130
Worksheet 23	Module 4, Units 5–6	131
Worksheet 24	Module 4, Units 8–9	132

Module de Transition

Objectives

Parler de ce qui est important dans la vie	*Talk about what is important in life*
Parler de l'informatique	*Talk about computers*
Parler de la mode	*Talk about fashion*
Parler des stages sportifs	*Talk about sports courses*
Parler des risques pour la santé des jeunes	*Talk about health risks for teenagers*
Parler du système scolaire	*Talk about the French school system*
Expliquer pourquoi on a choisi sa carrière	*Explain why you have chosen a particular career*
Décrire un voyage	*Describe a journey*
Parler des vacances	*Talk about holidays*
Parler de la pollution	*Talk about pollution*

L'article défini (**le**, **la**, **l'**, **les**)	*Use the different definite articles in French*
Les verbes à l'infinitif	*Use the infinitive*
Le présent des verbes réguliers	*Form the present tense of regular verbs*
Les adjectifs	*Use adjectives*
Le présent des verbes irréguliers	*Form the present tense of irregular verbs*
Les verbes suivis de l'infinitif	*Use verbs followed by an infinitive*
L'article partitif	*Use the partitive*
L'interrogation	*Form questions*
Le passé composé des verbes réguliers et irréguliers	*Form the perfect tense of regular and irregular verbs*
Le passé composé avec l'auxiliaire **être**	*Form the perfect tense of verbs that take être*
Le pluriel des noms	*Form plurals of nouns*
Les adjectifs possessifs	*Use possessive adjectives*
Les verbes pronominaux	*Use reflexive verbs*
Le futur proche	*Form the near future tense*
Les pronoms relatifs	*Use relative pronouns*

Repérer les mots-clés et les synonymes	*Spot key words and synonyms*
Préparer et donner une présentation orale	*Prepare and give an oral presentation*
Identifier des synonymes et des mots apparentés	*Identify synonyms and related words*
Utiliser des tableaux de conjugaison	*Use verb tables*
Choisir le bon registre	*Choose the correct register when speaking/writing*
Écrire un court essai	*Write a short essay*
Se méfier des faux amis	*Recognise false friends*
Prendre des notes	*Take notes effectively*
Raconter une histoire	*Narrate a story*
Expliquer des statistiques	*Explain statistics*
Résumer un texte	*Summarise a text*
Discuter d'un texte	*Discuss a text*

Module de Transition

1 L'important dans la vie, c'est…
(Student's Book pages 6–7)

Objectives

- (t) Talk about what is important in life
- (g) Use the different definite articles in French; use the infinitive
- (s) Spot key words and synonyms

This unit relates to themes covered in more detail in Module 1.

Starter

Write the question *Qu'est-ce qui est important pour toi dans la vie?* on the board/OHP with the following headings below it: *la famille, les études, les loisirs, les amis*. Then ask students in pairs to expand the lists with their own ideas, e.g. under *la famille* they list the family members who are most important to them; under *les loisirs* they list their favourite activities: *le foot, la musique,* etc.

Listening 1, page 6

Students look at the photos and speech bubbles of the five teenagers on page 6. They then listen to the recording and decide who is being interviewed each time. Remind them that they only need to listen out for the key words in the speech bubbles; they don't need to understand every word they hear.

CD 1 Track 2

- Parlons un peu des préoccupations des ados. J'aimerais bien savoir: qu'est-ce qui est important pour vous dans la vie?
- Dans ma vie actuelle? Ben, l'important pour moi, d'abord c'est ma famille, bien sûr, et puis mes amis. C'est important d'avoir un bon cercle d'amis.
- Et pour toi, c'est pareil? C'est la famille et les amis qui sont les plus importants?
- Ouais, mais ce qui est important pour moi surtout, c'est les loisirs: faire du sport, sortir … Je crois que c'est important de se détendre un peu.
- Donc pour toi c'est les loisirs, le sport et les sorties … Et toi? Qu'est-ce qui est important pour toi en ce moment?
- En ce moment, c'est plutôt les études! Réussir au bac, c'est ma priorité. Je n'ai pas trop de temps pour les sorties. Mais avoir de bons amis c'est quand même important. Alors, l'école et l'amitié sont mes priorités.
- D'accord. Et pour toi? Le plus important, c'est les études ou les loisirs?
- Les deux! Les études sont importantes, mais également la détente. Pour moi, la détente, c'est surtout écouter de la musique. Mais le bac, c'est mon avenir, donc les études et la détente sont toutes les deux importantes.
- Et pour toi? C'est différent? Ou tu as les mêmes priorités?
- Pour moi, c'est un peu pareil que les autres. Ma priorité en ce moment, c'est le bac. Mais la famille, c'est toujours important pour moi, surtout ma mère et ma sœur. Et puis, ma troisième priorité, c'est le rugby!
- Merci beaucoup.

Answers:

1. Tiffany
2. Jean-François
3. Medhi
4. Juliette
5. Alexis

Speaking 2, page 6

Before students do exercise 2, draw their attention to the pronunciation panel on vowel sounds on page 6. Play the recording and ask students to repeat the words, first as a whole class, then in pairs and finally on their own.

CD 1 Track 3

école, études, détente
amis, famille, loisirs, sorties, vie
amitié, priorité
Mes priorités dans la vie sont les études et mes amis.

Speaking 3, page 7

Students in pairs or in groups discuss what is important in their lives. Encourage them to use as many of the key words as possible and to use the phrases provided in the yellow panel on page 6 to structure their discussion.

Speaking 4, page 7

Students report back to the rest of the class on what their partner or other members of their discussion group consider to be important in their lives. This exercise helps to reinforce the key words and phrases from the spread and give students greater confidence in speaking at more length.

Listening 5, page 7

Students read and listen to the five teenagers from exercise 1 talking about their hopes and dreams for the future. They find the French equivalents of the English phrases listed. Point out that there aren't always direct translations between English and French, e.g. 'your hopes and dreams' is best expressed the other way round in French as *tes rêves et tes espoirs*.

CD 1 Track 4

— Quels sont tes rêves et tes espoirs?
— Réussir mes études, découvrir de nouvelles choses et rencontrer des gens.
— Devenir comédienne (je suis passionnée de théâtre) et avoir des amis sur qui pouvoir compter.
— Faire une brillante carrière, à la fois devenir très riche et garder les pieds sur terre!
— Être heureuse, voyager, rencontrer des gens, avoir des enfants, être libre de mes choix.
— Réussir ma vie d'un point de vue relationnel et professionnel. Faire plein de choses différentes, quoi!

Answers:

1 tes rêves et tes espoirs
2 découvrir de nouvelles choses et rencontrer des gens
3 devenir comédienne
4 des amis sur qui pouvoir compter
5 une brillante carrière
6 garder les pieds sur terre
7 être heureuse
8 réussir ma vie d'un point de vue relationnel et professionnel

Reading 6, page 7

Draw students' attention to the grammar panel on the infinitive on page 7 before they complete exercise 6.

Answers:

Infinitif	Sens en anglais
réussir	to succeed
découvrir	to discover
rencontrer	to meet
devenir	to become
avoir	to have
pouvoir	to be able to
compter (sur)	to count (on)
faire	to do/make/have
garder	to keep
être	to be
voyager	to travel

Reading 7, page 7

Students read the questions and find the corresponding person in the article.

Answers:

1 Tiffany
2 Alexis
3 Jean-François
4 Medhi
5 Juliette
6 Tiffany
7 Medhi
8 Juliette

Writing 8, page 7

Students translate the short passage into French, adapting phrases from the article in exercise 5.

Answers:

Quels sont mes rêves et mes espoirs? Devenir architecte d'intérieur (je suis passionné(e) de design), faire une bonne carrière et devenir très riche, mais garder les pieds sur terre à la fois. Ce qui est important pour moi aussi, c'est d'avoir des amis sur qui pouvoir compter, de voyager, de rencontrer des gens et d'être heureux/heureuse. Donc, ma priorité, c'est de réussir ma vie d'un point de vue relationnel et professionnel.

Writing 9, page 7

Students write a paragraph answering the questions provided. Remind them to make as much use as possible of the structures and ideas from the spread when constructing their answers.

 Edexcel AS French listening self-study CD: Module de transition ▶ Famille ▶ La famille recomposée

Plenary

Challenge students, either on their own or in pairs, to come up with ten new phrases on the theme of 'hopes and dreams', using the infinitives from exercise 6. They then compare their lists with the rest of the class to compile a bank of phrases on the topic. This might best be done before the independent writing exercise 9.

2 Mon ordi, c'est ma vie!
(Student's Book pages 8–9)

Objectives
- **t** Talk about computers
- **g** Form the present tense of regular verbs
- **s** Prepare and give an oral presentation

This unit relates to themes covered in more detail in Module 1.

Starter

On the board or on a worksheet, provide a series of reasons for using computers (using the language in the texts on page 8), and ask students in pairs to rank them according to their own personal computer use. For example: *jouer à la console; correspondre par email; écrire son blog; faire des recherches scolaires; faire des achats; écouter de la musique; télécharger de la musique; regarder des films; vendre des choses.*

Reading 1, page 8

A gist-reading activity. Students read the article on the importance of computers for young people and decide whether a series of statements are true, false or not mentioned in the text. They could follow this up by rewriting the false sentences.

Answers:

1. fausse
2. vraie
3. vraie
4. vraie
5. pas mentionnée
6. vraie
7. fausse
8. vraie
9. pas mentionnée
10. vraie

Reading 2, page 8

Students work on the article in greater depth by finding synonyms for the expressions listed.

Answers:

1. relativement peu
2. parfois
3. régulièrement
4. également
5. pas mal de

Reading 3, page 8

Before students attempt this exercise, direct them to the grammar panel on page 9 to read about how to form the present tense of regular verbs. They then look back through the article to find examples of regular verbs in the present tense, and note them down together with their infinitives.

As a reinforcement activity, write a list of infinitives of regular -er, -ir and -re verbs and a list of the personal pronouns either on the board or on separate pieces of paper. Students select an infinitive and a pronoun and conjugate the verb accordingly, e.g. if they select *remplir* and *on*, they need to come up with *on remplit*.

Answers:

Regular -er verbs:
je joue	jouer (to play)
j'utilise	utiliser (to use)
communiquer (to communicate)	
on tchate	tchater (to chat)
nous partageons	partager (to share)
je visite	visiter (to visit)
je télécharge	télécharger (to download)
j'achète	acheter (to buy)
je gagne	gagner (to earn)
je passe	passer (to spend time)
on écoute	écouter (to listen)
on regarde	regarder (to watch)

Regular -ir verbs:
je remplis	remplir (to fill)
on finit	finir (to finish)

Regular -re verbs:
corresponds	correspondre (to correspond)
je vends	vendre (to sell)

Writing 4, page 9

Students translate a series of English sentences into French, using their knowledge of the present tense and the expressions they identified in exercise 2. Draw students' attention to the advice panel to remind them when to use different pronouns.

Answers:

1. Je tchate régulièrement/souvent et je partage des photos sur mon blog.
2. (Est-ce que) tu télécharges de la musique ou tu achètes des CD?
3. Mes amis et moi passons / On passe pas mal de temps / beaucoup de temps sur l'ordinateur.
4. Mes sœurs correspondent relativement peu / ne correspondent pas beaucoup par email.
5. On vend / Nous vendons des livres et des jeux et on gagne / nous gagnons un peu d'argent.
6. Vous utilisez également/aussi des sites Web pour faire des recherches.
7. Hugo remplit son caddie virtuel en ligne.
8. Parfois / De temps en temps je clique et je tape sur l'ordinateur jusqu'à minuit.

Module de Transition

Listening 5, page 9

Students listen and fill in the grid, using the expressions provided on the Student's Book page.

CD 1 Track 5

1
Je me sers de mon ordinateur pratiquement tout le temps! Je m'en sers surtout pour garder contact avec mes amis. On correspond par email tous les jours et nous avons tous des blogs sur lesquels on tchate régulièrement. Je télécharge relativement peu de musique. Par contre j'achète pas mal de CD sur amazon.com, qui est un site Internet que je trouve génial.

2
Mon ordinateur est plutôt essentiel dans ma vie. Je reçois très peu d'argent de poche de la part de mes parents, donc je vends pas mal de choses sur eBay: des DVD, des vêtements, des livres, un peu de tout, quoi. À part ça, mes amis et moi jouons souvent à des jeux vidéo, surtout à des jeux sportifs, on aime par-dessus tout les jeux de foot et de lutte. Il nous arrive de passer des heures dessus! Je n'utilise pas beaucoup mon ordinateur pour communiquer par email. Je préfère donner un coup de téléphone à mes amis, ou leur envoyer un SMS.

3
Je vais sur l'ordi principalement pour mon travail scolaire. J'utilise régulièrement Internet pour faire des recherches et trouver de l'inspiration quand j'ai des exposés à écrire, par exemple. J'écoute également des chansons sur Internet et parfois je télécharge quelques morceaux de musique. Je vais aussi sur mon blog, sur lequel je partage des photos avec mes amis, et ça, peut-être une ou deux fois par semaine.

Answers:

	Activité	Fréquence
1	email	tous les jours
	blogs/tchat	régulièrement
	téléchargement de musique	relativement peu
	achat en ligne	pas mal de
2	vente en ligne	pas mal de
	jeux d'ordinateur/vidéo	souvent
	email	pas beaucoup
3	recherches sur Internet	régulièrement
	téléchargement de musique	parfois
	blogs	une ou deux fois par semaine

Speaking 6, page 9

Students prepare and give a presentation on the topic of 'My computer and I', following the advice and example provided. Help students to improve the quality of language in their presentations by drawing their attention to the advice panel on 'pour + infinitive'. Ask them to find the three examples of this construction in the article on page 4 *(pour communiquer, pour faire des recherches scolaires ou personnelles, pour faire d'autres achats)* and to include at least two of their own in their presentation.

Listening 7, page 9

Students listen to each other's presentations and take notes on what they hear. They then report back in writing, describing their classmates' computer habits. This exercise gives students an opportunity to use third person singular and plural forms of regular verbs, as well as to respond productively to what they hear.

 Module de transition ▶ Nouvelles technologies ▶ L'influence des blogs

Module de transition ▶ Nouvelles technologies ▶ Le téléphone portable

 Worksheet 1 provides extended reading comprehension and grammar activities to reinforce the language on these pages and can be used at this point.

Plenary

Challenge students to give a presentation lasting up to two minutes on the subject of *Moi*. This could include language already covered so far in the course, such as: *ce qui est important pour moi, c'est …; mes rêves; mes espoirs*, as well as language that students will already be familiar with from GCSE, e.g. *ma famille; mes amis; ma ville; mes intérêts*. Encourage students to use different forms of the present tense and expressions of frequency, as appropriate.

3 C'est le look qui compte
(Student's Book pages 10–11)

Objectives

- Talk about fashion
- Use adjectives
- Identify synonyms and related words

This unit relates to themes covered in more detail in Module 1.

Module de Transition

Starter

Ask students to bring in pictures of different people, famous or otherwise, and brainstorm all the GCSE vocabulary they can remember relating to clothing: colours, fabrics, patterns.

Reading 1, page 10

In pairs, students match up the French and English adjectives. They should avoid using a dictionary as far as possible.

Answers:

1 divers — L various
2 épaisses — J thick
3 étriqués — K tight
4 étroits — D narrow
5 foncées — B dark
6 nombreux — E numerous
7 noires — A black
8 platines — F platinum blond
9 populaires — G popular
10 premier — C first
11 rouges — I red
12 sombre — B dark
13 vintage — M vintage
14 violettes — H purple
15 usé — N worn-out

Listening 2, page 10

Students listen and fill in the gaps in the text, using the words in exercise 1.

As a more challenging alternative to listening and filling in the gaps, students could do the gap-fill as a reading exercise, using context, logic and grammatical knowledge to help them with their answers. They then check their answers by listening.

CD 1 Track 6

Deux styles vestimentaires populaires sont généralement considérés comme emo. Le premier style est issu de la scène emo indie des années 90 et n'est pas sans rapport avec l'indie rock et le punk. Il comprend davantage de vêtements vintage glanés aux puces qui offrent un aspect usé. Les t-shirts sont plutôt étriqués avec des motifs très divers, parfois venus tout droit des années 80. Les sacs sont souvent décorés de patchs et de badges de groupes.

L'autre style tend davantage vers les couleurs foncées. Les cheveux sont teints, le plus souvent noir de jais, mais parfois aussi avec des mèches rouges, violettes ou platines, par exemple. Les garçons portent des jeans «allumettes» (très étroits), garçons et filles affichent de nombreux piercings (au sourcil, aux lèvres), portent un maquillage sombre (essentiellement de l'eyeliner noir). Les lunettes à montures épaisses souvent noires, sont également très populaires et parfois portées par des personnes n'ayant pas besoin de verres de correction.

Answers:

1 premier
2 vintage
3 usé
4 étriqués
5 divers
6 foncées
7 rouges
8 violettes
9 platines
10 étroits
11 nombreux
12 sombre
13 épaisses
14 noires
15 populaires

Writing 3, page 11

After reading the grammar panel on adjectives on page 10, students copy and complete the grid using the adjectives from the text in exercise 2 on page 10.

Answers:

	Adjectif	Genre et nombre	Accord avec le nom …
1	premier	masculin, au singulier	style
2	vintage	masculin, au pluriel	vêtements
3	usé	masculin, au singulier	aspect
4	étriqués	masculin, au pluriel	t-shirts
5	divers	masculin, au pluriel	motifs
6	foncées	féminin, au pluriel	couleurs
7	rouges	féminin, au pluriel	mèches
8	violettes	féminin, au pluriel	mèches
9	platines	féminin, au pluriel	mèches
10	étroits	masculin, au pluriel	jeans
11	nombreux	masculin, au pluriel	piercings
12	sombre	masculin, au singulier	maquillage
13	épaisses	féminin, au pluriel	montures
14	noires	féminin, au pluriel	montures
15	populaires	féminin, au pluriel	lunettes

Reading 4, page 11

Students copy and complete an English summary of the text on emo fashion.

Answer:

First type of emo fashion
Comes from the **1990s' emo indie scene** and includes more **vintage clothes** gathered from flea-markets, which look **worn-out**. Tee-shirts are usually rather **tight**, carrying various **motifs/logos/messages**, sometimes straight from the **1980s**. **Bags** are often decorated with **patches and badges of groups**.

Second type of emo fashion
Hair is often dyed jet **black**, sometimes with **red, purple** or **platinum blond** streaks. Boys wear very **tight jeans**. Boys and **girls** have **numerous piercings in** their eyebrow or their lips and **dark** make-up. Thick-framed **glasses** are also **popular** and sometimes worn by people who don't need **glasses/spectacles**.

Writing 5, page 11

Students note the English meaning of the words in the box without looking at a dictionary. They should use the texts in exercises 2 and 4 to help them.

Answers:

davantage	more
plutôt	rather, quite
teint(s) en noir	dyed black
la mèche	streak
porter	to wear
le sourcil	eyebrow
la lèvre	lip
le maquillage	make-up
les lunettes	glasses
avoir besoin de	to need

Speaking 6, page 11

Before students do exercise 6, draw their attention to the pronunciation panel on silent letters on page 11. Play the recording and ask students to repeat the words, first as a whole class, then in pairs and finally on their own.

CD 1 Track 7

mèche, sombres, gens, nombreux, vêtement, violets

nombreuse, étroites, violettes

De nombreuses personnes portent des vêtements sombres, des lunettes à montures épaisses, et ont une mèche violette dans les cheveux.

Speaking 7, page 11

Students re-read the text in exercise 2 and answer the questions provided orally. They should answer as fully as possible, using the structures and information provided in the text. As an extra challenge they could answer the questions from memory.

Writing 8, page 11

Students write an article about the 'skater' fashion. They should adapt the article in exercise 2 with the information provided in the annotated picture and add any other details they can think of.

Speaking 9, page 11

Students choose or invent another fashion to speak about. They should make notes on this fashion (name, clothes, hairstyle, etc.) and then interview their partner, using the questions in exercise 7. As a follow-up exercise you could ask students to make notes during their interview, in order to write an article about their partner's fashion.

 Module de transition ▶ Look ▶ Le commerce équitable

Module de transition ▶ Look ▶ Mon look, mon identité

Plenary

Get students in pairs to think of at least five adjectives that fit each of the patterns of adjective agreement mentioned in the grammar panel on page 10: those that add -*e* for the feminine form, -*s* for the masculine plural and -*es* for the feminine; no extra *e*; no extra *s*; those that change their endings; those that end in -*aux* in the masculine plural; those that double the final consonant; those that do not change at all; and irregular adjectives. Which pair can come up with the most adjectives?

4 Il va y avoir du sport!
(Student's Book pages 12–13)

Objectives

- (t) Talk about sports courses
- (g) Form the present tense of irregular verbs
- (s) Use verb tables; choose the correct register when speaking/writing

This unit relates to themes covered in more detail in Module 2.

Starter

Draw a spider diagram on the board/OHP with the main heading *Sport* and branches off it labelled *genre, équipements, pour* and *contre*. Ask students in pairs to expand the diagram with relevant vocabulary before pooling all ideas as a class.

Listening 1, page 12

Students read and listen to the article on sailing courses. To help them understand the gist of the article, they search for the French words that match the definitions provided.

CD 1 Track 8

La célèbre école de voile des Glénans, située en Bretagne, est la première école de voile d'Europe. Chaque année, à peu près 14 000 stagiaires viennent aux Glénans. Les débutants suivent leurs premiers cours de voile et ceux qui ont plus d'expérience apprennent à se perfectionner en catamaran, dériveur ou planche à voile. Les 800 moniteurs et monitrices bénévoles qui sont responsables des stages sont tous diplômés de la Fédération française de voile. Ils savent transmettre leur passion de la voile et s'assurent que chaque stagiaire devient autonome en toute sécurité.

«C'est grâce à mon père que je fais de la voile. Mais tu vois, chez moi à Rouen, on n'a qu'un lac, alors pour sortir en mer, je vais en Bretagne», dit Noémie, 16 ans, qui vient aux Glénans pour la seconde fois.

Le seul inconvénient, c'est la combinaison de plongée qu'on porte pour les cours pratiques: «La combi n'a pas le temps de sécher en une nuit. C'est la galère, le lendemain tu la remets mouillée, ça colle et c'est froid!»

Un petit détail qui n'affecte pas l'enthousiasme de Gaétan, qui suit un stage d'une semaine aux Glénans: «Je crois que les sports comme le cata sont très physiques, tu es toujours en train de bouger», explique-t-il. Il sourit, en ajoutant: «C'est hyper technique, tu apprends quelque chose chaque fois que tu sors en bateau. Quand il y a beaucoup de vent, j'adore, t'as l'impression de voler, une sensation géniale!»

Answers:

1. les stagiaires
2. les débutants
3. le catamaran, le dériveur, la planche à voile
4. les moniteurs et monitrices
5. autonome
6. un lac
7. une combinaison de plongée
8. mouillé(e)
9. bouger
10. voler

Reading 2, page 12

Students answer detailed questions on the article to show a deeper understanding of the text.

Answers:

1. C'est une école de voile.
2. 14 000 personnes.
3. Les débutants et ceux qui ont plus d'expérience.
4. Les moniteurs et monitrices.
5. Sur un lac.
6. Parce qu'elle est mouillée, ça colle et c'est froid.
7. Parce que tu es toujours en train de bouger.
8. Quand il y a beaucoup de vent.

Reading 3, page 13

Before they attempt exercise 3, draw students' attention to the grammar panel on page 12 on the present tense of irregular verbs. Remind them that if they get stuck they can refer to the verb tables at the back of the Student's Book.

Answers:

1	elle est (it is)	être (to be)
2	ils viennent (they come)	venir (to come)
3	ils suivent (they follow)	suivre (to follow)
4	ils ont (they have)	avoir (to have)
5	ils apprennent (they learn)	apprendre (to learn)
6	ils sont (they are)	être (to be)
7	ils savent (they know)	savoir (to know)
8	il devient (he becomes)	devenir (to become)
9	je fais (I do)	faire (to do/make)
10	tu vois (you see)	voir (to see)
11	je vais (I go)	aller (to go)
12	elle dit (she says)	dire (to say)
13	elle vient (she comes)	venir (to come)
14	elle a (it has)	avoir (to have)
15	tu remets (you put on again)	remettre (to put on again)
16	il suit (he follows)	suivre (to follow)
17	je crois (I think/believe)	croire (to think/believe)
18	tu es (you are)	être (to be)
19	il sourit (he smiles)	sourire (to smile)
20	tu apprends (you learn)	apprendre (to learn)
21	tu sors (you go out)	sortir (to go out)
22	tu as (you have)	avoir (to have)

Writing 4, page 13

This exercise provides further practice of forming the present tense of irregular verbs. Direct students to the verb tables at the back of the Student's Book if they get stuck. After completing the report, students translate the text into English.

Answers:

Je (**1**) **viens** aux Glénans chaque année, avec mon frère. Cette année, nous (**2**) **faisons** un stage de planche à voile. C'(**3**) **est** génial car on (**4**) **apprend** quelque chose à chaque fois qu'on (**5**) **sort** en mer. Les moniteurs (**6**) **ont** beaucoup d'expérience, ils (**7**) **savent** enseigner les techniques de base et donner confiance en soi. Chaque matin, quand je (**8**) **mets** ma combi, je (**9**) **souris**, parce que je (**10**) **sais** qu'on (**11**) **a** de la chance de faire un stage ici. Mon frère et moi, on pense tous les deux que c'est une expérience fantastique. Le soir, quand on (**12**) **va** se coucher, je me (**13**) **dis** «Tu (**14**) **vois**, t' (**15**) **es** un vrai marin maintenant!»

I come to Glénans every year with my brother. This year we are doing a windsurfing course. It's great because we learn something every time we go out on the sea. The instructors are very experienced, they know how to teach the basic techniques and give us self-confidence. Every morning, when I put on my wetsuit, I smile because I know that we are lucky to do a course here. My brother and I both think that it's a fantastic experience. In the evenings, when we go to bed, I say to myself 'You see, you're a real sailor now!'

Listening 5, page 13

Students listen to a report on climbing and mountaineering courses and make notes following structured cues. As this is the first time that students have been required to make notes on an extended audio passage, it may be necessary to play each of the three paragraphs at least twice and tell students what details to listen out for in each paragraph, e.g. they will find the answers to cues 1–4 in the first paragraph.

CD 1 Track 9

Int   Chaque année, à peu près 2 000 jeunes viennent ici, au Centre des Aigles, au cœur des Vosges, pour participer à des stages d'escalade et d'alpinisme. Dans ce centre, on propose des stages pour tous les niveaux, pour les débutants comme pour les plus expérimentés. Les stages durent de cinq à quinze jours. Il va sans dire que la priorité des 50 moniteurs et monitrices qui sont responsables des stages, c'est la sécurité. Tous sans exception sont des alpinistes très expérimentés qui savent parfaitement enseigner aux jeunes stagiaires les techniques de base de l'escalade, et leur montrer les dangers potentiels de ce sport. Écoutons maintenant deux stagiaires, Julia et Romain, qui ont tous les deux seize ans et qui font un stage ici pour la première fois.

Julia   Alors, moi, je suis une vraie débutante. J'avais jamais fait d'escalade de ma vie, donc j'ai encore plein de choses à apprendre! Mais les moniteurs ici sont hyper sympa et hyper patients aussi. Ils te donnent super confiance en toi, ce qui est essentiel, parce qu'il y a des fois où t'as carrément la trouille. Mais ce qui est chouette, c'est quand tu vois les progrès que tu fais, et c'est pour ça que c'est une expérience vachement importante pour moi. J'ai plus confiance en moi et ça me donne envie d'essayer des choses encore plus difficiles.

Romain   Ben, mon père, lui, il vient des Pyrénées, alors l'alpinisme il connaît! C'est grâce à lui que je connais les trucs de base de l'escalade. Mais je viens ici au Centre des Aigles pour perfectionner ma technique. L'escalade, c'est vachement physique comme sport. Parfois, c'est la galère. Quand tu pars en montagne tôt le matin, le soir, quand tu reviens, t'es crevé. T'as juste l'énergie de manger et de te coucher et c'est tout. Mais quand tu atteins le sommet d'une montagne, t'as l'impression de marcher dans les nuages! C'est vraiment génial.

Answers:

- 2 000 stagiaires et 50 moniteurs/monitrices
- pour les débutants et pour les plus expérimentés
- de 5 à 15 jours
- la sécurité / enseigner les techniques de base et montrer les dangers potentiels
- Julia: débutante; Romain: (plus) expérimenté
- Julia: chouette, ça donne confiance, veut essayer des choses encore plus difficiles; Romain: physique, fatigant, génial

Listening 6, page 13

Draw students' attention to the *à l'examen* panel on register when speaking before they attempt this exercise.

Answers:

plein de
hyper (x 2)
avoir (t'as) la trouille
vachement
ben
un truc (les trucs)
vachement
c'est la galère
être (t'es) crevé

Reading 7, page 13

This exercise provides practice in distinguishing between formal and informal registers, using the expressions from exercise 6.

Answers:

Sens en anglais	Français	Version plus formelle
thing	un truc	une chose
to be scared	avoir la trouille	avoir peur
really	hyper/vachement	très
to be worn out	être crevé	être fatigué
well,	ben	bien
it's a pain	c'est la galère	c'est embêtant
loads of	plein de	beaucoup de

Speaking 8, page 13

In pairs or groups, students prepare and record a radio or TV report on a ski school, following the detailed instructions provided.

Module de transition ▶ Sport ▶ La pétanque

Worksheet 2 provides extended reading comprehension and grammar activities to reinforce the language on these pages and can be used at this point.

Plenary

Tell students to look back at the article on page 12, pick out the examples of regular and irregular verbs in the present tense and give their infinitives. Alternatively, present students with a previously unseen text which contains plenty of examples of verbs in the present tense and get them to identify the regular and irregular verbs.

5 Santé en danger
(Student's Book pages 14–15)

Objectives

- (t) Talk about health risks for teenagers
- (g) Use verbs followed by an infinitive; use the partitive
- (s) Write a short essay

This unit relates to themes covered in more detail in Module 2.

Starter

Write the three headings *l'alcool, la drogue, l'obésité* on the board/OHP and ask students to brainstorm in pairs some vocabulary they might expect to hear or use on these themes.

Reading 1, page 14

Students look at the four sets of statistics labelled A–D and the accompanying pictures and work out what the statistics are about. Allow students to look up a maximum of three words in a dictionary, to encourage them to develop other strategies for working out the meaning of unfamiliar words, e.g. looking for cognates/near cognates; using picture clues. Refer them to the panel advising them to beware how they translate from French into English.

Answers:

A   One young French person in three smokes / is a smoker.
B   51% of boys aged 16–17 and 47% of girls say that they have been drunk at least once in their life.
C   18% of children aged 7–9 are overweight and 4% are obese.
D   At/By the age of 18, two in three boys and more than one in two girls have tried cannabis.

Listening 2, page 14

Students listen to three conversations and match each dialogue to one of the statistics in exercise 1.

CD 1 Track 10

1
Louis	Alors, Sarah, on va manger quelque chose?
Sarah	Ah, oui, ça fait une heure que j'ai faim, moi! Qu'est-ce qu'on va manger?
Louis	Moi, je veux bien un McDo.
Sarah	Bof, Louis, tu sais, un hamburger-frites, c'est pas tellement sain et puis tu es …
Louis	Oui, oui, je vois ce que tu veux dire: j'ai quelques kilos en trop. C'est ça, hein? Mais moi je m'en fous. J'aime manger ça.
Sarah	Écoute, il faut faire attention à ce qu'on mange quand on est jeune. Sinon, tu risques d'avoir pas mal de problèmes plus tard dans la vie. Le diabète, les maladies du cœur …
Louis	Tu veux dire que je dois manger de la salade, des légumes, tout ça? C'est dégueulasse! Tu veux que je devienne un lapin ou quoi?
Sarah	Mais non. Bien sûr que tu peux manger de la viande, mais il faut manger de la viande moins grasse. Au

Module de Transition

	lieu des hamburgers, tu peux manger du poulet par exemple. Et, puis, oui, il faut aussi manger des légumes et des fruits tous les jours. Tu dois manger un peu plus équilibré, c'est tout.
Louis	D'accord, d'accord. On va manger du poulet, alors. Mais je peux avoir des frites avec?
Sarah	T'es lourd, tu sais!

2

Caroline	Salut, Marion. Ça va?
Marion	Non, ça ne va pas du tout. J'ai trop bu hier soir et j'ai la gueule de bois.
Caroline	Qu'est-ce que t'es bête, toi! Pourquoi tu bois comme ça? Pourquoi tu te mets dans un état pareil? Tu sais que t'es toujours malade après. Tu veux finir par te tuer, ou quoi?
Marion	Je sais que c'est bête. Mais c'est difficile, tu vois quand je sors avec Luc et ses copains – eux, ils aiment boire un coup, et donc je bois aussi. Normal, quoi.
Caroline	Quoi, normal, tu peux penser pour toi quand même! Tu peux boire quelque chose de non-alcoolisé! Je sais pas moi, du coca, de l'eau, ou du jus de fruits, par exemple.
Marion	T'as raison, Caroline, je dois arrêter tout ça. Je préfère sortir toute seule avec Luc, mais lui il aime inviter ses copains. Il faut que je lui parle. Je vais lui dire qu'il doit choisir entre ses copains et moi.
Caroline	Et s'il choisit ses copains et pas toi?
Marion	Dans ce cas-là, je vais boire autant que possible, pour l'oublier! … Quoi? Je plaisante! S'il choisit ses copains, ciao Luc! Je ne veux plus sortir avec lui.

3

Karim	Dis donc, Benoît. Tu as déjà fumé un joint?
Benoît	Non, jamais. Pourquoi?
Karim	Je suis en train de lire un article dans ce magazine et ils disent que ça peut avoir des effets nocifs.
Benoît	Comme quoi, par exemple?
Karim	On dit que si tu fumes beaucoup de marijuana, tu peux avoir des troubles de la mémoire, des difficultés de concentration, et tu peux souffrir de dépression.
Benoît	C'est pas drôle, ça. Tu crois que c'est vrai?
Karim	Ouais, j'crois, justement je connais des amis de mon frère, à la fac, qui fument des joints, ou des «oinjes» comme ils disent, tous les jours, tu te rends compte … tous les jours! Et il y en a qui sont souvent déprimés. Pire, quand tu leur parles, t'as l'impression qu'ils ne comprennent pas la moitié de ce que tu dis.
Benoît	Ils doivent fumer pas mal de joints pour être comme ça.
Karim	Ah, oui, ils y sont accros, je pense. Mon frère dit qu'ils veulent arrêter, mais ils ne peuvent pas.
Benoît	Mais là, c'est un cas extrême, non? Si tu ne fumes qu'un joint de temps en temps, il n'y a pas de risques pour la santé.
Karim	Selon l'article, ça dépend de la personne. Chez certaines personnes, le cannabis peut provoquer des changements de personnalité, même s'ils n'en fument pas régulièrement.
Benoît	Dis donc, si ça peut changer ta personnalité, il faut forcer ma sœur à en fumer!
Karim	Non, mais, sois sérieux!
Benoît	T'as raison, Karim, excuse-moi. C'est sérieux, tout ça. Après ce que tu m'as dit, là, j'ai pas trop envie d'essayer.

Answers:

1 C, 2 B, 3 D

Listening 3, page 14

Students listen again and fill in the gaps, using the verb + infinitive expressions from the recordings. Before they do this exercise, refer students to the grammar panel on page 14 for a reminder of how this construction works.

Answers:

Dialogue 1

1 Il **faut faire** attention à ce qu'on mange quand on est jeune.
2 Tu veux dire que je **dois manger** de la salade, des légumes, tout ça?
3 Tu **peux manger** de la viande, mais il **faut manger** de la viande moins grasse.

Dialogue 2

4 Eux, ils **aiment boire** un coup, et donc je bois aussi.
5 Je **préfère sortir** toute seule avec Luc, mais lui il **aime inviter** ses copains.
6 Je vais lui dire qu'il **doit choisir** entre ses copains et moi.

Dialogue 3

7 Si tu fumes beaucoup de marijuana, tu **peux avoir** des troubles de la mémoire, des difficultés de

concentration et tu **peux souffrir** de dépression.
8 Ils **doivent fumer** pas mal de joints pour être comme ça.
9 Mon frère dit qu'ils **veulent arrêter** mais ils **ne peuvent pas**.

Writing 4, page 15

In translating the paragraph into French, students should use the vocabulary from exercise 3 and read the grammar panels on verb + infinitive constructions (page 14) and the partitive article (page 15).

Answer:

On doit / Il faut faire attention à ce qu'on mange quand on est jeune. On peut manger de la viande, mais on doit / il faut manger de la viande moins grasse, comme le poulet. On doit / Il faut manger beaucoup de fruits et de légumes tous les jours aussi. On ne doit pas / Il ne faut pas boire pour impressionner ses amis/copains. On peut boire quelque chose de non-alcoolisé, comme du coca, ou de l'eau. Si on fume beaucoup de cannabis, ça peut avoir des effets nocifs. On peut avoir des troubles de mémoire, des difficultés de concentration, ou on peut souffrir de dépression.

Speaking 5, page 15

In pairs, students create a dialogue in which one friend advises the other, who smokes cigarettes, against smoking. A list of prompts in English is provided to help students create their dialogue.

Writing 6, page 15

Students write a short essay of 50–80 words on *Les jeunes et la santé*. They should closely follow the advice provided to structure their essays and use as many of the phrases in the yellow panel as possible.

Worksheet 3 provides extended reading comprehension and grammar activities to reinforce the language on these pages and can be used at this point.

Plenary

To practise their essay-writing skills, ask students to write a short essay on a sport they think is dangerous. Remind them to plan their essays carefully; to use statistics to support their arguments; and to use the essay-writing expressions in the yellow panel on page 15.

6 À bonne école
(Student's Book pages 16–17)

Objectives

- t Talk about the French school system
- g Form questions
- s Recognise false friends; choose the correct register when speaking/writing

This unit relates to themes covered in more detail in Module 3.

Starter

Write a list of key words for this topic on the board/OHP and ask students to provide definitions in French for each one, together with any other information they might have. Suggested key words to use: *le bac, l'école primaire, la terminale, le collège, le Brevet, le lycée, les langues.*

Listening 1, page 16

Students listen to a description of the French school system and put the extracts on page 16 into the correct order. With more able groups, ask students to work out the reading order of the text before they listen. They could then listen to the recording to check their answers.

CD 1 Track 11

En France, l'éducation est obligatoire de six à seize ans. Mais en général, à l'âge de deux ans et demi ou trois ans les enfants vont à l'école maternelle.

Il y a deux niveaux d'éducation obligatoire: l'enseignement primaire (de six à onze ans) et l'enseignement secondaire. Il y a deux établissements d'enseignement secondaire: le collège (de onze à quinze ans) et le lycée (de quinze à dix-huit ans). En classe de troisième, la dernière année du collège, les élèves passent l'examen du Brevet. S'ils entrent au lycée, ils entrent en classe de seconde, et c'est durant cette année que les élèves choisissent la voie dans laquelle ils vont se spécialiser: les langues et la littérature, les sciences ou les arts. Pendant les deux dernières années du lycée, en classe de première et de terminale, les élèves préparent l'examen du Baccalauréat, le diplôme qui permet d'entrer à l'université.

Answers:

1 D, 2 I, 3 C, 4 H, 5 E, 6 B, 7 G, 8 J, 9 F, 10 A

Reading 2, page 16

Without using a dictionary, students give the English for selected expressions from the text in exercise 1.

They should use context to work out their answers and avoid translating literally, as in the case of number 5 they run the risk of getting the answer wrong. Before they tackle this exercise, refer students to the advice panel on *faux amis*, false friends.

Answers:

1 compulsory
2 level
3 institution (here: type of school)
4 education (literally: teaching)
5 to take an exam
6 subject option, course (literally: path, track, lane)

Writing 3, page 16

Using the information given in the text on page 16, students draw a diagram of the French school system to show the required information.

Reading 4, page 17

Draw students' attention to the grammar panel on asking questions on page 16 before they attempt this gap-fill exercise asking questions about the French school system.

Answers:

1 À partir de **quel** âge l'éducation est-elle obligatoire en France?
2 **Comment** s'appellent les deux établissements de l'enseignement secondaire?
3 Les élèves vont **où** à onze ans?
4 **Quand** les collégiens passent-ils le Brevet?
5 **Est-ce qu'**on va au lycée à quinze ans ou à seize ans?
6 **Qu'est-ce que** les élèves choisissent en seconde?
7 **Combien** d'années on reste au lycée?
8 L'examen à la fin du lycée s'appelle **comment**?
9 En **quelle** année les élèves passent-ils le bac?
10 **Pourquoi** certains élèves veulent passer le bac?

Reading 5, page 17

Students decide which questions from exercise 4 use the informal register and which are more formal. Refer them to the grammar panel on asking questions on page 16 and to the *à l'examen* panel on page 13 if they need help. Students then rewrite the sentences in the opposite register.

Answers:

Informal: Questions 3, 5, 6, 7, 8, 10
Formal: Questions 1, 2, 4, 9

1 L'éducation est obligatoire en France à partir de quel âge? / À quel âge est-ce que l'éducation est obligatoire en France?
2 Les deux établissements de l'enseignement secondaire s'appellent comment?
3 Où vont les élèves à onze ans? / Où les élèves vont-ils à onze ans?
4 Les collégiens passent le Brevet quand? / Quand est-ce que les collégiens passent le Brevet?
5 Va-t-on au lycée à quinze ans ou à seize ans?
6 Que choisissent les élèves en seconde?
7 Combien d'années reste-t-on au lycée?
8 Comment s'appelle l'examen à la fin du lycée? / Comment l'examen à la fin du lycée s'appelle-t-il?
9 Les élèves passent le bac en quelle année? / En quelle année est-ce que les élèves passent le bac?
10 Pourquoi certains élèves veulent-ils passer le bac?

Reading 6, page 17

Students read three opinions posted on an Internet forum on the subject of starting back at school. They decide whether each person is happy to go back to school and give reasons in English to support their answers, including mentioning any French words/ phrases that particularly convey these views.

Answers:

Lo92: Negative. He/She didn't have a nice first day at school; has got a rubbish timetable; the teachers are annoying and demanding. He/She finishes at 5 p.m. so it's too late to get a job and he/she has lessons on Saturday mornings. He/She uses expressions such as *nul/nulle* and *la galère*.

Zoubi: Generally positive. He says he feels lucky. He's happy because there are 24 students in his class, so not too many. He starts at 9 almost every day and often finishes at 2 p.m. He uses the expression *youpi*.

Diam'sfan: Mixed feelings. She's a bit stressed because she is starting at a new school where she doesn't know anyone. But she's quite happy to be doing the Languages and Literature option she chose. She uses the expressions *je stresse* and *je ne suis pas trop malheureuse*.

Writing 7, page 17

Students write informal questions, addressed to the three Internet users in exercise 6, to match the answers provided.

Possible answers:

1 L'emploi du temps est comment?
2 Les profs sont comment?
3 La classe finit à quelle heure?
4 Tu as cours quand? / *(Possibly)* Est-ce que tu as cours le samedi matin?
5 Il y a combien d'élèves dans la classe?
6 Tu finis à quelle heure?
7 Pourquoi (est-ce que) tu es contente?
8 Où est-ce que tu vas (maintenant)? / Tu vas où (maintenant)? / Tu vas dans quel(le sorte d')établissement (maintenant)?
9 Pourquoi (est-ce que) tu stresses?
10 Tu suis / as choisi quelle voie/option?

Speaking 8, page 17

In pairs, students prepare and record a radio interview on their school system. They should prepare a mixture of formal and informal questions and corresponding answers, and then make an audio recording of their interview. They should follow the guidance given in the bullet points.

Module de transition ▶ Scolarité ▶ Où faire ses devoirs?

Worksheet 4 provides extended reading comprehension and grammar activities to reinforce the language on these pages and can be used at this point.

Plenary

In pairs, students prepare a radio or TV interview on a different but familiar topic, e.g. healthy living, using as many different question words as possible.

7 Je connais mon métier!
(Student's Book pages 18–19)

Objectives

- **t** Explain why you have chosen a particular career
- **g** Form the perfect tense of regular and irregular verbs
- **s** Take notes effectively

This unit relates to themes covered in more detail in Module 3.

Starter

Brainstorm vocabulary on the theme of jobs as a whole class, using the board or OHP. You could list some places of work and ask students to think of suitable jobs for each category: *en plein air; dans un bureau; chez soi; dans une usine.*

Listening 1, page 18

A gap-fill exercise on different career paths taken. To make this exercise more challenging, students could try to fill in the gaps in the texts before listening to the recording to check their answers (shown in bold in the transcript).

CD 1 Track 12

Didier J'ai toujours voulu faire quelque chose en lien avec la nature, donc j'ai (1) **choisi** de devenir vétérinaire. J'ai (2) **travaillé** nuit et jour pour réussir au concours. J'ai (3) **débuté** comme vétérinaire rural, mais quand j'ai vu qu'il y avait de moins en moins de petites fermes, j'ai (4) **décidé** de travailler comme vétérinaire canin.

Ève Dès le collège, j'ai fait des gardes d'enfants: babysitting, nounou l'été … J'ai toujours (5) **aimé** jouer avec les petits, être responsable d'eux. La découverte de ma vocation pendant ma formation de professeure m'a (6) **donné** une grande confiance en moi et je n'ai pas eu de problèmes de discipline.

Nicolas Au collège, j'ai pris beaucoup de plaisir à défendre mes camarades en difficultés pendant les conseils de classe. Puis, lorsque j'avais 19 ans, ma grand-mère a été victime d'actes malhonnêtes de la part d'un notaire. J'ai (7) **défendu** ma grand-mère et j'ai obtenu gain de cause. J'ai (8) **commencé** la fac de droit en parallèle à mes études de commerce, puis je me suis spécialisé en droit des affaires.

Clotilde Au lycée, j'ai dit «Je veux être architecte», mais mes parents, des scientifiques, ont (9) **refusé** de me laisser faire quelque chose de créatif. Donc j'ai dû faire un bac scientifique, suivi par une école d'ingénieurs. J'ai commencé à travailler, mais au bout de trois mois j'en ai eu assez et j'ai (10) **démissionné**. J'ai décidé de renouer avec mon ancienne envie et c'est grâce à l'aide financière de mon futur mari que j'ai pu payer mes études d'architecte d'intérieur.

Writing 2, page 19

Before students tackle this English–French translation exercise, draw their attention to the grammar panel on page 18 on the perfect tense of regular verbs that use *avoir*.

Answers:

1. J'ai décidé de devenir professeur(e).
2. Il a toujours aimé travailler avec les enfants / les petits.
3. On a choisi / Nous avons choisi de faire quelque chose de créatif.
4. (Est-ce que) tu as défendu tes parents?
5. Pauline a débuté/commencé comme architecte.
6. Ils/Elles ont refusé de travailler et ils/elles ont démissionné.
7. Vous avez / Avez-vous / Est-ce que vous avez travaillé comme ingénieur(e)?

Module de Transition

Writing 3, page 19

After reading the grammar panel on the perfect tense of irregular verbs that take *avoir*, students look back through the article in exercise 1 to find the past participles of 10 irregular verbs.

Answers:

voulu	vouloir	to want
vu	voir	to see
fait	faire	to do, to make
eu	avoir	to have
pris	prendre	to take
été	être	to be
dit	dire	to say
dû	devoir	to have to, must
suivi	suivre	to follow
pu	pouvoir	to be able, can

Writing 4, page 19

This gap-fill exercise asks students to apply what they know about forming the perfect tense of irregular verbs.

Answers:

Depuis toujours mon frère et moi **avons voulu** être propriétaires d'un restaurant, mais quand on était au lycée, nos parents **ont dit**: «D'abord, il faut acquérir de l'expérience.» Donc on **a dû** trouver tous les deux un petit boulot dans les cuisines d'un restaurant. Après le bac, mon frère **a fait** sa formation de chef, tandis que moi, j'**ai suivi** des études de commerce. Trois ans après, j'**ai vu** une petite annonce dans le journal et on **a obtenu** les postes d'apprenti-chef et d'apprenti-gérant dans le même restaurant. Plus tard, les propriétaires du restaurant **ont été** victimes d'un incendie, à la suite duquel ils **ont eu** des problèmes financiers. Grâce à l'aide financière de nos parents, mon frère et moi **avons pu** acheter le restaurant. On **a connu** un grand succès et l'année dernière, on **a pris** possession de notre deuxième restaurant.

Reading 5, page 19

A vocabulary-building exercise. Students translate into English expressions taken from exercise 1. Encourage them to use a dictionary only as a last resort, by reminding them to use common sense and their understanding of the context to form their answers.

Suggested answers:

1 something to do with / connected with nature
2 fewer and fewer small farms
3 ever since secondary school
4 during my training
5 the dishonest behaviour / dishonesty of a solicitor
6 alongside / at the same time as my business studies (course) / studying business
7 after three months, I had had enough
8 I decided to go back to my first/former love

Reading 6, page 19

A summary-writing exercise. Students complete sentences in English to summarise the article in exercise 1.

Answers:

1 Didier chose to become a vet because **he had always wanted to do something connected with nature.**
2 He changed to being a dog vet because **he saw that there were fewer and fewer small farms.**
3 Ève became a teacher because **she liked playing with children and being responsible for them.**
4 As a result of her confidence, she **hasn't had any discipline problems.**
5 At school, Nicolas **enjoyed defending classmates in trouble, in form councils.**
6 When he was 19, he **defended his grandmother (who had been the victim of a dishonest solicitor) and won the case.**
7 At university, he studied law **alongside business,** then **specialised in business law.**
8 At school, Clothilde wanted to **be an architect,** but **her parents refused to let her do anything creative,** so **she did a science baccalauréat (and then went to engineering school).**
9 She started work as **an engineer,** but **after three months she had had enough and resigned.**
10 Thanks to **financial support from her husband-to-be**, she was able to **afford to study interior design.**

Listening 7, page 19

Before listening to the recording, ask students to brainstorm ideas and language that they are likely to hear: reasons why Sophie decided to become a nurse; what she likes about her work. Direct them also to the *à l'examen* advice panel on note-taking. They then listen and take notes on the points listed before writing up their notes in a *résumé*. In the *résumé*, students should use their notes to reproduce as much of the content of the recording as possible, but in the third person, e.g. *Dès le lycée, Sophie a voulu (faire quelque chose pour) aider les gens malades …*

CD 1 Track 13

Sophie Dès le lycée, j'ai voulu faire quelque chose pour aider les gens malades. Quand j'avais 17 ans, mon grand-père a été victime d'une crise cardiaque qui lui a été fatale. C'est pour ces deux raisons que j'ai choisi de devenir infirmière. J'ai fait ma formation à Paris et peu de temps après, j'ai réussi à trouver un poste dans un hôpital tout près de chez moi, à Chartres. Guérir des gens

Module de Transition

> malades, je trouve ça déjà très gratifiant, mais la première fois que j'ai sauvé la vie d'une personne, ça ... ça a été quelque chose d'extraordinaire. De plus, être en contact avec les gens et travailler en équipe sont deux choses essentielles pour moi pour prendre plaisir à faire mon travail. Si vous aussi vous voulez faire quelque chose d'extraordinaire dans la vie, pensez à devenir infirmière.
>
> Infirmière ... plus qu'un métier ... une passion pour la vie.

Suggested answers for note-taking:

<u>Comment et pourquoi</u>
Lycée voulu aider gens malades.
17 ans, g-père crise cardiaque fatale → devenir inf.
Formation Paris, poste hôpital Chartres.
<u>Ce qu'elle aime</u>
Guérir malades – gratifiant.
Sauver vie – extraordinaire.
♥ contact avec gens, travail équipe.

Speaking 8, page 19

Working on their own or in pairs, students create a TV or radio advert, along the lines of the advert for becoming a nurse in exercise 7, for becoming a police officer or firefighter. Remind them to follow closely the guidance provided on the Student's Book page, as their work will be marked according to the criteria listed.

Worksheet 4 provides extended reading comprehension and grammar activities to reinforce the language on these pages and can be used at this point.

Plenary

Students interview someone with an interesting job (in either English or French) and take notes in French. They should find out his/her reasons for choosing the job, what qualifications he/she has gained and how long he/she has been doing the job. They then write up their notes in either the first or third person singular, along the lines of the article in exercise 1.

8 Soif d'aventures
(Student's Book pages 20–21)

Objectives

- (t) Describe a journey
- (g) Form the perfect tense of verbs that take *être*; form plurals of nouns; use possessive adjectives
- (s) Narrate a story

This unit relates to themes covered in more detail in Module 4.

Starter

Write the heading *Décrire un voyage* on the board/OHP and ask students to brainstorm language on this topic in groups, perhaps dividing their vocabulary into sub-topics such as *Transport, Durée, Destination*. They then pool their ideas with the rest of the class.

Listening 1, page 20

Before doing this exercise, students should look at the photos and carefully read the guidance on the notes they have to take so that they can anticipate the answers, e.g. they should listen out for numbers, dates and times to answer the first two bullet points. They then listen to the recording and take notes in English.

CD 1 Track 14

En 2007, la famille Frenkel est revenue d'un voyage incroyable à travers sept pays. Monica et Francis Frenkel, accompagnés de leurs trois enfants, Léa-Lou (13 ans), Viktor (5 ans) et Ruben (4 mois), sont partis de France le 5 juillet 2005 et sont rentrés de leur aventure le 8 février 2007. Leur périple a donc duré 20 mois.

Les Frenkel sont allés loin pour se donner une idée de la vie ailleurs. Ils sont allés à Madagascar (où Francis est né et où la famille est restée sept mois), en Thaïlande, au Cambodge et en Inde, pour ne mentionner que quatre de leurs destinations exotiques. Leur étape aux îles Comores, près de Madagascar, a été une expérience inoubliable pour Francis et Léa-Lou qui ont fait de la plongée sous-marine et qui sont descendus assez profond pour pouvoir nager avec des baleines à bosse. Quelques mois plus tard, lorsque les Frenkel sont arrivés au Cambodge au printemps, c'était la saison de la mousson. Malgré les pluies torrentielles, ils sont montés à dos d'éléphant et ils sont partis faire une expédition dans la jungle! En Inde, c'est à dos de dromadaire qu'ils sont sortis en balade dans le désert.

La plus grande aventure de leur vie, vous dites-vous? Mais bien sûr que non! Les Frenkel sont déjà en pleine préparation de leur prochain voyage au Venezuela et au Brésil, prévu dans deux ans.

Answers:

- Family of five; children 13 years, 5 years and 4 months old.

Module de Transition

- Journey lasted 20 months: left on 5th July 2005 and returned on 8th February 2007.
- The Comoros Islands: diving and swimming with humpback whales; Cambodia: elephant ride and jungle expedition; India: dromedary ride into desert
- Next trip planned for two years' time to Venezuela and Brazil.

As a follow-up exercise, students listen to the exercise 1 recording again and note the 12 verbs used in the perfect tense with *être*. Before they attempt this task, refer them to the grammar panel on page 20 on forming the perfect tense of verbs with *être*.

Answers:

est revenue
sont partis
sont rentrés
sont allés (x 2)
est né
est restée
sont descendus
sont arrivés
sont montés
sont partis
sont sortis

Writing 2, page 20

Before they tackle this gap-fill exercise, direct students to the grammar panel on page 20 on forming the perfect tense of verbs with *être*. Students then write the correct form of the perfect tense in the gaps, to summarise the content of the report.

Answers:

1 La famille Frenkel **est revenue** d'un voyage incroyable.
2 Les Frenkel **sont partis** de France en 2005 et ils **sont rentrés** en 2007.
3 Ils **sont allés** loin pour se donner une idée de la vie ailleurs.
4 La famille **est restée** plusieurs mois à Madagascar, où le père, Francis, **est né**.
5 Aux îles Comores, Francis et Léa-Lou **sont descendus** assez profond, pour faire de la plongée avec des baleines à bosse.
6 Les Frenkel **sont arrivés** au Cambodge au printemps, saison de la mousson.
7 Ils **sont montés** à dos d'éléphant et ils **sont partis** faire une expédition dans la jungle.
8 En Inde, la famille **est sortie** en balade faire une traversée du désert, à dos de dromadaire.

Speaking 3, page 20

Before students do exercise 3, draw their attention to the pronunciation panel on *im* and *in* sounds on page 20. Play the recording and ask students to repeat the words, first as a whole class, then in pairs and finally on their own.

CD 1 Track 15

important, **in**croyable, **In**de, **in**diquer, **in**térieur **imm**ense, **in**oubliable, dest**in**ation, sous-mar**in**e L'**In**de est **imm**ense. C'est une dest**in**ation **in**croyable et **in**oubliable.

Speaking 4, page 21

In pairs or in groups, students write a list of questions in the perfect tense with which to interview Francis or Monika Frenkel. They should use the notes provided and refer to the the grammar panel on asking questions on page 16 of the Student's Book if necessary.

Reading 5, page 21

Before tackling exercise 5, students could read the text, find the following and translate them:

(a) 16 perfect tense verbs formed with *avoir*. They could group them as regular -*er*, regular -*ir*, regular -*re*, irregular verbs.
(b) 3 perfect tense verbs formed with *être*. Pupils could group them according to agreement of the past participle: masculine singular, feminine singular, masculine plural, feminine plural.

Answers:

(a) Regular -*er* verbs: j'ai rencontré *(I met)*, on a visité *(we visited)*, on a marché *(we walked)*, nous avons commencé *(we began/started)*, j'ai (vraiment) aimé *(I (really) liked)*, j'ai (même) communiqué *(I (even) communicated)*, j'ai raccompagné *(I accompanied back / went back with)*, on a traversé *(we crossed / went through)*, on a cassé *(we broke)*
Regular -*ir* verbs: none
Regular -*re* verbs: on a attendu *(we waited)*
Irregular verbs: ils (m')ont appris *(they taught (me))*, on a vu *(we saw)*, on a appris *(we learned)*, on a fait *(we made/did)*, la maîtresse (les) a fait (partir) *(the teacher made (them leave))*, nous avons dû *(we had to)*

(b) Masculine singular: je suis allé *(I went)*
Feminine singular: la pluie est tombée *(the rain fell)*
Masculine plural: none
Feminine plural: des poules sont entrées *(some chickens came in)*

Students then read the article and find 16 nouns in their plural forms. They then copy and complete the grid, providing the singular form of the nouns with their gender, and translate them into English. They may need help working out the singular form (*personne*) of *gens*.

Answers:

singulier	pluriel	anglais
enfant (m)	enfants	child(ren)
jeu (m)	jeux	game(s)
temple (m)	temples	temple(s)
animal (m)	animaux	animal(s)
baleine (f)	baleines	whale(s)
dauphin (m)	dauphins	dolphin(s)
requin (m)	requins	shark(s)
oiseau (m)	oiseaux	bird(s)
singe (m)	singes	monkey(s)
personne (f)	gens (m)	person/people
poule (f)	poules	hen(s)
étoile (f)	étoiles	star(s)
lémurien (m)	lémuriens	lemur(s)
tortue de mer (f)	tortues de mer	turtle(s)
œuf (m)	œufs	egg(s)
éléphant (m)	éléphants	elephant(s)

Reading 6, page 21

This exercise challenges students to work out their own grammatical rules for forming French plurals. They should write their initial explanations without first consulting the grammar reference section, which they could then use to check their answers.

Suggested answer:

Most nouns form their plural by adding -s to the singular.
Nouns ending in -eu and -eau add -x (jeu/jeux, oiseau/oiseaux).
(Most) nouns ending in -al change to -aux (animal/animaux).

It is also worth pointing out, although there are no examples in the text, that nouns ending in -s, -x or -z do not change in the plural and that some (but not most) nouns ending in -ou add -x in the plural.

Reading 7, page 21

This exercise provides an opportunity to study the text from exercise 5 in more detail. Students answer questions in French.

Answers:

1. Il a appris de nouveaux jeux, comment les gens vivent loin de la France et comment les animaux vivent.
2. Parce que la famille a fait un voyage tellement long. / Parce que la famille a tant vu et a fait tellement de choses.
3. Des poules sont entrées dans la classe et la maîtresse les a fait partir (en disant «Chicken, chicken»).
4. Il a (vraiment) aimé traverser le désert sur son dromadaire, dormir dans le sable et regarder les étoiles filantes.
5. Il a observé les lémuriens et il a communiqué avec eux (en imitant leur cri).
6. Elles sont venues pondre (leurs œufs).
7. Pour s'abriter (de la pluie) et passer la nuit.

Writing 8, page 21

Students write a description of an incredible journey they have been on, following the prompts provided. Give the following advice on storytelling so that they can make their narratives as interesting as possible:

- Use a variety of perfect-tense verbs (avoid over-using *aller* and *visiter*) and make sure you form them correctly. Look again at the wide range of verbs in Viktor's story.
- Avoid using *je* all the time. Look at how Viktor refers to what they all did, using *on* or *nous*, and to what other people or creatures did.
- Personalise your narrative with opinions. Find opinions in Viktor's text to give you ideas.
- Vary the way you begin sentences and the way you join them together. Look at how Viktor does this, e.g. How does he say 'I remember the time when …', 'I really liked …', 'It was great to …', 'I even …'?
- Add some ideas of your own which are not mentioned in the prompts, e.g. Who did you meet? What did you learn to do or learn about? What did you eat and what was it like?

 Module de transition ▶ Voyages vacances ▶ L'île de Madagascar

 Worksheet 5 provides extended reading comprehension and grammar activities to reinforce the language on these pages and can be used at this point.

Plenary

Get students to devise their own grammar quiz on the perfect tense and to test each other. They then vote on who has come up with the most challenging activities.

9 Rechargeons nos batteries!
(Student's Book pages 22–23)

Objectives

- Talk about holidays
- Use reflexive verbs; form the near future tense
- Explain statistics; summarise a text

This unit relates to themes covered in more detail in Module 4.

Starter

Ask students to create a questionnaire in French on holiday habits and preferences, including details such as favourite type of holiday; favourite destination; preferred activities; typical type of holiday and length of stay; previous holidays. They then interview each other and any other French speakers they know, e.g. French language assistant, other French teachers in the school. After doing exercise 1, they record their results in graph form.

Speaking 1, page 22

Students look at the statistics on the holiday preferences of the French and use the key expressions on page 22 to explain the information they provide.

The superlative is treated lexically here, but it is covered fully, along with the comparative, in Module 1, Unit 7.

Suggested answers:

La destination la plus populaire est la France.

Le type de séjour le moins populaire est la montagne.

Les activités de vacances les plus populaires sont la plage et les promenades.

Moins de Français aiment aller en Angleterre qu'en Italie.

20% de Français préfèrent les visites en ville tandis que 15% préfèrent ne rien faire.

Listening 2, page 23

Students listen to four people talking about their holidays, copy the grid on the Student's Book page and complete it with the information they hear.

CD 1 Track 16

1
Pour ma famille et moi, les vacances, c'est deux choses: le soleil et la détente. On a deux jeunes enfants, donc on va habituellement au bord de la mer, mais on n'aime pas trop faire de longs voyages, aller à l'étranger, donc on reste en France. L'année dernière, par exemple, on est allés en Bretagne, pas loin de Saint-Malo. C'était parfait pour nous. Quand on est en vacances, on ne fait pas grand-chose. La plupart du temps, on se détend sur la plage. Ma femme et moi, on se bronze, on se baigne un peu aussi, pendant que les enfants jouent dans le sable. En vacances, il est important pour nous de recharger nos batteries.

2
Tous les ans, je pars en vacances avec un groupe d'amis. D'habitude, on va assez loin, à l'étranger, en Afrique, par exemple, ou en Inde. C'est fascinant de se retrouver dans un pays étranger. Quand on y est, on ne se repose pas beaucoup, on passe des vacances plutôt actives. Moi, je m'intéresse beaucoup à l'histoire, donc j'aime visiter la ville, faire les musées et voir les monuments. Il y a deux ans, on est allés au Maroc. On s'est beaucoup promenés et c'était génial de se perdre dans les petites rues, de découvrir de jolis petits coins, de tomber par hasard sur un marché traditionnel ou une mosquée. Pour moi, c'est ça les vacances, c'est la découverte.

3
Généralement, je pars en vacances avec mes parents et on va quelque part en Europe, en Espagne ou en Italie, par exemple. Mais on ne va pas à la mer, parce qu'il y a trop de monde en été. On préfère louer une petite maison tranquille à la campagne. J'aime me reposer autant que possible en vacances. Je me lève tard, je prends mon petit déjeuner, je lis un peu. Par contre, l'année dernière, on a décidé de changer un peu et on est allés en Guadeloupe. C'était beau, mais il y avait trop de touristes sur la plage et je me suis un peu énervée à cause du bruit. Ce qui est important pour moi en vacances, c'est la tranquillité et le repos.

4
Je m'ennuie facilement en vacances, donc je préfère aller quelque part où il y a plein de choses à faire. J'aime surtout les vacances à la neige et tous les ans en février, je vais à la montagne avec ma sœur. On préfère aller en Allemagne ou en Suisse car on s'amuse bien là-bas. On peut faire du ski bien sûr, mais nous on aime également faire du snowboard, du patin à glace et de la luge. D'accord, les sports comme ça peuvent être dangereux. Je me souviens d'une fois, il y a trois ans, dans les Alpes suisses: ma sœur est tombée en faisant du snowboard et elle s'est blessée. On a dû la transporter à l'hôpital, mais heureusement ce n'était pas grave et elle s'est vite remise.

Answers:

	Destination préférée	Activités habituelles	Dernières vacances	Type de séjour préféré
1	France	se bronzer, se baigner, enfants: jouer dans le sable	Bretagne, près de St-Malo	mer, plage
2	l'étranger, Afrique, Inde	visiter ville, monuments, musées	Maroc, ville	ville
3	l'étranger, Espagne, Italie	se lever tard, lire	Guadeloupe, plage	campagne
4	l'étranger, Allemagne, Suisse	ski, snowboard, patin à glace, luge	Alpes suisses, montagne	montagne

Listening 3, page 23

Before students attempt this exercise, refer them to the grammar panel on reflexive verbs on page 22. Students listen again to the recording in exercise 2 and note the phrases A–M in the order in which they hear them. They then decide whether the reflexive verb used in each phrase is in the infinitive, present or perfect tense. Finally, students translate each phrase into English. As well as providing practice in identifying reflexive verbs, the exercise gives students useful key language on the topic of holidays.

Answers:

1. (K) on se détend sur la plage (présent) *(we relax on the beach)*
2. (E) on se bronze, on se baigne un peu (présent) *(we sunbathe, we swim a little)*
3. (L) c'est fascinant de se retrouver dans un pays étranger (infinitif) *(it's fascinating to find yourself in a foreign country)*
4. (G) on ne se repose pas beaucoup (présent) *(we don't rest much)*
5. (I) je m'intéresse beaucoup à l'histoire (présent) *(I am very interested in history)*
6. (C) on s'est beaucoup promenés (passé composé) *(we walked a lot)*
7. (B) j'aime me reposer autant que possible (infinitif) *(I like to relax as much as possible)*
8. (M) je me lève tard (présent) *(I get up late)*
9. (F) je me suis un peu énervée (passé composé) *(I got a bit irritated)*
10. (D) je m'ennuie facilement en vacances (présent) *(I get bored easily on holiday)*
11. (J) on s'amuse bien là-bas (présent) *(we have good fun there)*
12. (A) je me souviens d'une fois (présent) *(I remember once)*
13. (H) elle s'est blessée (passé composé) *(she hurt/injured herself)*

Writing 4, page 23

An English–French translation exercise using the language from exercise 2.

Suggested answer:

Ce qui est important pour moi en vacances, c'est la détente / de me détendre. Normalement / D'habitude / je vais à la mer / au bord de la mer, en Espagne, avec ma famille. J'aime me lever tard, puis on se détend sur la plage, on se bronze, parfois/quelquefois je me baigne un peu. Quand je suis en vacances, je préfère me reposer autant que possible. Je me souviens d'une fois où on est allés en vacances en Italie, on a visité beaucoup de monuments et on s'est beaucoup promenés. À la fin de la journée je suis tombé(e) et je me suis blessé(e) au pied. En plus, je ne m'intéresse pas à l'histoire, donc je me suis énervé(e).

Reading 5, page 23

Refer students to the advice panel on summarising before they tackle this summary-writing exercise. To help students pick out the salient details, challenge them to find six or seven key words/phrases in the article that they believe sum up its content. They then compare their list with the rest of the class before writing their own summaries.

Example answer:

Twenty-eight 16- and 17-year-olds from Nantes are going on a humanitarian mission to their twin town in Senegal, from 23rd July to 9th August, as part of the celebrations of 100 years of the scout movement and 70 years of the Guides. They will stay with the Senegalese Guides and take part in workshops on peace and health, meeting 4000 youngsters from all over the world. The youngsters were given a 15-minute interview to check their motives and make sure they understood the project. One of them said it was a chance to travel to another continent, discover another culture and meet other young people from around the world.

As a follow-up exercise, students look back through the article in exercise 5 and note five verbs in the immediate future tense. Refer students to the grammar panel on the immediate future tense on page 23 before they attempt this task.

Answers:

vont partir
va loger
vont faire
vont rencontrer
va pouvoir

Module de Transition

Speaking 6, page 23

Students prepare and give a presentation on the holiday described in the advert as if they are about to embark on it themselves. Remind them to follow closely the bullet-point guidance provided on the Student's Book page, in order to gain the maximum of marks.

Module de transition ▶ Voyages vacances ▶ L'île de Madagascar

Worksheet 5 provides extended reading comprehension and grammar activities to reinforce the language on these pages and can be used at this point.

Plenary

Students describe the statistics from the starter exercise, using the *Expressions utiles* from page 22.

10 On étouffe!
(Student's Book pages 24–25)

Objectives

- **t** Talk about pollution
- **g** Use relative pronouns
- **s** Discuss a text

This unit relates to themes covered in more detail in Module 4.

Starter

Ask students in pairs to think of 10 English words or phrases on the theme of 'Pollution' and then to look them up in a French dictionary. They then pool their vocabulary with the rest of the class, and later check to see how many of these words and expressions feature in the unit.

Reading 1, page 24

A gist-reading exercise to help students familiarise themselves with the key words in the first part of the article. Remind students to note their answers in dictionary style: nouns in the singular with (m) or (f) in brackets to indicate gender, verbs in the infinitive, etc. – this is the most useful way of recording new vocabulary.

Answers:

1. métropole (f)
2. brouillard (m)
3. émettre
4. notamment
5. usine (f)
6. combustibles fossiles (m pl)
7. charbon (m)
8. pétrole (m)
9. répandre
10. empoisonner

As a follow-up exercise, to check that students have understood the detail of the passage, ask them to translate it into English.

Suggested translation:

Towns where you can't breathe
On some days, in big cities such as Mexico, Cairo and Athens, a thick fog covers the whole town. It is due to / caused by the gases/fumes emitted by cars (particularly diesel-engined vehicles) and factories. The use of fossil fuels (coal and oil) spreads huge quantities of particles and residues from combustion through the air, poisoning the inhabitants of big cities.

Listening 2, page 24

Before listening to the recording, students should try to guess the missing words, using grammatical clues and the context to work out what they are. They then listen and note which words they guessed correctly. (Answers are shown in bold in the transcript.)

CD 1 Track 17

L'exemple de Linfen
On respire très mal dans cette (**1**) **ville**, qui a la triste réputation d'avoir l'air le plus pollué de Chine. Raison principale: le gaz carbonique rejeté par les mines de charbon. Les (**2**) **voitures** doivent rouler tous phares allumés en plein jour à cause d'un (**3**) **brouillard** persistant. Et les (**4**) **habitants** sont obligés de porter des masques pour se protéger. L'eau de la ville est également (**5**) **polluée**.

Les animaux sont touchés
La (**6**) **pollution** ne se limite pas à l'air que nous respirons. Elle s'infiltre dans la terre, dans les nappes phréatiques, dans les rivières et les (**7**) **lacs**. Les bélougas, par exemple, avalent des produits toxiques rejetés dans le fleuve Saint-Laurent (au Canada). En (**8**) **mer**, le plancton, les larves de poisson, les oursins, les langoustes sont infectés par les produits rejetés par les bateaux. Or, ces êtres vivants sont la principale nourriture de nombreux mammifères qui, à leur tour, sont contaminés.

Reading 3, page 25

Students re-read the sections of the article featured in exercise 2 and find the words in the text that match the synonyms and definitions 1–10.

Module de Transition

Answers:

1. respirer
2. triste
3. rouler
4. phare (m)
5. masque (m)
6. bélouga (m)
7. avaler
8. fleuve (m)
9. nourriture (f)
10. mammifère (m)

Writing 4, page 25

Students answer questions in French on the text, using their own words as far as possible.

Suggested answers:

1. Linfen est polluée à cause du gaz carbonique rejeté par les mines de charbon.
2. (a) Les voitures doivent rouler tous phares allumés en plein jour à cause d'un brouillard persistant.
   (b) Les habitants sont obligés de porter des masques pour se protéger.
   (c) L'eau de la ville est polluée.
3. Les bélougas avalent des produits toxiques rejetés dans le fleuve.
4. Elle vient des produits rejetés par les bateaux.
5. Ils sont contaminés parce qu'ils mangent des poissons infectés par la pollution.

Writing 5, page 25

Direct students to the grammar panel on relative pronouns on page 25 before they tackle this English–French translation exercise.

Answers:

1. Les voitures qui émettent beaucoup de gaz toxique sont les véhicules à moteur diesel.
2. Linfen est une ville dont les habitants souffrent.
3. Le brouillard persistant qui recouvre Linfen est dû à la pollution de l'air.
4. Le charbon et le pétrole qu'on utilise dans les usines empoisonnent l'air.
5. Les gens qui sont obligés de porter des masques sont des habitants de Linfen.
6. De nombreux mammifères dont la nourriture principale est le poisson sont contaminés.

Reading 6, page 25

Students read the end of the article and summarise in English what it is about. Refer them back to the advice panel on summary writing on page 23 of the Student's Book.

Speaking 7, page 25

In pairs, students prepare oral responses to the questions on the exercise 6 text. They then take turns to ask and answer the questions. The yellow panel provides structures which will be useful when answering questions on stimulus material in the oral exam. You could also give the following advice on the three types of questions in the oral exam:

- You won't see the questions the examiner is going to ask, so you need to predict what kind of questions will come up and prepare your answers carefully.
- The first question will be a general question asking you what the text is about.
- The second question will ask you something specific about the text.
- The third and fourth questions will ask your opinion and lead into a general discussion of the topic.

Plenary

Ask students to select an article from elsewhere in the Transition Module. They then make up A, B and C type questions, as used in exercise 7, based on this article. In pairs, they take turns to ask and answer the questions they have devised.

Module I Culture Jeunes

Objectives

Discuter de l'avenir	*Talk about the future*
Parler des rapports affectifs	*Talk about love and marriage*
Parler de la pression du groupe	*Talk about peer pressure*
Parler des relations familiales	*Talk about family relationships*
Raconter une histoire de dépendance	*Tell a story about addiction*
Donner son opinion sur les émissions de télé-réalité	*Express an opinion on reality TV programmes*
Parler de l'Internet	*Talk about the Internet*
Parler du portable et des jeux vidéo	*Talk about mobile phones and video games*
Parler de la musique	*Talk about music*

Le futur	*Form the future tense*
La négation	*Use negatives*
Les pronoms compléments d'objet direct	*Use direct object pronouns*
Les pronoms compléments d'objet indirect	*Use indirect object pronouns*
L'imparfait	*Form and use the imperfect tense*
Les pronoms emphatiques	*Use emphatic pronouns*
Le comparatif et le superlatif	*Use comparative and superlative adjectives*
Les adjectifs démonstratifs	*Use demonstrative adjectives*
Les adverbes	*Use adverbs*
Les pronoms démonstratifs	*Use demonstrative pronouns*
Révision du passé composé et de l'imparfait	*Revise the perfect and imperfect tenses*

Identifier des paraphrases	*Paraphrase*
Exprimer et justifier un point de vue	*Express and justify a point of view*
Prédire en utilisant sa connaissance grammaticale	*Predict the meaning of words using grammatical clues*
Défendre ou contredire un point de vue	*Defend or challenge a point of view*
Structurer un essai	*Structure an essay*
Écrire un essai d'après un texte	*Answer a structured question*
Formuler des réponses avec ses propres mots	*Use own words to answer questions*
Identifier des détails	*Identify details*
Inventer une histoire	*Create a story*
Adopter un point de vue contraire	*Adopt an opposing point of view*
Anticiper des réponses possibles	*Anticipate possible answers*
Poser des questions plus complexes	*Ask more complex questions*
Exprimer l'accord et le désaccord	*Express agreement and disagreement*
Prédire les idées et le vocabulaire	*Predict ideas and vocabulary*
Améliorer une présentation orale	*Improve an oral presentation*

Module 1 Culture Jeunes

1 L'avenir le dira!
(Student's Book pages 32–33)

Objectives

- (t) Talk about the future
- (g) Form the future tense
- (s) Paraphrase; express and justify a point of view

> **Starter**
>
> Provide additional help for students in accessing the texts on page 32 by photocopying them and asking students to underline words and phrases from the following categories that they recognise: cognates, near cognates or words they can guess, opinion phrases, connectives, etc. This will be useful preparation for the comprehension exercises on page 32.

Reading 1, page 32

This series of exercises helps students to grasp the gist of the article.

Answers:

1 l'avenir
2 Suggested key words:
   Thibault: avancées technologiques, pollution, communication, voyager
   Mathilde: chômage, travailleurs, études, emploi, impôts
   Ibrahim: inégalités, criminalité, terrorisme, (réchauffement de la) planète, désastres
   Léanne: santé, cancers, maladies graves, vaccin, sida, éducation, pauvreté
3 Thibault: optimiste
   Mathilde: pessimiste
   Ibrahim: pessimiste
   Léanne: optimiste

Reading 2, page 32

Students find the French equivalents in the article for the English words and phrases listed. Remind them to note down the new vocabulary in dictionary style; the advice panel on page 32 instructs students in this.

Answers:

1 à l'avenir (m)
2 vie (f)
3 chômage (m)
4 impôts (m pl)
5 inégalité (f)
6 accorder plus d'importance à
7 réchauffement (m) de la planète
8 ouragan (m)
9 inondation (f)
10 faire de mon mieux
11 gouvernement (m)
12 guérir
13 sida (m)
14 pays (m) en voie de développement
15 améliorer
16 pauvreté (f)

Reading 3, page 33

Before they attempt this exercise, draw students' attention to the grammar panel on the future tense on page 32. Then ask them to find as many regular and irregular verbs in the future tense as possible in the article and translate them into English. There are 11 verbs in the text that are regular in the future tense and 22 that are irregular:

Regular verbs:

on vivra (vivre)	we will live
on (se) parlera ((se) parler)	we will talk (to each other)
on voyagera (voyager)	we will travel
j'étudierai (étudier)	I will study
(ça) coûtera (coûter)	(it) will cost
je continuerai (continuer)	I will continue
je prendrai (prendre)	I will take
on trouvera (trouver)	we will find
(ça) sauvera (sauver)	(it) will save
on réussira (réussir)	we will succeed
(ça) donnera (donner)	(it) will give

Irregular verbs:

il sera (être)	it will be
on pourra x 2 (pouvoir)	we will be able to
(ils) seront (être) x 2	(they) will be
il y aura x 3 (avoir)	there will be
(elle) sera x 2 (être)	(it) will be
on verra x 2 (voir)	we will see
on ira (aller)	we will go
on aura (avoir)	we will have
j'essaierai (essayer)	I will try
(ils) devront (devoir)	(they) will have to
(elles) deviendront (devenir)	(they) will become
il faudra (falloir)	we will have to
ce sera (être)	it will be
j'irai (aller)	I will go
il fera (faire)	it will do
(elles) iront	(they) will go

Students match the statements to the appropriate person in the article on page 32.

Module 1 Culture Jeunes

Answers:

A Mathilde
B Léanne
C Ibrahim
D Mathilde
E Thibault

Listening 4, page 33

Students listen to four people talking about the future and decide whether they have an optimistic, pessimistic or mixed outlook on the future. They provide reasons to justify their answers.

CD 1 Track 18

1
Je crois qu'à l'avenir, le réchauffement climatique causera pas mal de problèmes. Il y aura plus de désastres environnementaux et on verra plus de catastrophes naturelles ou de conditions climatiques extrêmes, telles que des pluies torrentielles, des vagues de chaleur ou des grandes sécheresses. En plus de ça, beaucoup de gens seront au chômage à cause des avancées technologiques, ce qui accentuera les inégalités entre les riches et les pauvres.

2
D'une part, il y a des problèmes mondiaux auxquels je ne vois pas de solution, comme le réchauffement de la planète et le terrorisme; et à mon avis, ça va être de pire en pire. D'autre part, je crois que les progrès de la science et de la technologie contribueront à améliorer la vie de beaucoup de gens, surtout dans les pays en voie de développement, comme avec les médicaments contre le sida et d'autres maladies graves.

3
Malgré tous les problèmes dans le monde, comme le terrorisme, la pauvreté et le réchauffement de la planète, je pense qu'on finira par les résoudre. Ce ne sera pas facile et ça prendra du temps, mais j'ai beaucoup de confiance en la nature humaine. On pourra résoudre le conflit entre certains pays grâce à des conférences et des négociations. Les gouvernements des pays les plus riches feront quelque chose pour aider les pays les plus pauvres. Et je pense qu'un jour, on saura comment réparer la couche d'ozone et arrêter le réchauffement de la planète.

4
À mon avis, il y aura moins de chômage à l'avenir et les gens n'iront plus au bureau. À la place, ils travailleront de chez eux, ce qui sera plus agréable. Ce sera mieux pour l'environnement aussi, parce qu'on utilisera moins la voiture, donc il y aura moins de pollution. Mais ce qui m'inquiète, c'est le logement, non seulement en France mais partout dans le monde. S'il faut construire encore plus de maisons et d'appartements, il faudra détruire la campagne. Il y aura de moins en moins d'espaces verts et des espèces d'animaux et d'oiseaux disparaîtront pour toujours.

Answers:

(Pupils could note the reasons in French or in English, as teachers prefer.)

1 Pessimiste. Raisons: réchauffement climatique, plus de désastres environnementaux, catastrophes naturelles; plus de chômage à cause de la technologie, inégalités entre riches et pauvres.
2 Les deux. Raisons: problèmes sans solution: réchauffement de la planète, terrorisme. Mais sciences et technologie amélioreront la vie des gens: médicaments contre le sida, etc.
3 Optimiste. Raisons: on résoudra les problèmes, confiance en la nature humaine. Résoudre conflits entre pays: conférences, négociations. Gouvernements des pays riches aideront les pays pauvres. Réparer la couche d'ozone, arrêter le réchauffement de planète.
4 Les deux. Raisons: moins de chômage, travailler de chez soi, utiliser moins la voiture, moins de pollution. Mais problème de logement, construire plus de maisons, moins d'espaces verts, détruire la campagne, espèces d'animaux et d'oiseaux disparaîtront.

Writing 5, page 33

In preparation for this translation exercise, students could first translate the exercise 1 article into English. Each student or pair/group of students could translate one section. This will provide them with many of the key structures with which to do this English–French translation exercise.

Suggested answer:

À l'avenir, beaucoup de choses iront mieux. En ce qui concerne la santé, on pourra guérir des maladies graves, comme le cancer et le sida. De plus, on améliora l'éducation des gens dans les pays en voie de développement, donc ils auront plus de possibilités. Et grâce aux progrès technologiques, plus de gens travailleront de chez eux. Mais dans les années à venir, il y aura plus de chômage. Je ferai de mon mieux et j'essaierai de (me) trouver un emploi bien payé, mais ce ne sera pas facile. Il faudra / On devra protéger l'environnement aussi, sinon on verra plus d'inondations et d'ouragans.

Module 1 Culture Jeunes

Writing 6, page 33

Students write notes for a debate on how they view the future. Refer them to the advice panel on page 33 on how to structure their notes.

Speaking 7, page 33

In pairs, in groups or as a whole class, students debate the issue of what the future holds. They should refer to the notes they made in exercise 6 and the key language for expressions to use in the debate to explain and justify their point of view.

Worksheet 6 provides extended reading comprehension and grammar activities to reinforce the language on these pages and can be used at this point.

Plenary

Get students to devise their own grammar quiz on the future tense and test each other. They then vote on who has come up with the most challenging activities.

2 Fidèle pour la vie
(Student's Book pages 34–35)

Objectives

- **t** Talk about love and marriage
- **g** Use negatives
- **s** Predict the meaning of words using grammatical clues; defend or challenge a point of view

Starter

Draw students' attention to the advice panel on page 34 of the Student's Book on using context to predict the missing words in gap-fill exercises. Then challenge them to guess what the missing words are in exercise 1, e.g. noun, adjective, verb.

Listening 1, page 34

Students listen to the recording and check how many of the answers (in bold in the transcript) they guessed correctly in the starter exercise.

CD 1 Track 19

Joséphine   Lorsqu'on me demande pourquoi je n'ai pas de **(1) copain**, je réponds que personne ne m'intéresse. Je ne **(2) sortirai** pas avec n'importe qui. Je crois sincèrement que pour tout le monde il n'y a qu'un seul partenaire et qu'on finit tous par le trouver. Je trouve bête de dire que l'on ne peut pas **(3) rencontrer** l'amour de sa vie quand on est jeune. Mes **(4) parents** se sont connus au lycée, ils avaient 16 et 17 ans. Ils s'aiment toujours. J'ai beaucoup d'exemples autour de moi qui me prouvent que c'est possible d'**(5) aimer** une seule personne pour la vie. Je n'ai peur que d'une chose: de me tromper de personne.

Benjamin   Si je cherche une **(6) copine** pour passer du temps avec elle, si j'ai envie d'être amoureux, je m'investis plus. Quand je n'ai pas envie de m'attacher, il m'arrive de sortir **(7) avec** des filles juste pour m'éclater. Pour le moment, je suis **(8) très** content de n'avoir que des aventures. Mais il ne faut pas que cette période dure trop longtemps. Il n'y a rien dans le regard, rien dans les gestes. Le **(9) grand** amour, j'y crois, c'est possible, mais c'est très **(10) rare**. Dans l'idéal, il est vrai que j'aimerais être avec une seule fille qui m'aime, et que j'aime aussi, pour la vie.

Reading 2, page 34

Before they do this exercise, refer students to the grammar panel on negatives on page 34. They then look back through the article in exercise 1 to find seven of the nine sentences containing negative constructions (one sentence contains more than one negative phrase) and translate them into English.

Possible answers:

1. Lorsqu'on me demande pourquoi **je n'ai pas de** copain, je réponds que **personne ne m'intéresse**. (When people ask me why I don't have a boyfriend, I reply that no one interests me.)
2. **Je ne sortirai pas** avec n'importe qui. (I won't go out with just anybody.)
3. Je crois sincèrement que pour tout le monde **il n'y a qu'**un seul partenaire et qu'on finit tous par le trouver. (I honestly believe that for everybody there is only one partner and we all end up finding him/her.)
4. Je trouve bête de dire que **l'on ne peut pas** rencontrer l'amour de sa vie quand on est jeune. (I find it silly to say that you can't meet the love of your life when you are young.)
5. Je **n'ai peur que** d'une chose: de me tromper de personne. (I'm only afraid of one thing: getting the wrong person.)

Module 1 Culture Jeunes

6 Quand je **n'ai pas** envie de m'attacher, il m'arrive de sortir avec des filles juste pour m'éclater. (When I don't want to get attached, I sometimes go out with girls just for a laugh.)
7 Pour le moment, je suis très content de **n'avoir que** des aventures. (For the moment I'm very happy just to have adventures/fun.)
8 Mais il **ne faut pas** que cette période dure trop longtemps. (But this phase mustn't/can't go on for long.)
9 Il **n'y a rien** dans le regard, **rien** dans les gestes. (There's nothing in the way you look at each other, nothing in the gestures.)

Reading 3, page 34

Students decide whether statements 1–6 are true or false and write out the correct version of the false sentences.

Answers:

1 vraie
2 fausse
  Example correction: Elle pense qu'à 16 ans, on n'est pas trop jeune pour trouver l'amour de sa vie.
3 vraie
4 fausse
  Example correction: Parfois, Benjamin sort avec des filles juste pour s'amuser.
5 fausse
  Example correction: Pour lui, avoir des aventures avec les filles n'est pas toujours satisfaisant.
6 vraie

Listening 4, page 34

A gist-listening exercise. Students listen to four teenagers and decide whether each person believes in true love, doesn't believe in it or is undecided. As an additional challenge, ask students to give reasons for their answers.

CD 1 Track 20

1
Je ne sais pas si c'est possible d'aimer une seule personne pour toujours. Je suis sortie avec plusieurs garçons et je n'ai pas encore rencontré l'amour de ma vie. Mais bon, ça ne veut pas dire que je ne le trouverai jamais. Je garde l'esprit ouvert à ce sujet. Mais je n'ai aucune envie de me marier. Si on aime vraiment quelqu'un, pourquoi a-t-on besoin de se marier? Pourquoi ne pas vivre tout simplement ensemble, en union libre?

2
Mes grands-parents sont mariés depuis quarante-deux ans. Ils sont restés fidèles l'un à l'autre. Mais, eux, ils sont d'une autre génération. Pour les jeunes d'aujourd'hui, ça ne se passe plus comme ça! La vie est plus compliquée, plus exigeante. C'est pourquoi il y a tellement de divorces. Je crois qu'aimer quelqu'un pour la vie n'est pas facile dans la société contemporaine et rester fidèle à une seule personne toute sa vie ne semble plus possible.

3
Je n'ai pas d'exemples autour de moi d'histoire d'amour qui dure toute la vie. Mes parents sont divorcés, ainsi que les parents de la plupart de mes copains. Donc il n'y a personne pour me prouver que ça existe. Je n'ai aucune raison d'y croire et pourtant, j'y crois! J'espère trouver mon prince charmant un jour et me marier avec lui.

4
Trouver quelqu'un avec qui on peut partager sa vie, ce n'est pas évident. Et si tu crois qu'il n'y a qu'une seule personne pour toi, tu risques de finir tout seul. Mais moi, si je n'arrive pas à trouver mon grand amour, je n'aurai rien, ma vie ne sera pas complète. C'est peut-être naïf, mais je m'accroche à mon idéal et j'y crois toujours.

Answers:

1 Indécise.
2 N'y croit pas.
3 Y croit.
4 Y croit.

Writing 5, page 34

A gap-fill exercise using the recording from exercise 4 and reinforcing the grammar point on negatives. Challenge students to fill the gaps with the negative constructions before listening again to check their answers.

Answers:

1 Je n'ai pas encore rencontré l'amour de ma vie, mais ça **ne** veut **pas** dire que je **ne** le trouverai **jamais**.
2 Je **n'**ai **aucune** envie de me marier.
3 Pour les jeunes d'aujourd'hui, ça **ne** se passe **plus** comme ça.
4 Il **n'**y a **personne** pour me prouver que ça existe.
5 Je **n'**ai **aucune** raison d'y croire et pourtant j'y crois.
6 Si tu crois qu'il **n'**y a **qu'**une seule personne pour toi, tu risques de finir tout seul.
7 Si je n'arrive pas à trouver mon grand amour, je **n'**aurai **rien**.

Reading 6, page 35

Students read the four opinions on marriage and match statements 1–5 to the right person.

Module 1 Culture Jeunes

Before tackling this exercise, ask students to summarise each person's opinion in English, e.g. Nabila: doesn't need to be married to remain faithful; Célia: the PACS is an important way of giving gay couples official recognition; Jérôme: marriage is important if you are going to have children, as it provides more security; Omar: people aren't capable of being faithful and divorce damages children. This will help them complete the exercise more easily.

Answers:

1. Omar
2. Nabila
3. Célia
4. Jérôme
5. Omar

Speaking 7, page 35

In pairs, students discuss whether they believe in everlasting love and marriage. To fuel their discussion, they should take on the roles of either person A or person B, as outlined on the Student's Book page.

Writing 8, page 35

Students write a short article of around 100–150 words on their personal attitude to love and marriage. Remind them that their answers should cover all the bullet points provided in order to gain the maximum amount of marks.

 Module 1 ▶ Amour ▶ Des conseils aux amoureux

Plenary

Ask students to write 10–15 negative sentences on how they view the future. Refer them back to pages 32–33 for inspiration if necessary.

3 Faire comme tout le monde?
(Student's Book pages 36–37)

Objectives

- (t) Talk about peer pressure
- (g) Use direct object pronouns
- (s) Structure an essay

Starter

On the board/OHP, write the French from the vocabulary list on page 36 of the Student's Book. Ask students to work out the English meanings and then guess the theme of the unit. Can they think of any other vocabulary to add?

Speaking 1, page 36

In pairs, students describe what is happening in each of the three cartoons, using the vocabulary provided.

Listening 2, page 36

A multiple-choice listening exercise. Before they tackle this exercise, refer students to the *à l'examen* advice panel on page 36.

CD 1 Track 21

Clément Je suis la mode, mais je ne la suis pas à la lettre. Si je porte des vêtements de marque, c'est parce que j'aime ça. Dans ma classe, presque tout le monde porte des marques et il est vrai que le look est un critère essentiel pour s'intégrer dans un groupe. Si tu portes un tee-shirt ou des baskets sans marque, on te méprise et on ne va même pas prendre la peine de te connaître, même si c'est tout simplement parce que tu n'as pas les moyens de t'acheter des vêtements de marque. J'ai quand même des habits sans marque; par exemple, j'ai un vieux sweat confortable que j'aime bien, mais je le mets seulement à la maison, où mes copains ne me voient pas avec. Je ne veux pas qu'ils se moquent de moi.

Answers:

1 (a), 2 (a), 3 (c), 4 (c), 5 (b)

Listening 3, page 36

Students listen again and complete the gapped sentences. Point out to students that they may need more than one word to fill the gap.

Answers:

1. Si je porte des vêtements de marque, c'est **parce que j'aime ça**.
2. Il est vrai que **le look est** un critère **essentiel** pour pouvoir s'intégrer **dans un groupe**.
3. Si tu portes **un tee-shirt ou des baskets sans marque**, on te méprise et on ne va même pas prendre la peine de te connaître.
4. Même si c'est parce que tu n'as pas **les moyens d'acheter des vêtements de marque**.
5. J'ai quand même des **habits sans marque**.
6. Par exemple, j'ai **un vieux sweat confortable que j'aime bien**, mais je le mets seulement **à la maison**, où mes copains ne me voient pas.

Module 1 Culture Jeunes

Writing 4, page 37

Refer students to the grammar panel on direct object pronouns on page 37 before they attempt this gap-fill exercise.

Answers:

A
1. Mes copains ne suivent pas la mode, mais moi, je **la** suis un peu.
2. Les habits de marque coûtent trop cher, mais j'aime **les** regarder dans la vitrine.
3. Tu portes des habits sans marque quand tes copains ne **te** voient pas?
4. Si je porte des vêtements sans marque à l'école, on **me** méprise.

B
5. Tu as mis ton nouveau tee-shirt? Oui, je **l'ai** mis.
6. Mon copain a acheté une casquette et il **l'a** port**ée** hier soir.
7. Il a acheté quatre bouteilles d'alcool et il **les a** bu**es** tout seul.
8. Elle a fumé le joint que Marc lui a proposé? Non, elle **ne l'a pas** fumé, parce que c'est une drogue illégale.

Reading 5, page 37

Students read the two articles on peer pressure and answer questions on them in English. If students need extra support before tackling this exercise, ask them to skim through the articles and note two or three key words/phrases in French that summarise each one, e.g. Léa: *l'alcool, saouls, je m'en moque*; Thomas: *petite amie / fille, sortir*.

Answers:

1. They get drunk, get ill, lose their dignity.
2. She refuses to make herself do what everybody else does.
3. Who has got a girlfriend and who hasn't.
4. They made fun of him / called him names.
5. (He thinks it's unfair and) he's getting fed up with it.

Writing 6, page 37

Students write an essay of around 150 words on peer pressure, following the bullet points provided. Refer them to the useful expressions in the panel on page 37.

- Module de transition ▶ Look ▶ Mon look, mon identité
- Module 1 ▶ Violence ▶ La violence et les ados
- Worksheet 7 provides extended reading comprehension and grammar activities to reinforce the language on these pages and can be used at this point.

Plenary

Ask students to devise a quiz on direct object pronouns in similar style to exercise 4.

4 Conflits et confidences
(Student's Book pages 38–40)

Objectives
- (t) Talk about family relationships
- (g) Use indirect object pronouns
- (s) Answer a structured question; use own words to answer questions

Starter

Ask students in pairs to create a questionnaire on family relationships: who in family, ages, who you get on best/worst with and why, etc. They then survey other pairs in the class and any other French speakers they know: French assistant, other French teachers, etc.

The films *La Crise*, *Tanguy* and *15 août* can be useful for teaching this topic.

Listening 1, page 38

Students listen and put viewpoints A–G in the order in which they hear them.

CD 1 Track 22

Int Bonsoir. On entend souvent parler du conflit des générations, mais les parents et les adolescents s'entendent-ils vraiment aussi mal que ça? J'ai avec moi cinq jeunes, Lucie, Romain, Yanis, Nathalie et Hugo, qui vont nous parler de leurs relations avec leurs parents. Pour commencer, j'aimerais tous vous demander s'il existe des conflits entre vous et vos parents. Et si c'est le cas, si ces conflits sont plus fréquents avec votre père ou avec votre mère. Commençons par toi, Lucie.

Lucie C'est-à-dire que mes parents sont divorcés et je vis avec ma mère. Mon père, je ne le vois pas souvent, donc c'est plutôt avec ma mère que je me dispute. Je ne dirais pas qu'on se dispute tout le temps, mais il y a des moments où on ne se supporte pas,

Int	c'est clair, et on s'engueule! Mais la plupart du temps, j'admets qu'on s'entend quand même très bien. Et toi, Romain, comment sont tes relations avec tes parents?
Romain	Ben, je crois que j'ai de la chance parce que mes parents me donnent pas mal de liberté. On se respecte tous et mes parents me font confiance, donc je pense que c'est pour ça que la vie familiale se passe assez tranquillement. Ma mère est super-gentille et je lui dis beaucoup de choses, je peux lui parler de tout. Je m'entends bien avec mon père aussi, mais on n'est pas aussi proches et je ne lui confie pas autant de choses, surtout pas des trucs intimes.
Int	Et pour toi, Yanis, c'est pareil? Tu entretiens de bonnes relations avec tes parents?
Yanis	Non … pas trop, non! Je me dispute assez souvent avec eux. Je trouve qu'ils sont trop sévères avec moi et trop curieux aussi. Ils veulent tout savoir, le moindre détail de mon existence, où je vais, et avec qui. Ils veulent contrôler ma vie, quoi! J'essaie de leur expliquer que j'ai dix-sept ans, que je ne suis plus un enfant, mais ils se fâchent tout de suite et je finis par leur dire des choses que je regrette après.
Int	Et quand vous vous disputez avec vos parents, c'est à quel sujet, généralement? Nathalie?
Nathalie	La plupart du temps, chez moi, on se dispute au sujet des sorties. Mon père est toujours du style «Tu peux sortir, mais il faut que tu rentres avant vingt-deux heures trente. Sinon, on ne t'achète pas ceci, ou tu n'auras pas cela.» Ce qui m'énerve aussi, c'est qu'il a toujours son opinion sur mes amis: «Celui-là, il n'est pas assez sérieux, il ne va pas réussir ses études, il faut que tu le laisses tomber», ou «Celle-là, elle a une mauvaise influence, elle va te créer des problèmes au lycée.» Je lui dis que j'ai bien le droit de choisir mes propres amis, mais il ne m'écoute pas.
Int	Et toi Hugo, tu te disputes avec tes parents à propos des mêmes sujets?
Hugo	Oui, parfois. Mais chez nous, c'est plus souvent à cause de mon travail scolaire qu'on se dispute. Mes parents sont agriculteurs et ils trouvent que je ne travaille pas suffisamment bien au lycée, que je manque d'ambition. Je leur ai dit plusieurs fois que je n'ai pas envie d'aller à la fac, que je serais content d'être agriculteur comme eux. Je leur ai demandé de me laisser travailler à la ferme, mais ils refusent. Ma mère veut absolument que je devienne avocat, ce qui ne me dit rien comme métier. Une fois, on s'est disputés et j'ai fini par lui crier que je ne l'aimais pas, mais ce n'est pas vrai, je l'aime beaucoup, ma mère. Je veux tout simplement qu'elle me laisse prendre mes propres décisions.

Answers:

1 B être en conflit seulement avec sa mère
2 C entretenir de bonnes relations avec ses parents
3 A être en conflit avec ses deux parents
4 G se disputer à cause des sorties
5 E se disputer à cause des fréquentations (c'est-à-dire, les amis)
6 D se disputer à cause du travail scolaire
7 F se disputer à cause du futur métier

Listening 2, page 38

Students listen again and match statements A–G to the appropriate person. Some students may be able to work out the answers before listening to the recording for a second time.

Answers:

A	Romain	E	Nathalie
B	Yanis/Hugo	F	Romain
C	Lucie	G	Yanis
D	Hugo		

Writing 3, page 38

Before students tackle this gap-fill exercise, refer them to the grammar panel on indirect object pronouns.

Answers:

1 Oui, je **lui** ai raconté toute l'histoire.
2 Oui, il **me** donne de bons conseils.
3 Non, je ne **leur** demande pas d'argent.
4 D'accord, je vais **vous** dire la vérité.
5 Oui, tu peux **nous** poser une question.
6 Non, on ne **m'**a pas expliqué le problème.
7 Non, je ne veux pas **lui** parler.
8 Oui, je **leur** ai téléphoné.

Speaking 4, page 39

Before students do exercise 4, refer them to the pronunciation panel on correct pronunciation on page 39. Play the recording and ask students to repeat the words, first as a whole class, then in pairs and finally on their own.

CD 1 Track 23

tu, du, sujet, disputer, refuser, plusieurs, têtu, vu, Hugo

tout, toujours, vous, souvent, écouter, Louis

lui, celui

tu, tout; vu, vous; Louis, lui

Louis se dispute toujours avec lui mais Hugo refuse souvent de l'écouter. Il est toujours tellement têtu, celui-là.

Reading 5, page 39

This exercise requires students to read an article on modern French families and answer questions in French in their own words.

Suggested answers:

1 Il y a / On trouve de moins en moins de familles avec le père, la mère et les enfants.
2 Plus d'un enfant sur dix vit / Plus de dix pour cent d'enfants vivent avec l'un de ses parents et un beau-parent.
3 Les relations familiales / Les relations entre les parents et les enfants / Elles sont devenues plus complexes/compliquées.
4 Parce qu'un adolescent doit souvent accepter / accepte difficilement les nouveaux conjoints de ses parents, ou les enfants du nouveau conjoint.
5 Ils font et ils obtiennent ce qu'ils veulent. / Si le parent se sent coupable, les ados font et obtiennent ce qu'ils veulent.

Module de transition ▶ Famille ▶ La famille recomposée

Worksheet 7 provides extended reading comprehension and grammar activities to reinforce the language on these pages and can be used at this point.

Speaking 6, page 39

In pairs or groups of three, students create a TV or radio interview with one of the parents of Nathalie or Hugo (or both parents if working in a group of three). They should answer the questions provided on the Student's Book page and use the useful expressions in the panel in their answers.

Plenary

Students write an article of between 200 and 220 words in response to the reading passage in exercise 5. Refer students to the *à l'examen* panels on writing skills and remind them to cover the bullet points provided on the Student's Book page. They should also try to include as much of the key language as possible in their answers to vary their language as much as possible.

5 Mon fils, ce drogué
(Student's Book pages 40–41)

Objectives

- **t** Tell a story about addiction
- **g** Form and use the imperfect tense
- **s** Identify details; create a story

Starter

Ask students to listen to and read *L'histoire de Thomas* on page 40 of the Student's Book, without first telling them anything about the text. Exercise 1 provides the recording. Then ask them, working in pairs, to try to summarise the story in English without looking at a dictionary and report back to the rest of the class. They should understand quite a lot of the story, as they will be familiar with the theme from PSHE classes and popular culture.

Listening 1, page 40

As well as focusing on useful language from the text, this exercise also provides an introduction to the imperfect tense, which is the grammar focus of this unit.

CD 1 Track 24

Pendant sept ans, Hélène a tout fait pour libérer son fils, Thomas, de l'emprise de la drogue. Voici son histoire.

« À 13 ans, c'était un ado adorable et charmant, mais aussi hyperactif et curieux. À l'école, ça ne marchait pas. Incapable de rentrer dans le moule du système scolaire, il ne réussissait pas. Les autres le traitaient de noms horribles, ils le menaçaient et le rackettaient. Il se faisait casser la figure régulièrement.

Ses notes étaient abominables. Il ne travaillait pas. Un jour, je suis montée faire un peu de ménage dans sa chambre et j'ai découvert des taches sur le sol. Mais que pouvait-il bien faire dans sa chambre? Sa sœur et moi avons cherché partout et nous avons trouvé un joint et on a compris qu'il fumait du cannabis.

Thomas partait vers 10 heures du matin, fumait toute la journée et ne rentrait que tard le soir. Il maigrissait, il devenait même agressif et violent, surtout lorsque nous trouvions de la drogue sur lui. Il nous volait de l'argent et prenait la voiture alors qu'il n'avait pas le permis. Je devais tout cacher: mes cartes de crédit, l'argent, les clés de la voiture. Je passais mes nuits à le chercher dans la rue, quand il ne rentrait pas. J'appelais tous les numéros d'urgence. Je craignais de le retrouver à l'hôpital ou au commissariat de police. »

Module 1 Culture Jeunes

Answers:

1 À l'école, ça ne marchait pas.
2 Incapable de rentrer dans le moule du système scolaire
3 Il ne réussissait pas.
4 Ils le menaçaient et le rackettaient.
5 Il se faisait casser la figure régulièrement.
6 Ses notes étaient abominables.
7 J'ai découvert des taches sur le sol.
8 Il maigrissait.
9 Je devais tout cacher.
10 Je craignais de le retrouver à l'hôpital.

Reading 2, page 40

Refer students to the grammar panel on the imperfect tense before they tackle this exercise. They decide which of the 10 French sentences in exercise 1 are in the imperfect and then explain in English why the imperfect has been used in each case. They then look back through the text in exercise 1 to find 16 other verbs in the imperfect tense, and translate them into English.

Answers:

All sentences apart from 2 and 7 are in the imperfect tense.
Past habitual actions: 4, 5, 9
Actions that went on for a period of time: 1, 3, 6, 8, 10

c'était (literally: it was, here: he was)
les autres le traitaient (the others called/insulted him)
il ne travaillait pas (he wasn't working / didn't work)
que pouvait-il bien faire? (what could he be doing?)
il fumait du cannabis (he was smoking cannabis)
Thomas partait (Thomas used to leave)
(il) fumait toute la journée (smoked / used to smoke all day)
(il) ne rentrait que tard (only came home late)
il devenait même aggressif (he even became / used to become aggressive)
lorsque nous trouvions (when we found / used to find)
il nous volait de l'argent (he stole / used to steal money from us)
(il) prenait la voiture (he took / used to take the car)
il n'avait pas le permis (he didn't have a licence)
je passais (I spent / used to spend)
il ne rentrait pas (he didn't come home / didn't use to come home)
j'appelais (I called / used to call)

Reading 3, page 40

Students read the next stage of Thomas's story and put the bracketed verbs in bold into the imperfect tense.

Answers:

À 14 ans, Thomas **avait** beaucoup de problèmes à l'école, les autres élèves ne l'**aimaient** pas et ses professeurs nous **appelaient** tout le temps. Son travail scolaire n'**allait** pas bien et il **fumait** du cannabis dans sa chambre. Il **sortait** avec ses copains, ils ne **faisaient** rien à part fumer et nous ne **pouvions** pas l'arrêter. Nous ne **savions** pas quoi faire. Je **parlais** tous les jours avec Thomas, je lui **demandais** de ne plus fumer, mais il **refusait** de m'écouter. J'**étais** à bout de nerfs et on ne **voyait** pas de solution.

Listening 4, page 41

Students listen to the next instalment of Thomas's story and complete the gapped text with the correct imperfect tense form of the verbs provided (shown in bold in the transcript).

CD 1 Track 25

À 18 ans, Thomas a volé un scooter, et suite à son arrestation, il a été hospitalisé dans un service psychiatrique. Thomas se débattait, il ne (1) **voulait** pas y aller. Il y est resté un mois. À cause des médicaments qu'il (2) **prenait**, nous ne le (3) **reconnaissions** plus: il (4) **pleurait** tout le temps, ou bien (5) **dormait** toute la journée. Finalement, il est rentré à la maison. Il a tenu un mois et demi, puis il a replongé. Peu de temps après, Thomas s'est mis à l'héroïne.

Il (6) **vivait** toujours chez nous, il (7) **continuait** ses petits boulots, mais ne (8) **respectait** pas les horaires et (9) **se droguait** tout le temps. Une nuit, son père a craqué: il a mis toutes ses affaires dans la rue. Comme nous (10) **refusions** de le laisser rentrer et que personne ne (11) **voulait** l'héberger, il (12) **dormait** dans la voiture. Puis un jour j'ai vu une petite annonce pour un boulot dans un centre commercial et je l'ai montrée à Thomas. Il m'a dit qu'il (13) **allait** essayer d'avoir ce travail. Et il l'a eu. Mon mari et moi sommes partis en voyage et avant le départ, Thomas m'a dit «Maman, je ne toucherai plus à la drogue.» Pendant notre absence, il a de nouveau installé ses affaires à la maison. Son boulot l'a transformé et, à notre grande surprise, il a tenu sa promesse.

Reading 5, page 41

A comprehension exercise to check that students have understood the text in exercise 4. Students complete a series of statements in French that summarise the text.

Suggested answers:

1 Thomas a été hospitalisé en service psychiatrique parce qu'**il a volé un scooter**.
2 Il pleurait et dormait beaucoup à cause **des médicaments**.
3 Il est rentré chez lui, mais il a recommencé à se droguer au bout d'**un mois et demi**.
4 Ensuite, il a commencé à prendre de **l'héroïne**.

Module 1 Culture Jeunes

5 Au travail, Thomas **ne respectait pas les horaires** et **se droguait tout le temps**.
6 Thomas a dû dormir dans la voiture parce que **ses parents refusaient de le laisser rentrer / personne ne voulait l'héberger**.
7 Grâce à l'annonce que sa mère a vue, Thomas a réussi à **avoir/trouver un boulot dans un centre commercial**.
8 Avant que ses parents partent en voyage, Thomas **a dit «Maman, je ne toucherai plus à la drogue.»**

Speaking 6, page 41

Students in pairs prepare answers to the questions listed on the Student's Book page. Then they discuss them with their partner, following the advice provided.

Listening 7, page 41

Students listen to the final instalment of Thomas's story and choose from a possible eight sentences the four that best summarise what happened next to Thomas. As an added challenge, ask students to read the statements before listening to the recording and try to predict what the four answers will be. Refer them also to the *à l'examen* box on page 41, which advises them to read the statements very carefully, so that they don't jump to the wrong conclusions when listening.

CD 1 Track 26

Thomas a maintenant 20 ans. Il travaille dans une usine et se lève tous les jours à 5h40. Il a laissé tomber ses anciens copains, il retrouve la mémoire progressivement et il a même réglé ses problèmes dentaires dûs à sa consommation de cannabis. Fini l'alcool, la cigarette et même le café! Il a repris le ping-pong, sport auquel il excellait avant de plonger dans la drogue. Par ailleurs, il s'est mis à faire de la musculation. Il a rencontré une fille et va la voir tous les week-ends. Il se rend régulièrement au Phare, une association qui aide les familles à faire face à la drogue. Il s'est fait de très bons amis làbas. Il témoigne pour le Phare aussi, pour faire de la prévention dans les lycées. Après un an de thérapie, notre famille va mieux et Thomas n'a plus qu'un seul désir: voir sa famille enfin heureuse et fière de lui.

Answers:

Sentences 1, 2, 6 and 7 are correct.

Writing 8, page 41

Students write their own story of alcohol or drug abuse, including the details listed on the Student's Book page and following the advice in the blue panel.

Plenary

Challenge students to write a story about an imaginary family or relationship problem, using the perfect and imperfect tenses and including some of the details suggested in exercise 8.

6 Divertissement ou télé-poubelle?
(Student's Book pages 42–43)

Objectives

- (t) Express an opinion on reality TV programmes
- (g) Use emphatic pronouns
- (s) Adopt an opposing point of view

Starter

Give students a French TV guide (or selected pages from one) to look through. Ask them to list the French reality TV programmes they can find and give their British equivalents.

Reading 1, page 42

A skim-reading exercise to familiarise students with some of the key words in the text.

Answers:

1 (TV) programme
2 to make entertainment / a show out of
3 private life
4 account, story
5 suffering
6 to cover, to include
7 entertainment
8 to lead to
9 some of them
10 test, challenge

Reading 2, page 42

Students re-read the article and then close their Student's Books. From memory, working in pairs, they try to summarise the article in English. They compare their summaries with other pairs to see whose is the most comprehensive.

Listening 3, page 42

Students listen to a report on the reality TV show *Loft Story*, the French equivalent of *Big Brother*, and make notes following the prompts on the Student's Book page.

39

Module 1 Culture Jeunes

CD 1 Track 27

Le concept de *Loft Story* est de tout montrer de la vie d'un groupe de personnes ordinaires qui sont enfermées et coupées du monde, sans téléphone, sans radio ou télévision et sans journaux. Ces jeunes célibataires de moins de trente ans sont filmés vingt-deux heures sur vingt-quatre, pendant douze semaines. L'intimité n'existe plus et le voyeurisme est de rigueur. Rien n'échappe aux téléspectateurs, grâce à vingt-six caméras, cinquante micros et plus de cent techniciens et réalisateurs.

Les participants ne sont pas choisis au hasard. Ils sont soigneusement sélectionnés entre quarante-cinq mille candidats par la chaîne de télévision M6 et son équipe de sept psychologues. Chaque candidat doit répondre à un questionnaire afin de choisir en priorité des participants photogéniques, narcissiques et désinhibés. Pour eux, *Loft Story* est surtout le moyen de devenir célèbre en passant à la télévision.

Answers:

1 moins de trente ans
2 vingt-deux heures sur vingt-quatre
3 douze semaines
4 vingt-six caméras et cinquante micros
5 plus de cent techniciens et réalisateurs
6 quarante-cinq mille candidats
7 sept psychologues

Reading 4, page 42

Students listen again and fill the gaps in the sentences with the correct details. They then translate these sentences into English to show that they fully understand what the passage is about.

Answers:

1 Le concept de *Loft Story* est de tout montrer **de la vie d'un groupe de personnes ordinaires** qui sont enfermées et coupées **du monde**.
2 **L'intimité n'existe plus** et le voyeurisme est de rigueur. Rien n'échappe aux **téléspectateurs**.
3 Les **participants ne sont pas choisis** au hasard. Ils sont soigneusement sélectionnés, afin de **choisir en priorité des participants** photogéniques, narcissiques et désinhibés.
4 Pour eux, *Loft Story* est surtout **le moyen de devenir célèbre** en passant **à la télévision**.
1 The concept of *Loft Story* is to show every part of the life of a group of ordinary people who are shut in and cut off from the world.
2 Privacy no longer exists and voyeurism is a must / is the order of the day. Nothing escapes the viewers.
3 The participants are not chosen at random. They are carefully selected, in order to prioritise the choice of photogenic, vain/self-obsessed and uninhibited participants.
4 For them, *Loft Story* is above all a means of becoming famous by going/appearing on television.

Reading 5, page 42

Students read a series of opinions on reality TV programmes and decide if they are for or against them.

Answers:

En faveur (F): A, B, D, E, I

Contre (C): C, F, G, H, J

Reading 6, page 43

Before students tackle this exercise, refer them to the grammar panel on emphatic or disjunctive pronouns on page 43 and to the further details in the grammar summary on page 144 of the Student's Book. They find the seven statements in exercise 5 that use emphatic pronouns and explain their use in English.

Answers:

A moi (*used with* même), lui (*used after* pour)
C elles (*used for emphasis*), lui *and* elle (*used after* c'est)
D moi (*used for emphasis*)
E vous *and* moi (*used after* comme), nous (*used for emphasis*), nous (*used with* mêmes)
F nous (*used with* chez)
G eux (*used for emphasis*), eux (*used after* pour)
H moi (*used after* selon)

Reading 7, page 43

Students read an article on watching TV via other technology and answer questions on it in English. Before tackling this exercise, you could read this text aloud to the whole class and ask students first to look up a maximum of three words that they don't know in the dictionary and then to select four or five French key words/phrases that summarise the article.

Answers:

1 TV programmes, music videos, home videos.
2 Any 3 of: watch a TV programme you missed, add comments, join a virtual community, share videos with friends.
3 Both are a means to access celebrity status, make it possible for ordinary people to become famous.
4 The huge amount of video uploaded daily.
5 Political propaganda, religious propaganda and illegal pictures.

Module 1 Culture Jeunes

Speaking 8, page 43

In pairs, students prepare a debate in which they represent contrasting points of view on the subject of reality TV or video websites. Following the advice given on the Student's Book page, they need to prepare their arguments well, anticipate those of the opposing speaker so that they can easily counter them, use some emphatic pronouns, and use the useful expressions provided to retain a reasonably informal but not rude tone throughout the debate.

Writing 9, page 43

Students write a short article giving arguments for and against reality TV programmes and video websites. They should use the expressions provided in the panel on the Student's Book page to make the language in their articles as rich as possible.

Plenary

Using the expressions in the panel at the bottom of page 43 of the Student's Book, students write a short article giving reasons for and against marriage. Refer them back to pages 34–35 for ideas to include.

7 Accros au net
(Student's Book pages 44–45)

Objectives

- **t** Talk about the Internet
- **g** Use comparative and superlative adjectives; use demonstrative adjectives
- **s** Anticipate possible answers; ask more complex questions

Starter

Brainstorm as a class what the Internet can be used for (this draws on work they did in the Transition Module on pages 8–9 of the Student's Book) and reasons why.

Reading 1, page 44

Students read the article on teenage use of the Internet and find equivalents in the article of the French words and phrases listed. Encourage them to work out the answers without using a dictionary.

Answers:

1 échapper   4 un internaute   7 un lien
2 le quotidien   5 l'ère (f)   8 un surnom
3 pénible   6 un réseau social   9 la toile

Reading 2, page 44

Students complete the English sentences to summarise the article.

Suggested answers:

1 Thanks to the Internet, communication **has become easier / less complicated, more efficient and quicker**.
2 Access to information **is better**.
3 Shopping seems **less onerous / less of a burden when it's done online**.
4 We are all **more connected / Internet surfers**.
5 For 15–24-year-olds who've grown up in the digital era **nothing is more natural than new technology**.
6 Ultranauts are **the most regular, the most skilful and the most demanding** users of the Web.

Writing 3, page 44

Refer students to the grammar panel on the comparative on page 44 before they tackle this exercise. Students translate the eight sentences into French, using the comparative and superlative and drawing on the language from the article in exercise 1.

Answers:

1 L'accès à l'information est plus facile et plus rapide qu'avant.
2 La communication est plus simple est moins compliquée qu'il y a 20 ans.
3 Les jeunes sont plus attirés par les nouvelles technologies que les adultes.
4 Le téléchargement de musique est aussi important pour les jeunes que les blogs.
5 Actuellement / De nos jours, plus de gens font des achats/courses en ligne et moins de gens envoient des lettres.
6 Des sites Web comme / tels que *YouTube* et *iTunes* sont (les sites) les plus populaires avec les jeunes.
7 La chose la plus importante quand on utilise Internet, c'est la vitesse.
8 L'e-mail ou la messagerie instantanée sont les meilleures façons de contacter ses/vos amis.

Listening 4, page 45

A gap-fill exercise on blog mania. Encourage students to fill in the gaps or work out which word would fit each gap before listening to the recording, to see if they can use the grammatical clues and their understanding of the text to complete the exercise. The *à l'examen* panel on page 45 gives useful guidance on tackling such exercises. Students should also note that there are five distractors to add to the challenge of the exercise.

Module 1 Culture Jeunes

CD 1 Track 28

Près de six jeunes sur dix de 11 à 20 ans connaissent les blogs, selon le «Baromètre Jeunes de Médiamétrie» publié lundi. Parmi eux, 31% ont déjà créé ou envisagent de créer un blog. Et ce sont les jeunes filles qui se montrent les plus attirées par cette nouvelle forme de communication, puisque 21% des filles de 11 à 15 ans ont déjà un blog, contre 12% des garçons du même âge. En outre, parmi les autres usages d'Internet, Médiamétrie note que près de trois jeunes sur dix âgés de 11 à 20 ans déclarent utiliser tous les jours ou presque les messageries instantanées. Tandis que les tchats plaisent surtout aux plus jeunes: 16% des 11 à 15 ans fréquentent les tchats tous les jours ou presque, contre 11% des 16 à 20 ans.

Answers:

1. majorité
2. plus
3. souvent
4. tchater

Listening 5, page 45

Students listen again to the recording in exercise 4 and note what the figures represent. They could record their answers in English if preferred.

Answers:

(a) Le nombre/La proportion de jeunes de 11 à 20 ans qui connaissent les blogs.
(b) Le pourcentage/La proportion de jeunes de 11 à 20 ans qui ont déjà créé ou envisagent de créer un blog.
(c) Le pourcentage/La proportion de jeunes filles de 11 à 15 ans qui ont un blog.
(d) Le pourcentage/La proportion de garçons du même âge qui ont un blog.
(e) Le nombre/La proportion de jeunes de 11 à 20 qui déclarent utiliser tous les jours ou presque les messageries instantanées.
(f) Le pourcentage/La proportion des 11 à 15 ans qui fréquentent les tchats tous les jours.
(g) Le pourcentage/La proportion des 16 à 20 ans qui fréquentent les tchats tous les jours.

Writing 6, page 45

Refer students to the grammar panel on demonstrative adjectives on page 45 before they tackle this exercise. Using the information from exercises 4 and 5 and including at least one example of each demonstrative adjective, students write six or more sentences on teenagers and the Internet.

Speaking 7, page 45

In pairs, students interview one another about their Internet usage. They should take notes and then write them up using the third person singular. Refer them to the advice and useful expressions provided on the Student's Book page.

Writing 8, page 45

Students write an article of 200–220 words giving their reaction to the article on the drawbacks of using the Internet.

Module de transition ▶ Nouvelles technologies ▶ L'influence des blogs

Module 1 ▶ Nouvelles technologies ▶ La croissance des sites web de réseau social

Worksheet 8 provides extended reading comprehension and grammar activities to reinforce the language on these pages and can be used at this point.

Plenary

In pairs, students prepare a debate in which they represent contrasting points of view on the pros and cons of using the Internet. They should refer back to exercises 7 and 8 and the useful expressions on page 43 for help in preparing this exercise.

8 Bijoux de technologie
(Student's Book pages 46–47)

Objectives

- t Talk about mobile phones and video games
- g Use adverbs; use demonstrative pronouns
- s Express agreement and disagreement; predict ideas and vocabulary

Starter

Ask students to skim-read the statements about mobile phones in exercise 1 on page 46 and decide whether they are for or against mobile phones. Then ask them to find the French equivalents of the following English phrases: outside of; to chatter; monthly charge/tariff; not easy; to ban; reassuring; switched on; can't afford.

Reading 1, page 46

Students translate the eight opinions into English, using a dictionary if necessary, although they may have no need to if they have completed the starter exercise above.

Module 1 Culture Jeunes

Suggested answers:

A Obviously, mobile phones enable young people to have a lot of contact with their friends outside of school, which is very important at their age.
B Unfortunately, some people overuse it. Do you really need to chatter all evening to some boy or girl whom you saw at school a few hours ago?
C At the moment, mobile phones are a fashion and quite expensive. For a family that's not well off, it's not always easy to pay the monthly charge.
D For some young people, the mobile has become like a drug that they can't do without. Personally, I find that rather unhealthy.
E I read a worrying article quite recently about the dangers of mobiles to health, especially if you use them too often. Since then, I think that we should ban children from having a mobile.
F It's more reassuring for parents if we have a mobile. They let us go out more readily / They are more willing to let us go out because they know they can contact us at any time.
G I don't understand those who leave their mobile switched on in class. It interrupts the lesson and it's annoying, not only for the teacher but for the rest of the class as well.
H If you say that you don't have a mobile, people look at you strangely, even if it's simply because your family can't afford it. I think that's unfair.

Listening 2, page 46

Students listen to four people talking about mobile phones and match two of the statements in exercise 1 to each person.

CD 1 Track 29

1
Int Pardon, je peux te demander ce que tu penses des téléphones portables, s'il te plaît? À ton avis, sont-ils plutôt une bonne chose ou une mauvaise chose?
Saïd Ben, généralement ils sont une bonne chose et je dois avouer que je me sers pas mal du mien. Mais il y a toujours un côté négatif.
Int D'où vient ce côté négatif?
Saïd Je pense sincèrement que les portables peuvent renforcer les inégalités sociales. Actuellement, le portable est une mode et celle-ci coûte assez cher. Par exemple, pour une famille modeste, pouvoir payer le forfait mensuel, ce n'est pas toujours évident. J'ai déjà vu ça dans mon école. Celui qui n'a pas de portable, il est considéré comme bizarre ou on se moque de lui, même si c'est tout simplement parce que sa famille n'a pas les moyens pour ça. Je trouve ça injuste.

2
Int Excusez-moi, madame. Est-ce que je pourrais vous demander votre opinion sur les téléphones portables?
Cécile On ne peut pas nier que le portable, c'est quelque chose de très utile, mais en tant que mère de deux jeunes filles, je suis un peu inquiète.
Int Pourriez-vous m'expliquer pourquoi vous vous inquiétez?
Cécile C'est-à-dire que pour certains jeunes, le portable est devenu comme une drogue dont ils ne peuvent pas se passer et personnellement, je trouve ça malsain.
Int Vous voulez dire psychologiquement malsain?
Cécile Oui, mais physiquement aussi. Tout récemment, j'ai lu un article inquiétant sur les dangers du portable pour la santé, surtout si on s'en sert trop fréquemment, donc je pense qu'il faut interdire le portable aux enfants. Mes filles m'ont demandé de leur acheter un portable, mais je vais insister pour qu'elles attendent jusqu'à ce qu'elles soient plus âgées.

3
Int Excuse-moi de te déranger, puis-je te parler un instant?
Blanche Oui?
Int Je peux te demander si tu te sers beaucoup de ton portable?
Blanche Ah, oui, beaucoup! Je ne pourrais pas m'en passer, moi!
Int Donc tu crois que c'est seulement une bonne chose, le portable?
Blanche C'est une très bonne chose, parce qu'évidemment, le portable permet aux jeunes d'avoir énormément de contacts avec leurs amis en dehors de l'école, ce qui est très important à notre âge.
Int Et tes parents, eux aussi, ils croient que le portable c'est une bonne chose?
Blanche Ah oui, ils trouvent ça mieux que je l'ai sur moi quand je sors. C'est plus rassurant pour les parents si on a un portable. Ils nous laissent plus facilement sortir parce qu'ils savent qu'ils peuvent nous joindre à tout moment.

4
Int Monsieur? Je peux vous poser une question, s'il vous plaît? Quelle

43

Module 1 Culture Jeunes

> est votre opinion sur le téléphone portable?
>
> Lucas Le portable? Alors, j'en ai un et je le trouve très pratique. Mais à mon avis, il ne faut pas en abuser. Malheureusement, certains téléphonent n'importe où, à n'importe quelle heure. A-t-on vraiment besoin de bavarder toute la soirée avec celui ou celle qu'on vient de voir au lycée il y a à peine quelques heures?
>
> Int Le portable, pose-t-il des problèmes dans votre lycée?
>
> Lucas Oui, quelquefois. À mon avis, il faut penser aux autres avant d'utiliser son portable en public. Par exemple, ceux qui laissent sonner leur portable en classe dérangent les cours et énervent non seulement les profs mais leurs camarades de classe aussi.

Answers:

1 C, H, 2 D, E, 3 A, F, 4 B, G

Speaking 3, page 46

Before students do exercise 3, draw their attention to the pronunciation panel on *-eu* and *-eur* sounds on page 46. Play the recording and ask students to repeat the words, first as a whole class, then in pairs and finally on their own.

> **CD 1 Track 30**
>
> e**u**x, ce**u**x, mi**eu**x, p**eu**, **Eur**ope, malh**eureu**sement
>
> p**eu**vent, s**eu**lement, l**eur**, aill**eur**s
>
> Quand on v**eu**t on p**eu**t, mais à d**eu**x, c'est mi**eu**x.
>
> Malh**eureu**sement, l**eur** s**œur** est aill**eur**s en **Eur**ope.

Speaking 4, page 46

In pairs, students decide which of the people in exercise 2 they most agree with and give reasons. They should use as many of the useful expressions provided on page 46 as possible.

Reading 5, page 47

Before students tackle this exercise, refer them to the grammar panel on adverbs on page 47 and to the information in the grammar summary on page 142 of the Student's Book. They need to look back through the opinions in exercise 1 and the expressions in exercise 4 for the 16 examples of adverbs ending in *-ment*.

To extend this exercise, play the recording for exercise 1 again and ask students to spot four further adverbs (*généralement, psychologiquement, physiquement* and *mieux*). They could also look back through the texts in exercise 1 and look for quantifiers that work as adverbs, e.g. *très, assez, trop*.

Answers:

Adverb	Adjective	Formation
From exercise 1:		
évidemment (obviously)	évident (obvious)	adjective ends in -ent, add -emment
énormément (enormously)	énorme (enormous)	adjective ends in -me, add -ément
malheureusement (unfortunately)	malheureuse (unfortunate)	add -ment to feminine singular
vraiment (really)	vrai (real)	masculine singular ends in vowel, add -ment to this
actuellement (currently)	actuelle (current)	add -ment to feminine singular
personnellement (personally)	personnelle (personal)	add -ment to feminine singular
récemment (recently)	récent (recent)	adjective ends in -ent, add -emment
fréquemment (frequently)	fréquent (frequent)	adjective ends in -ent, add -emment
facilement (easily)	facile (easy)	add -ment to feminine singular
seulement (only)	seule (alone)	add -ment to feminine singular
bizarrement (strangely)	bizarre (strange)	add -ment to feminine singular
simplement (simply)	simple (simple)	add -ment to feminine singular

Reading 6, page 47

Refer students to the grammar panel on demonstrative pronouns on page 47 before they attempt this exercise. Ask students to skim through the article on whether or not video games make children violent, looking for examples of demonstrative pronouns, and to translate the phrases

Module 1 Culture Jeunes

where they feature into English. Students then rearrange the article in the correct reading order. They listen and check their answers, before writing a summary in English of at least 100 words.

As an easier alternative to reassembling the text from the written version only, students could first listen to the recorded version, without making any notes.

As a follow-up exercise, ask students to look back through the article in exercise 6 and find as many examples of adverbs as possible (*physiquement, verbalement, peu, également, très, actuellement, principalement*).

CD 1 Track 31

L'industrie des jeux vidéo qu'on connaît actuellement est bien différente de celle des années 70. On produisait alors principalement des jeux destinés aux enfants ou aux adolescents, ceux-ci étaient donc peu violents. Les jeux ont évolué et ceux d'aujourd'hui ont tendance à s'adresser à des gens plus âgés. Ces jeux comportent également souvent des scènes de violence très réalistes. Mais quels effets de telles scènes de violence peuvent-elles avoir sur les mineurs?

Certaines recherches sur le sujet ont conclu que les jeux violents rendent les jeunes violents. Une vaste étude menée par un chercheur américain a mis en évidence l'existence de symptômes effrayants chez des enfants qui jouaient à des jeux de console qui n'étaient pas faits pour eux. Celle-ci a montré que ces enfants éprouvaient des sentiments hostiles et que leur comportement était plus hostile physiquement et verbalement.

De même, un psychiatre français a souligné que la tendance s'aggrave chez ceux qui jouent dès l'âge de cinq ou six ans, sans aucun contrôle parental, ou pour ceux qui passent des heures entières devant leurs consoles. En revanche, d'autres recherches qui ont traité du même sujet contredisent cela. Celles-ci concluent que les jeux violents servent à canaliser l'aggression des jeunes et que regarder le journal télévisé est plus néfaste que jouer à la console.

Answers:

I, E, F, B, D, G, A, C, H

Example summary:

When it started, the video games industry produced non-violent games, mainly for children. Now, games are for all ages and often contain violence. Some research suggests that children who play these games become more aggressive, especially if they start when they are five or six, without parental supervision, or

spend a lot of time on their consoles. However, other studies have concluded that violent games channel young people's aggression and are less harmful than watching the news.

Module de transition ▶ Nouvelles technologies ▶ Le téléphone portable

Module 1 ▶ Violence ▶ Les jeux vidéo violents: faut-il les interdire?

Plenary

Students write a short article of around 200–220 words on the advantages and disadvantages of TV and new technology. They should draw on language and ideas covered on pages 42–47 of the Student's Book.

9 On connaît la chanson!
(Student's Book pages 48–49)

Objectives

- **t** Talk about music
- **g** Revise the perfect and imperfect tenses
- **s** Improve an oral presentation

Starter

As a class, brainstorm vocabulary on the theme of music: types of music, musical instruments, reasons for listening to different types of music, etc. This should provide a useful lead-in to exercise 1.

Speaking 1, page 48

Students listen to 6 extracts from French songs covering a variety of styles and give their opinion of each one, using the expressions and adjectives provided. Before they give their opinion of the music, you could ask students to guess roughly when the song was recorded, to see if they have a feel for different fashions in music.

 CD 1 Track 32

Reading 2, page 48

Students listen to and read the articles on singer Jenifer Bartoli and the French pop group Superbus, which give details of how each artist started and their routes to success. Students decide which of the details provided (1–10) refer to which artist.

45

CD 1 Track 33

Née d'une mère corse et d'un père algérien le 15 novembre 1982 à Nice, Jenifer Bartoli est la première gagnante du concours musical télévisé, *Star Academy*. Dès son enfance elle est plongée dans un univers musical et grandit avec Stevie Wonder, James Brown et Les Beatles. À l'âge de dix ans, elle chantait déjà dans des restaurants et des concerts, mais c'est en 2001, à la suite d'un casting, que Jenifer a participé à la première saison de la *Star Academy*, dont elle est sortie victorieuse en 2002. Elle a sorti depuis deux albums, dont un enregistré en public. En 2003, Jenifer faisait partie des nominés aux Victoires de la Musique. La même année, elle chantait en duo avec Johnny Hallyday lors de sa tournée des stades de France. Jenifer est actuellement en studio en train de terminer son troisième album, dont elle a composé la musique avec son compagnon Maxim Nucci.

Formé en 1999 par la chanteuse, guitariste et batteuse Jennifer Ayache, Superbus est devenu un des groupes les plus connus de France. C'est Jennifer elle-même qui a donné le nom de Superbus au groupe. Rien à voir avec les transports en commun! Elle feuilletait les pages d'un dictionnaire de latin et elle est tombée sur ce mot qui signifie «magnifique» (dans le sens «superbe, insolent»). Superbus a sorti son premier album intitulé *Aéromusical* en 2002. Il a remporté un franc succès et s'est vendu à 80 000 exemplaires. À cette époque, leur musique était plutôt électrique et on pouvait reconnaître des sonorités pop rock et punk. Superbus a gagné son premier Disque d'Or grâce à *Pop'n'gum*, leur deuxième album, qui est sorti deux ans plus tard. Quant à leur troisième album *Wow*, il a été élu «Meilleur album pop rock» aux Victoires de la Musique, en 2006. Aux dernières nouvelles, ils prévoyaient la sortie d'un DVD live comprenant deux concerts à Paris, dont un acoustique et un électrique.

Answers:
1. Jenifer Bartoli: Nice, le 15 novembre
2. Jenifer Bartoli: Stevie Wonder, James Brown, Les Beatles
3. Superbus: veut dire «magnifique» en latin
4. Jenifer Bartoli: dix ans
5. Superbus: *Aéromusical, Pop'n'gum, Wow*
6. Superbus: plutôt électrique, mêlait des éléments de pop rock et de punk
7. Jenifer Bartoli: 2002
8. Superbus: 80 000 exemplaires
9. Jenifer Bartoli: 2003
10. Superbus: Meilleur album pop rock

Speaking 3, page 49

Refer students to the grammar panel on the perfect and imperfect tenses on page 49 before they attempt this exercise. Students research a French singer or group on the Internet to prepare and give an oral presentation lasting about two minutes. They can choose either an artist mentioned in exercise 1 or one of their own choice.

Listening 4, page 49

Students listen to this summary of the evolution of French music. They then read the sentences and have to say whether they are true or false. When the statements are false, students have to correct them.

CD 1 Track 34

Music-hall, Yéyé, Rock, Disco, Musette, Rap, Raï, Reggae, Roots … De Piaf à nos jours, la chanson populaire francophone n'a jamais connu autant de changements radicaux en si peu de temps.

Après l'énorme succès rencontré par Edith Piaf dans les années 40, les chansons dites à texte s'imposent dans les années 50 et 60 grâce à des auteurs-compositeurs-interprètes tels que Georges Brassens et Jacques Brel. Dans les années 70 les chanteurs de variété comme Dalida, Claude François ou encore Johnny Hallyday chantent des paroles plus banales sur des mélodies plus dansantes. La chanson engagée, contenant un message politique ou philosophique, se réaffirme dans les années 80 et 90 grâce à des artistes tels que Renaud et Gainsbourg.

Peu importe les genres et les époques, deux tendances semblent caractériser la chanson française: la musique de variété pour divertir et la chanson à texte pour faire réfléchir! Actuellement, ces deux mêmes tendances sont toujours présentes. D'un côté la télé produit ses propres stars de la variété (Christophe Willem, Amel Bent) avec des émissions comme la *Star Academy* ou la *Nouvelle Star*, de l'autre, les artistes de la nouvelle scène française (Bénabar, Camille) perpétuent la tradition de la chanson d'auteur.

Quant à ceux qui prétendaient que la suprématie de la langue anglaise menaçait de faire disparaître la chanson française, il semble qu'ils avaient tort. Même si les quotas de musique française imposés aux radios depuis 1994 y sont en partie pour quelque chose, la chanson francophone est toujours bien vivante.

Module 1 Culture Jeunes

Answers:
1 F, 2 V, 3 F, 4 V, 5 F, 6 F

Listening 5, page 49

Students listen to a report on the changes that have taken place in the way we listen to and buy music and answer questions in French.

CD 1 Track 35

L'évolution de la musique numérique transforme les habitudes des consommateurs. Les baladeurs numériques ont pratiquement complètement remplacé les baladeurs CD des années 90. Les appareils proposés par les grandes marques, tels que les iPods de chez Apple, rencontrent un franc succès auprès des jeunes qui tiennent absolument à posséder le dernier gadget à la mode. De tous les avantages qu'offrent les lecteurs MP3 et MP4, le téléchargement de musique est celui qui semble être le plus important pour les jeunes. Il est possible de télécharger de 50 à 7 000 chansons ou morceaux de musique suivant la capacité de mémoire du lecteur. Acheter de la musique en format numérique coûte également moins cher que d'acheter un CD, alors évidemment le téléchargement est rapidement devenu le mode d'achat préféré des jeunes consommateurs. L'évolution du numérique profite à l'industrie de la musique. Il existe différents canaux de distribution, mais la distribution numérique est celle qui connaît le meilleur taux de croissance. Les revenus des maisons de disques provenant de la musique au format numérique ont déjà atteint un milliard d'euros (dont 60% proviennent de la distribution en ligne et 40% via les téléphones portables).

Answers:
1 Les baladeurs numériques ont presque totalement remplacé les lecteurs de CD. / Les baladeurs CD ont presque totalement disparu.
2 Parce que les jeunes aiment / tiennent à suivre la mode / les tendances.
3 Le téléchargement. / On peut télécharger de la musique.
4 Parce qu'ils ont une plus grande (capacité de) mémoire.
5 Elle coûte moins cher que les CD.
6 De l'évolution de la musique numérique / du numérique.
7 Un milliard d'euros.
8 60% viennent de la musique distribuée en ligne et 40% viennent de la musique distribuée via les (téléphones) portables.

Writing 6, page 49

Using their answers to the questions in exercise 5, students write a short article on digital music. They need to include their own preferred way of listening to music and their opinion on the changing fashions in how music is broadcast and sold.

 Module 1 ▶ Musique ▶ Les nouvelles stars?

Module 1 ▶ Musique ▶ Diam's

Module 1 ▶ Musique ▶ La révolution dans le marché de la musique

Module 1 ▶ Ciné ▶ Une actrice à la mode

Module 4 ▶ Culture francophone ▶ La culture française est morte!

 Worksheet 9 provides extended reading comprehension and grammar activities to reinforce the language on these pages and can be used at this point.

Plenary

Students research and give an oral presentation on their favourite singer or rock band, using the language and ideas provided in exercise 3.

Épreuve orale Module 1
(Student's Book pages 54–55)

Reading 1, page 54

This is an example of an exam-style question in which students give a spoken response to a piece of stimulus material. In this exercise students read a text on social reasons why teenagers use the Internet and make notes, to prepare their answers to the questions provided. They should read the detailed guidance and useful expressions to help them structure their answers.

Speaking 2, page 54

Working in pairs, students give spoken answers to the questions in exercise 1.

Listening 3, page 55

Students listen to an extract from a model oral exam, in which the candidate answers the questions in exercise 1. They should note how the candidate responds to the four questions; what questions the examiner asks in order to lead on to a more general discussion on the same theme; and what ideas and opinions the candidate gives during the discussion.

CD 1 Track 36

Ex Quelle conclusion peut-on tirer des statistiques de cet article?

Can D'après ces statistiques, on peut conclure que les jeunes passent beaucoup de temps à communiquer avec leurs amis sur Internet, mais qu'ils s'en servent aussi pour trouver de nouveaux amis et même un petit ami ou une petite amie.

Ex Pourquoi l'auteur de l'article s'inquiète-t-il pour les jeunes?

Can Ce qui l'inquiète, c'est le fait que les jeunes peuvent être contactés sur des réseaux sociaux par des adultes et peut-être par des gens dangereux qui veulent leur faire du mal.

Ex Quelle a été votre réaction en lisant cet article?

Can Je trouve que l'auteur de l'article a bien raison de s'inquiéter, car je connais des jeunes qui ont eu de mauvaises expériences sur Internet.

Ex Que peut-on faire pour protéger les jeunes en ligne?

Can Je ne vois pas de solution facile à ce problème, puisqu'on ne peut pas empêcher les jeunes d'utiliser Internet. Je crois qu'il faut enseigner aux jeunes comment être prudent, c'est-à-dire, par exemple, ne pas donner d'informations personnelles en ligne, et surtout ne jamais accepter de rencontrer en personne des gens qu'ils ne connaissent pas.

Ex Et en général, croyez-vous qu'Internet soit une bonne chose ou une mauvaise chose?

Can Personnellement, je crois que les avantages d'Internet dépassent les inconvénients. Moi, par exemple, je m'en sers beaucoup pour faire mon travail scolaire; sur Internet je peux trouver très facilement et très rapidement les informations qu'il me faut pour mes devoirs. De plus, on peut tout acheter en ligne, plus besoin de prendre le bus ou la voiture pour aller faire les courses, ce qui est également mieux pour l'environnement, parce que ça pollue moins.

Ex Mais croyez-vous que les jeunes passent trop de temps sur Internet?

Can Ça dépend. Certains de mes amis passent deux ou trois heures tous les soirs sur Internet et je trouve que ça, c'est trop. Il est important de passer du temps avec sa famille, de manger ensemble, de sortir un peu, de faire du sport, etc. Il ne faut pas passer tout son temps devant l'écran. C'est malsain.

Ex Comment peut-on donc empêcher les jeunes de passer trop de temps sur l'ordinateur?

Can À mon avis, c'est la responsabilité des parents. Il faut donner des règles aux jeunes. Il faut limiter les heures d'accès par jour, limiter le temps qu'ils passent sur le net et s'ils y passent trop de temps, il faut les punir.

Reading 4, page 55

This is another example of an exam-style question in which students give a spoken response to a piece of stimulus material. In this exercise students read a text on smoking cannabis versus smoking cigarettes and make notes, to prepare their answers to the questions provided. Remind them to look at the detailed guidance and useful expressions on page 54 to help them structure their answers.

Speaking 5, page 55

Working in pairs, students give spoken answers to the questions in exercise 4. They could follow this up by thinking of further discussion questions that the examiner might ask and how they would respond to them.

Module 1 Culture Jeunes

Suggested follow-up discussion questions:

- Pourquoi certains jeunes fument-ils du cannabis?
- Que peut-on faire pour protéger les jeunes contre les dangers du tabac, de l'alcool et de la drogue?
- Les jeunes sont-ils généralement en bonne ou en mauvaise santé? Sont-ils en meilleure ou en plus mauvaise santé que les jeunes d'il y a vingt ans? Pourquoi? Pensez-vous que la situation va changer à l'avenir? Pourquoi?

Speaking 6, page 55

This is another example of an exam-style question in which students give a spoken response to a piece of stimulus material. In this exercise students read a text on love and marriage, and then try to anticipate the questions the examiner would be likely to ask, both on the stimulus material and as part of the wider discussion. They make notes to prepare their answers, using the detailed guidance and useful expressions on page 54.

Suggested questions:

1. De quoi s'agit-il dans cet article? / Quel est le thème majeur de cet article? / Quelles conclusions peut-on tirer des statistiques de cet article?
2. Selon l'article, quelle est l'attitude des jeunes français envers le mariage / l'amour / l'union libre?
3. À votre avis, pourquoi le nombre de personnes qui se marient diminue-t-il? Pourquoi autant de personnes choisissent l'union libre?
4. Selon vous, est-ce que ceux qui disent que le mariage est en voie de disparition ont raison?

Suggested questions for follow-up discussion:

- Croyez-vous qu'il faut s'inquiéter du taux de divorce? Pourquoi?
- Quelle est votre opinion sur le PACS? Est-ce une bonne ou une mauvaise chose? Pourquoi?
- Quel est l'âge idéal pour se marier ou pour avoir des enfants? Pourquoi?
- À votre avis, est-il difficile dans le monde d'aujourd'hui de rester fidèle à une seule personne toute sa vie? Pourquoi?

Épreuve écrite Module 1
(Student's Book pages 56–57)

Reading 1, page 56

This is an example of an exam-style question in which students give a written response to a piece of stimulus material. In this exercise students read a text on teenage fashion and the exam-style instructions on what to include in their written response.

Reading 2, page 56

Students read a candidate's answer, the notes on it and the advice panels on pages 56–7.

Writing 3, page 57

After reading the candidate's annotated answer and the advice, students try to improve the answer.

Suggested model answer (220 words):

On ne peut pas nier que la mode joue un rôle important dans la vie des adolescents. Même si la plupart n'ont pas toujours les moyens de s'acheter des vêtements de marque, certains aiment être à la mode ou suivre un style. Comment expliquer cela?

D'une part, certains jeunes sont influencés par les célébrités, certains vont jusqu'à imiter leur chanteur ou vedette de cinéma préféré. Personnellement, je ne suis pas très influencé(e) par la mode. Je trouve ridicule de devoir porter tel ou tel vêtement tout simplement parce qu'un créateur ou l'industrie de la mode a décidé que c'est la mode à suivre. Je préfère mettre ce qui me plaît.

D'autre part, à l'adolescence on cherche son identité. Trouver son style, c'est créer une image de soi. Il existe une variété de styles que les jeunes peuvent adopter. Choisir un style, c'est également une façon de montrer son appartenance à un groupe particulier. Selon son style, on peut donc se faire des amis ou des ennemis. Voilà comment la mode crée des problèmes entre les jeunes. Si on ne porte pas de marques, certains se moquent, vous excluent du groupe, et si on porte des marques on risque de se faire racketter. L'uniforme, qui est obligatoire dans les écoles anglaises, permet d'éviter ce problème lié aux inégalités sociales.

Reading 4, page 57

Students read an article on limiting the use of mobile phones.

Writing 5, page 57

Students write an article of 200–220 words to say what they think of mobile-free days, following the bullet points and advice provided on the Student's Book page.

Reading 6, page 57

Students read an article about new ways of listening to music.

Writing 7, page 57

Students write an article of 200–220 words to give their reaction to the article in exercise 6, following the bullet points and advice provided on the Student's Book page.

Module 2 Styles de vie

Objectives

Choisir un sport suivant son tempérament	*Choose a sport to match your personality*
Discuter des sports extrêmes	*Discuss extreme sports*
Parler des loisirs	*Talk about leisure activities*
Parler de l'évolution des styles de vie	*Talk about changing lifestyles*
Parler des régimes alimentaires	*Talk about different eating habits*
Discuter de la perte de poids	*Discuss weight loss*
Parler du tabagisme	*Talk about smoking*
Parler des campagnes de prévention	*Talk about prevention campaigns*

Le conditionnel	*Form the conditional tense*
à ou de + infinitif	*Use à or de plus infinitive*
Les adjectifs indéfinis	*Use indefinite adjectives*
Les pronoms **y** et **en**	*Use the pronouns y and en*
Révision de l'imparfait	*Revise the imperfect tense*
Faire des hypothéses avec **si**	*Express suppositions with si*
Le participe présent	*Use the present participle*
L'impératif	*Use the imperative*
Le passif	*Form the passive*

Comprendre des expressions idiomatiques	*Understand idiomatic expressions*
Débattre: être pour ou contre	*Debate an issue: arguments for and against*
Paraphraser et utiliser des synonymes	*Paraphrase and use synonyms*
Donner des exemples pour développer son opinion	*Give examples to illustrate one's opinion*
Expliquer des causes et proposer des solutions	*Explain causes and propose solutions*
Répondre en changeant la forme des verbes	*Change the form of the verb when answering questions*
Conseiller	*Give advice*
Faire passer un message important	*Convey an important message*
Écrire une lettre formelle	*Write a formal letter*

Module 2 Styles de vie

1 À chacun son sport
(Student's Book pages 60–61)

Objectives

- **t** Choose a sport to match your personality
- **g** Form the conditional tense
- **s** Understand idiomatic expressions

Starter

Ask students in pairs to create a questionnaire on sporting likes and dislikes: what sports they like/dislike playing and why, what sports they watch on TV, how frequently they exercise, etc. They then survey other pairs in the class and any other French speakers they know: French assistant, other French teachers, etc.

Reading 1, page 60

A gist-reading exercise. Students skim through the quiz on sports that match your personality and look up the meaning of the French words listed.

Answers:

1. dress (e.g. dress code)
2. rules
3. character
4. jogging
5. goal/aim/purpose
6. to sweat
7. to escape
8. mixture
9. (psychological) release
10. change of scene
11. heart
12. hell

Reading 2, page 60

Without using a dictionary, students find the French equivalents of the English phrases 1–7 in the exercise 1 quiz.

Answers:

1. ça va pas la tête?
2. pour quoi faire?
3. se vider la tête
4. prendre l'air
5. s'évader (vous evader in text)
6. être au cœur de l'action
7. c'est l'enfer!

Speaking 3, page 60

In pairs, students do the quiz and note the letters of their answers.

Reading 4, page 60

Students read the quiz results, which are inverted at the bottom of the quiz on page 60, and decide which sport matches their personality the best and whether or not they agree with the results.

Listening 5, page 61

Students listen to three teenagers who have done the quiz and decide which type of sport would suit them best by looking at the inverted answers on page 61. They should take notes and then give reasons for their answers in French, using the key language on page 61.

After they have done this exercise, you could direct students' attention to the grammar panel on the conditional on page 61. Play the recording again and ask students how many examples of the conditional (shown in bold in the transcript) they can pick out.

CD 2 Track 2

Margaux	Alors, vous avez fini de faire le test vous deux?
Jérémy	Oui, j'ai fini, moi.
Éléa	Et moi aussi.
Jérémy	Allez, comparons nos résultats. Éléa, à toi l'honneur de commencer!
Éléa	Ben, mes résultats sont assez proches de la réalité, c'est intéressant. C'est vrai que j'ai toujours détesté faire du basket et du foot et que par contre j'adore jouer au tennis. Selon le test, c'est parce que ce que j'aime dans le sport c'est la confrontation, le face-à-face, et je préfère dépendre de moi-même pour gagner. Il est vrai que j'aime jouer contre quelqu'un, mais pas en équipe. Aussi, selon le test, le judo ou le karaté **m'irait** bien. Je n'ai jamais fait d'arts martiaux, mais **j'aimerais** bien essayer le judo. Et toi, Margaux, c'est pareil? Tes résultats collent aussi à la réalité?
Margaux	Non, pas du tout! Mes résultats sont tout à fait différents. Selon le test, je n'aime pas me trouver seule dans une situation, donc je ne suis faite ni pour les sports solitaires ni

	les sports individuels, ouais … Par contre ça c'est vrai: **je ne ferais** jamais un sport comme la natation ou l'équitation …
Éléa	Pourquoi?
Margaux	Parce que **j'aurais** trop peur de l'eau et des chevaux!
Jérémy	Donc, **tu préférerais** les sports d'équipe? Le foot, le rugby, tout ça?
Margaux	Oui, **je voudrais** bien savoir jouer au rugby. Tu sais s'il existe des équipes féminines de rugby près de chez nous?
Jérémy	Je ne sais pas. **On pourrait** faire des recherches sur Internet après. Vous voulez savoir mes résultats?
Éléa et Margaux	Oui, bien sûr.
Jérémy	Alors, moi, ce qui me plaît, c'est la sensation d'être en compétition avec moi-même. C'est vrai que je n'aime pas du tout les face-à-face et je n'aime pas tellement les sports d'équipe non plus. Je suis très fort en natation, je me pousse à nager plus loin, plus vite …
Éléa	Donc, t'es plutôt fait pour les sports solitaires, quoi.
Jérémy	Oui, c'est ça.
Éléa	**Tu devrais** essayer le tir à l'arc ou l'équitation.
Jérémy	**Je ne pourrais pas** faire d'équitation, car je suis allergique aux poils de cheval! Mais **ce serait** chouette d'apprendre à faire du tir à l'arc.
Margaux	Et voilà, c'était pas mal ce test, hein? On a appris pas mal de choses!

Answers:

Éléa: type B
Margaux: type A
Jérémy: type C

Writing 6, page 61

If you haven't already done so in exercise 5, direct students to the grammar panel on the conditional on page 61. Students then put the verbs in brackets into the conditional tense and translate the sentences into English.

Answers:

1 Il **aimerait** bien essayer le judo. (He would like to try judo.)
2 Je ne **ferais** jamais un sport comme la natation. (I'd never do a sport like swimming.)
3 Tu **aurais** trop peur de l'eau? (Would you be too afraid of the water?)
4 Ils **préféreraient** les sports d'équipe. (They would prefer team sports.)
5 Elle **voudrait** bien savoir jouer au rugby. (She would like to know how to play rugby.)
6 On **pourrait** faire des recherches sur Internet plus tard. (We could search the Internet later.)
7 Nous **devrions** essayer le tir à l'arc. (We should try archery.)
8 Il ne **faudrait** pas faire d'équitation si tu es allergique aux poils de cheval! (You shouldn't go horse riding if you are allergic to horse hair!)
9 Ce **serait** chouette d'apprendre à faire du tir à l'arc. (It would be great to learn to do archery.)
10 Selon le test, le judo ou le karaté m'**iraient** bien. (According to the test, judo or karate would suit me.)

Speaking 7, page 61

Students talk about their quiz results without referring to notes. They should follow the advice in the bullet points to structure their answers and use the useful expressions on page 61.

Writing 8, page 61

Students write a paragraph summing up their quiz results, following the advice provided in exercise 7.

Module de transition ▶ Sport ▶ La pétanque

Module 2 ▶ Sport extrême/Sport et activité physique ▶ Amélie parle du judo

Module 2 ▶ Sport et activité physique ▶ Je suis fan du stade toulousain

Worksheet 10 provides extended reading comprehension and grammar activities to reinforce the language on these pages and can be used at this point.

Plenary

Challenge students to try out the quiz on a French speaker they know – a French language assistant, another French teacher, a student in another class, etc. – and then present the results either orally or in writing, following the bullet point guidance in exercise 7.

2 Accros à l'adrénaline
(Student's Book pages 62–63)

Objectives

- Discuss extreme sports
- Use *à* or *de* plus infinitive; use indefinite adjectives
- Debate an issue: arguments for and against

Module 2 Styles de vie

Starter

Ask students to research the topic of *Sports extrêmes* using a French search engine and then to report back in French (or English if necessary) on their findings; this information could take the form of French names of extreme sports, a description of one or more of the sports, details of how many people practise such sports, etc.

Listening 1, page 62

Students look at the four photos on page 62 and listen to the recording. They match each picture to the four descriptions and then decide whether each speaker holds a positive, negative or mixed view of the sport.

CD 2 Track 3

1
Regarde-moi ça! Il faut être fou pour faire ça, non? Plonger du haut d'une cascade dans une rivière où il y a plein de rochers! C'est très, très dangereux. En plus, on ne voit même pas le fond, et puis l'eau doit être gelée, non? Moi, je ne ferais jamais une telle chose. J'aurais trop peur de me tuer! Je mourrais de peur avant de toucher l'eau, j'en suis sûr!

2
C'est impressionnant de pouvoir faire ça, non? Il doit être en super forme celui-là, pour pouvoir sauter d'un bâtiment à l'autre comme ça. Je trouve ça courageux aussi. Ce qui est bien, c'est qu'on peut faire ça au centre-ville, en plein air. Par contre, je ne sais pas si je serais assez courageuse pour prendre tous ces risques, mais j'aimerais bien essayer, en commençant avec un tout petit mur!!

3
Je n'ai jamais vu une telle chose! Descendre une pente enfermé dans une grande boule en plastique, c'est incroyable, ça! Je voudrais bien essayer de faire ça, ce serait marrant de le faire avec mes copains. Mais on pourrait se faire très mal, non? Et si on portait un casque? Quand même, je ne sais pas si j'oserais le faire … Je crois que j'aurais trop peur de me faire mal.

4
C'est pas possible! C'est complètement cinglé comme sport! Sauter du pic d'une montagne avec un tout petit parachute comme ça, c'est tout à fait irresponsable! Il doit y avoir beaucoup de blessés et de morts à cause de ce sport. On ne devrait pas autoriser des personnes à prendre de tels risques. Je crois qu'il faudrait empêcher les gens de faire certaines activités.

Answers:

1 le canyoning   négative
2 le parkour   positive
3 le zorbing   avis partagé
4 le base-jump   négative

Listening 2, page 62

Students listen again to the exercise 1 recording and look at the box of adjectives. They pick out the five adjectives that haven't been used to describe the four extreme sports.

Answers:

effrayant, casse-cou, ridicule, terrifiant, stupide

Reading 3, page 62

Detailed comprehension of the listening passage in exercise 1. Students complete the gapped texts with appropriate adjectives. After completing the exercise, they could listen to the recording again to check their answers, although they should note that there are several possible answers.

Possible answers:

1 Plonger du haut d'une cascade dans une rivière pleine de rochers, c'est très dangereux/risqué. Il faut être fou/stupide/inconscient pour faire une telle activité. Ça doit être effrayant/terrifiant.
2 Je trouve ça étonnant/incroyable de pouvoir sauter d'un bâtiment à l'autre. C'est fantastique/impressionnant de pouvoir le faire. Je ne sais pas si je serais assez courageux(se)/casse-cou pour essayer de faire ça.
3 Descendre une pente dans une grande boule en plastique – c'est marrant/chouette comme sport. Ce serait rigolo/amusant/dingue/passionnant de faire ça.
4 C'est incroyable ça! Sauter du pic d'une montagne avec un tout petit parachute, c'est tout à fait stupide/insensé/inconscient. À mon avis, c'est complètement ridicule/irresponsable de prendre de tels risques.

Reading 4, page 62

Students match the sentence halves and translate them into English.

Answers:

1 f I would never do such a thing.
2 e I would be too afraid of killing myself every time I jumped.
3 c I would die of fear/fright.
4 g I don't know whether I would be brave enough to take all those risks.
5 b I would like to try it, but whilst taking some precautions.
6 h It would be a laugh to try a few extreme sports.

Module 2 Styles de vie

7 d   I don't know whether I would dare to try some sports, like base-jumping.
8 a   You/People shouldn't take such risks.
9 j   You/We should prevent people from doing a sport like that.
10 i   I'd really like to learn to do several extreme sports.

As a follow-up to this exercise, ask students to read the grammar panel on page 62 on the infinitive preceded by *à* or *de*. They should then look back at the sentences in exercise 4 and note which verbs are followed by *à*, *de* or nothing at all to precede a second verb in the infinitive.

Answers:

Followed by *à*:
apprendre à

Followed by *de*:
avoir peur de
essayer de
être marrant de
empêcher de

Followed by nothing:
aimer
oser
devoir
falloir
vouloir

Speaking 5, page 63

In pairs, students discuss their own reactions to the photos on page 62, using the vocabulary from exercises 1–4 and their own ideas. Encourage them to include at least one example each of a verb followed by *à*, *de* and nothing at all in their oral work.

Writing 6, page 63

If they haven't already done so, students should read the grammar panel on page 62 on the infinitive preceded by *à* or *de* and the grammar panel on indefinite adjectives on page 63 before tackling this English–French translation exercise.

Answers:

(Verbs followed by *à* or *de* + infinitive underlined; indefinite adjectives in bold.)

1   Il ne peut pas venir **tous les** jours, parce qu'il <u>apprend à faire</u> du canyoning.
2   Elle <u>refuse de faire</u> **certaines** activités et (lui) il déteste tous les sports.
3   Ils veulent <u>m'empêcher de faire</u> **de telles** activités.
4   Tu dois / Vous devez / Il faut <u>arrêter de prendre</u> **tous ces** risques et <u>commencer à être</u> responsable.
5   On a / Nous avons <u>décidé de continuer à faire</u> **plusieurs** sports.
6   J'aimerais essayer **quelques** sports extrêmes, mais je pense que <u>j'aurais trop peur de me faire</u> mal.

Reading 7, page 63

Students read the four texts that debate the issue of whether or not to ban extreme sports. They match statements a–e to the four people whose views they most closely summarise.

Answers:

a Vincent, b Romane, c Charlotte, d Farid, e Charlotte

Speaking 8, page 63

The class debates the issue of whether extreme sports should be banned or not, with some arguing for banning them and others defending them. Remind students to follow the advice in the panel on page 63 to help them conduct the debate successfully.

 Module 2 ▶ Santé ▶ C'est la mort du Tour de France?

Module 2 ▶ Sport extrême ▶ La course de l'Escalade

 Worksheet 10 provides extended reading comprehension and grammar activities to reinforce the language on these pages and can be used at this point.

Plenary

Ask students to write a short article on whether extreme sports should be banned or not, outlining as clearly as possible the arguments for and against the ban.

3 Pantoufles ou baskets?
(Student's Book pages 64–65)

Objectives

- t Talk about leisure activities
- g Use the pronouns *y* and *en*
- s Paraphrase and use synonyms

Starter

Brainstorm the theme of *loisirs* as a class and challenge students to come up with at least one sentence each on the subject, using an indefinite adjective from page 63.

Writing 1, page 64

Students look at the statistics on France and leisure activities and then write ten statements based on the information, three of which should be false. They should use the key language on page 64 to structure their statements. They then swap sentences with their partner, who has to work out as quickly as possible which are the false sentences.

Module 2 Styles de vie

Listening 2, page 64

Students listen to a lycée student called Justine being interviewed about her leisure activities. They should make notes on what they hear and then compare this information with the statistics they analysed in exercise 1. They should decide how typical Justine is and give reasons for their answers, using the key language from the panel at the bottom of page 64.

CD 2 Track 4

Int Justine, j'aimerais vous poser quelques questions sur vos loisirs. Parlons tout d'abord des activités sportives. Aimez-vous faire du sport en dehors du lycée?

Justine Oui, j'aime bien le sport. J'essaie d'en faire une ou deux heures tous les jours. Il est important pour moi de garder la forme.

Int Et quels sports pratiquez-vous le plus souvent?

Justine Euh ben, d'habitude, je joue au volley et au basket. Je suis membre d'un club de volley et j'y vais tous les mercredis pour l'entraînement. Quant au basket, normalement j'y joue le samedi avec mes copines, au centre sportif. On fait des matchs amicaux.

Int Et la natation et le vélo par exemple, vous vous y intéressez à ces sports-là?

Justine Non, à vrai dire, je ne m'y intéresse pas du tout. Je préfère les sports d'équipe.

Int Passons maintenant aux médias. Est-ce que vous consacrez la plupart de votre temps à la télévision, à la radio, aux journaux, ou à Internet … ou peut-être à un autre média que je n'ai pas cité?

Justine Je vais sur Internet le soir après l'école. J'y passe au moins une demi-heure tous les soirs. Je me connecte pour envoyer des e-mails, ou pour regarder les blogs de mes amis. Je n'écoute pas souvent la radio, en revanche je regarde beaucoup la télé.

Int Combien de minutes de télé regardez-vous par jour?

Justine Euh, je dirais que je la regarde à peu près trois heures par jour.

Int Et la presse? Lisez-vous des journaux ou des magazines?

Justine Oui, j'en lis quelques-uns. D'habitude, je passe une demi-heure à lire un magazine avant de me coucher, je suis abonnée à *Muze*.

Int Et finalement, parlons de vos activités culturelles de l'année dernière. Êtes-vous allée au cinéma, au théâtre ou à un concert? Avez-vous écouté de la musique ou lu des livres?

Justine Euh, voyons … j'ai surtout écouté de la musique. J'adore le rap et le reggae et j'en écoute tout le temps sur mon lecteur MP3. À part ça, je vais assez souvent au cinéma. J'y suis allée au moins dix fois l'année dernière. Mais je ne suis allée ni au théâtre, ni à des concerts. Ça ne me dit pas grand-chose. Par contre, j'ai beaucoup lu. J'aime bien les livres de science-fiction et j'en ai lu cinq ou six l'année dernière, je crois.

Int Merci de nous avoir consacré un peu de votre temps, Justine.

Suggested answers:

En ce qui concerne le sport, ses réponses sont différentes des statistiques. Elle joue au volley et au basket, mais elle n'aime pas la natation et le vélo, alors que ce sont les sports les plus populaires chez les jeunes entre 15 et 29 ans.

En ce qui concerne les médias, ses réponses correspondent aux statistiques parce qu'elle consacre la plupart de son temps à regarder la télé. Elle la regarde pendant trois heures par jour, ce qui est à peu près la moyenne (192 minutes), selon les statistiques. Mais elle consacre plus de temps à Internet et aux journaux/magazines (30 minutes chacun) et elle n'écoute pas souvent la radio.

En ce qui concerne les activités culturelles, ses réponses correspondent plus ou moins aux statistiques parce que l'année dernière elle a écouté beaucoup de musique, elle est allée plusieurs fois au cinéma et elle a beaucoup lu. Par contre, elle n'est allée ni au théâtre ni à un concert.

Writing 3, page 65

Refer students to the grammar panel on the pronouns *y* and *en* on page 64 before they tackle this exercise. Students answer the questions with details of their own leisure interests, using the pronouns *y* and *en* as appropriate.

Suggested answers:

1 Oui, j'**y** vais assez souvent.
2 J'**en** fais deux fois par semaine: je joue au foot le lundi soir et je fais de la natation le week-end.
3 Oui, j'**y** ai déjà joué.
4 Oui, je m'**y** intéresse.
5 Oui, j'**en** ai déjà fait.
6 Oui, j'**en** joue.
7 Oui, j'**y** consacre au moins une demi-heure par jour.
8 Oui, j'**en** lis.

Module 2 Styles de vie

Speaking 4, page 65

In pairs, students take turns to interview each other about their leisure habits. Encourage them to adapt the questions in exercise 3, so that their partner has to think carefully about how to answer using the pronouns *y* and *en*.

Reading 5, page 65

A gist-reading exercise. Students read the article about going out and find synonyms for the words and phrases listed.

Answers:

1. domicile, foyer, chez soi
2. abrité
3. efficaces
4. lecteurs-enregistreurs de CD et de DVD
5. géant
6. Internet à haut débit
7. baissent
8. augmentent
9. déguster
10. faire
11. livrer à domicile
12. les grandes surfaces

Reading 6, page 65

Students re-read the article and answer the questions in French, using their own words as far as possible. Refer them to the first *à l'examen* panel on page 65 to remind them of the benefit of using their own words when answering questions in their exam.

Suggested answers:

1. Parce qu'ils se sentent plus en sécurité chez eux.
2. Ne pas être directement en contact avec les autres, mais rester en contact de loin, grâce à la technologie.
3. (Any 3 of:) les écrans de téléviseurs sont maintenant plus grands, la définition de l'image est meilleure, le son est meilleur, la connexion à Internet est plus rapide.
4. Ils coûtent moins cher qu'avant. / Les prix ont baissé.
5. Parce qu'on peut acheter des machines pour faire un expresso chez soi.
6. On peut acheter / se faire livrer chez soi des plats préparés par les grands chefs.
7. On n'a pas besoin de payer l'inscription pour aller dans un centre sportif.

Writing 7, page 65

Students choose one of the essay titles and write 200–220 words on the topic of leisure activities. They should use the bullet points to help them structure their essay and follow the advice in the second *à l'examen* panel on page 65 for the language to include.

Worksheet 11 provides extended reading comprehension and grammar activities to reinforce the language on these pages and can be used at this point.

Plenary

Students plan and, if time, write the other essay in exercise 7.

4 Ça bouge la jeunesse?
(Student's Book pages 66–67)

Objectives

 Talk about changing lifestyles

 Revise the imperfect tense

 Give examples to illustrate one's opinion

Starter

Play the recording for exercise 2 a first time and ask students to note the eight percentages that they hear: 73%, 70%, etc. Play the recording a second time and ask them to note what these percentages represent. This exercise should help students to become familiar with the recording in preparation for exercise 2, and the process of noting what each of the percentages represents will help them to understand statements a–h.

Speaking 1, page 66

Students look at the cartoon and describe what happens in the story. Encourage students to give as many details as possible when describing each frame in the cartoon: who is in each frame; what they are wearing; what they are doing; what they might be saying. They should also explain the twist at the end of the story.

Listening 2, page 66

Students listen to the results of research into how much time young people in Canada spend on physical activity. They read the eight statements a–h and select the four correct ones.

CD 2 Track 5

73% des élèves interrogés par un centre d'étude canadien ont répondu que ce sont leurs parents qui influencent le plus le temps qu'ils consacrent à l'activité physique. Viennent ensuite les amis: 70%, puis les professeurs d'éducation physique,

Module 2 Styles de vie

loin derrière: 6,4%. Pour bouger davantage, 21% des jeunes disent qu'ils auraient besoin de plus de temps, et 17% de plus de motivation. Plus de 35% soutiennent que ce sont les devoirs et les études qui nuisent à la pratique d'activités physiques. Le souci d'améliorer leur apparence physique incite aussi les adolescents à faire de l'exercice: c'est la motivation de 65% des filles et de 28% des garçons.

Answers:

The correct statements are a, c, f and g.

Reading 3, page 66

Students read the article on 21st century lifestyles and answer the questions in English.

Suggested answers:

1 People aren't physically active enough. / People can live (almost) without moving.
2 Taking the lift instead of the stairs; going everywhere by bus or car instead of walking or cycling; doing shopping by computer.
3 They recommend taking at least 30 minutes' exercise a day, as well as doing one or two hours of sport a week.
4 (Any five of:) helps you to avoid obesity, diabetes and heart disease; strengthens bones and muscles (including the heart); improves lung function; increases energy; reduces stress; helps you to sleep.
5 a instead of
   b all the more worrying since/because
   c to add
   d bone(s)
   e including
   f to increase
   g to reduce
   h to help/benefit
   i sleep

Speaking 4, page 67

Refer students to the pronunciation panel on page 67 on pronouncing the letter **r** at the end of French words. They then listen to the pairs of words and the sentence, and read them aloud, emphasising the **r** sound.

CD 2 Track 6

pas / par   joue / jour   fait / fer   dit / dire
rat / rare   mais / mère   sait / sert   paix / paire
vais / vert   du / dur

Faire une heure de sport par jour au lieu de jouer à l'ordinateur, et prendre l'escalier au lieu de l'ascenseur améliorent la fonction respiratoire et font du bien au cœur.

Speaking 5, page 67

In pairs, students take turns to interview their partner about how active he or she is, using the bullet points provided to help structure their questions.

Writing 6, page 67

Students look at the two pictures showing teenagers in the past and today. They then write a paragraph comparing how active teenagers were then with how they are now. Challenge them to include as many of the key words in the blue panel on page 67 as possible. This exercise revises the imperfect tense in preparation for the next unit, where students will use this tense with the conditional, in *si* clauses.

Writing 7, page 67

Students write an essay of 200–220 words examining the statement *Les jeunes de nos jours ne bougent pas assez*. They should follow the bullet point guidance to structure their answers. Remind them to use as many as possible of the key expressions on page 67, to make their writing as rich as they can.

 Module 2 ▶ Sport extrême ▶ La course de l'Escalade

 Worksheet 11 provides extended reading comprehension and grammar activities to reinforce the language on these pages and can be used at this point.

Plenary

Students plan and deliver an oral presentation comparing teenage lifestyles past and present. As part of their research, they could interview their parents about how active they were when they were young.

5 Bien dans son assiette
(Student's Book pages 68–69)

Objectives

- Talk about different eating habits
- Express suppositions with *si*
- Explain causes and propose solutions

> **Starter**
>
> Write the headings for the different food groups (*pains et féculents; fruits et légumes; produits laitiers*, etc.) on the board/OHP and get students to brainstorm food vocabulary that would fall under each heading. This introduces students to the theme of the unit and will help them with exercise 1.

> **Listening 1, page 68**

Students listen to a nutritionist talking about what to eat in order to stay healthy. They note what food and drink items he recommends that different types of people take and how often.

CD 2 Track 7

Int	J'ai avec moi le nutritionniste Docteur Laurent Marchais. Docteur, pouvez-vous nous expliquer en quoi consiste une bonne alimentation?
Dr Marchais	Bien s'alimenter consiste surtout à manger équilibré, c'est-à-dire à consommer quotidiennement une quantité raisonnable d'aliments parmi les sept catégories d'aliments qui existent, c'est-à-dire: le pain et les féculents, les fruits et les légumes, la viande et les poissons (y compris les œufs), les produits laitiers, les produits sucrés et les matières grasses, et n'oublions pas les boissons.
Int	Est-ce que ces règles s'appliquent à tout le monde?
Dr Marchais	C'est-à-dire qu'elles varient selon l'âge et le mode de vie de chaque individu. Par exemple, quand on est enfant ou adolescent, on est en pleine croissance, donc ce qu'on mange doit apporter tous les nutriments nécessaires. C'est pour cela qu'un enfant ou un ado doit consommer au moins cinq portions de fruits et légumes par jour, de la viande, du poisson ou des œufs une ou deux fois par jour, ainsi que trois ou quatre produits laitiers, pour apporter le calcium essentiel au développement des os.
Int	Et pour les adultes?
Dr Marchais	Quand on est adulte, il est important de manger trois bons repas par jour (petit déjeuner, déjeuner et dîner), et d'éviter le grignotage, qui est une des causes principales du surpoids. Il faut manger du pain et des féculents à chaque repas, et du poisson au minimum deux fois par semaine. Pensez aussi à boire beaucoup d'eau. Il est recommandé d'en boire deux litres par jour. Les choses très sucrées sont à éviter et il ne faut abuser ni des matières grasses ni de l'alcool. Sinon, on risque de développer de nombreuses maladies graves telles que le diabète, et le risque de faire une crise cardiaque augmente considérablement.
Int	Y a-t-il des groupes d'adultes pour lesquels ces règles alimentaires sont différentes?
Dr Marchais	Eh bien, il y a les femmes enceintes, elles doivent bien entendu avoir une alimentation équilibrée et variée. Elles ont surtout besoin de manger des aliments riches en protéines, en fer et en acide folique, comme le saumon, les bananes et les épinards. Quant aux sportifs, eux, ils devraient boire régulièrement de l'eau, et ceci avant, pendant et après l'effort, pour compenser la perte d'eau. Ils devraient manger des repas riches en protéines et surtout en sucres lents, comme les céréales, le riz et les pâtes. Les fruits secs, qui sont riches en potassium et magnésium, leur donneront de l'énergie.
Int	Eh bien merci, docteur, de tous ces bons conseils. Essayons de les suivre!

Answers:

<u>Les enfants et les adolescents</u>: au moins cinq fruits et légumes par jour, de la viande, du poisson ou des œufs une ou deux fois par jour, trois ou quatre produits laitiers (par jour).

<u>Les adultes</u>: du pain et des féculents à chaque repas, du poisson au minimum deux fois par semaine, deux

Module 2 Styles de vie

litres d'eau par jour, éviter les choses très sucrées, n'abuser ni des matières grasses ni de l'alcool.

<u>Les femmes enceintes:</u> des aliments riches en protéines, en fer et en acide folique, comme le saumon, les bananes et les épinards.

<u>Les sportifs:</u> boire régulièrement de l'eau (avant, pendant et après l'effort), des repas riches en protéines, des sucres lents (comme les céréales, le riz et les pâtes), les fruits secs (riches en potassium et magnésium)

Listening 2, page 68

Students listen again to the exercise 1 recording and complete the sentences to summarise the passage.

Suggested answers:

1. Manger équilibré consiste à consommer **une quantité raisonnable** des sept catégories d'aliments qui existent.
2. Les règles alimentaires varient selon **l'âge et le mode de vie** de chaque individu.
3. **Quand on est enfant ou adolescent**, on doit consommer tous les nutriments nécessaires à la croissance.
4. Il est important pour les adultes de manger trois **bons repas par jour (petit déjeuner, déjeuner et dîner)**.
5. Si on veut éviter le surpoids, il ne faut pas **grignoter**.
6. Si on mange trop de choses sucrées et trop de matières grasses, on risque de **développer de nombreuses maladies graves**.
7. Si vous êtes une femme enceinte, vous devez adopter une alimentation **équilibrée et variée**.
8. Si on pratique un sport, on doit boire **régulièrement de l'eau** et manger **des fruits secs** pour avoir de l'énergie.

Speaking 3, page 68

In pairs, students discuss whether they eat a healthy and balanced diet, following the bullet point guidance and detailed example on page 68.

Reading 4, page 69

Students read the article on childhood obesity and explain in English what the numbers in bold in the text represent. This exercise helps students to create a brief summary of the article.

Before they read in detail about obesity, you may find it useful to give students this explanation of what the term represents: your body mass index (BMI) indicates whether you are a healthy weight for your height. To calculate your BMI, take your weight in kilograms (kg) and divide it by your height in metres (m). Then divide the result by your height in metres again. For example, someone who is 1.60m tall and weighs 65kg has a BMI of 25 (65 ÷ 1.6 = 40.6 ÷ 1.6 = 25). A normal range is between 19 and 25. Between 25 and 30 a person is overweight, and a BMI above 30 indicates obesity.

Answers:

2% à 12%: the increase in the percentage of overweight 5-year-old children since the end of the 1980s.
18%: the percentage of 7–9-year-olds who are overweight.
4%: the percentage of 7–9-year-olds who are obese.
61%: the percentage of obese children over 2 who live with one obese parent.
la moitié: the proportion of obese children who do not eat breakfast.
12%: the percentage of calories used by physical activity in today's urban lifestyle.
25%: what the percentage of calories used by physical activity should be.
triplée: the increase in risk of high cholesterol in obese people.
multipliée par neuf: the increase in risk of diabetes in obese people.

Writing 5, page 69

Students re-read the article and explain in French, in their own words, the key aspects of the text numbered 1–6.

Speaking 6, page 69

Refer students to the grammar panel on *si* clauses on page 69 before they tackle this exercise. Students prepare and give a short presentation, lasting about two minutes, on what can be done to solve the childhood obesity crisis. They should use the guidance provided in the advice panel on page 69 to structure their answers.

Module 2 ▶ Régime alimentaire ▶ Garder la forme

Plenary

Challenge students to produce ten *si* clauses on the topic of sport and young people: five using the present and future tenses, and five using the imperfect and conditional tenses.

6 Mincir ou maigrir?
(Student's Book pages 70–71)

Objectives

- Discuss weight loss
- Use the present participle
- Change the form of the verb when answering questions

Module 2 Styles de vie

Starter

As preparation for the unit topic, and in particular to help students access listening exercise 1, write the topic-related words below on the board/OHP and ask students to provide the English, using a dictionary if necessary.

avoir des kilos en trop; être bien dans sa peau; être obsédé par; maigre; malsain; mannequin (m); mince; poids (m); ressembler à; se permettre de; suivre un régime

Listening 1, page 70

Students listen to a lycée student called Camille talking about weight loss and choose the correct answer from the multiple-choice options.

CD 2 Track 8

Personnellement, je trouve qu'il est important de faire attention à son poids, mais pas au point de se rendre malade. On peut aller trop loin en se comparant à des mannequins qu'on voit dans les magazines de mode et en essayant de leur ressembler. Certaines de mes amies sont obsédées par leur poids. J'en connais une qui suit un régime depuis l'âge de douze ans, mais elle n'a jamais eu un kilo en trop. Non seulement je trouve ça bête, mais je trouve ça aussi malsain. De nos jours, on entend de plus en plus souvent parler d'obésité et du nombre croissant d'enfants et d'ados en surpoids, mais il faut être conscient aussi de la situation inverse, c'est-à-dire des jeunes qui sont trop maigres. Bien sûr, il faut faire attention à ne pas devenir obèse, mais on peut faire ça tout simplement en faisant attention à ce qu'on mange, ou plutôt en mangeant équilibré, en évitant de manger trop gras ou trop sucré et en consacrant un peu de temps chaque jour à faire de l'exercice. Moi, par exemple, je ne me permets de manger des frites ou des bonbons qu'une seule fois par semaine, je vais toujours au lycée soit à pied, soit à vélo et je joue au volley trois fois par semaine. Comme ça, je garde la forme. Je suis loin d'être maigre, mais je ne suis pas grosse non plus. Je me sens bien dans ma peau et c'est ce qui compte le plus, je crois.

Answers:

1 C, 2 B, 3 C, 4 A, 5 B, 6 C

Reading 2, page 70

Students complete the paragraph summarising what Camille thinks about weight loss, using the words provided. You may need to point out that there are two distractors in the list of words.

Answers:

Camille n'est pas obsédée par (**1**) **son poids**, contrairement à certaines de ses amies. Elle trouve qu'on peut aller trop loin en se comparant à des (**2**) **mannequins** et en essayant de leur ressembler. Au lieu de suivre un régime, elle garde la forme en faisant (**3**) **attention** à ce qu'elle mange, ou plutôt en mangeant (**4**) **équilibré**, en évitant de manger souvent des choses trop grasses ou trop (**5**) **sucrées** et en consacrant un peu de temps chaque jour à (**6**) **l'activité physique**.

Reading 3, page 70

Refer students to the grammar panel on the present participle on page 70 before they tackle this French–English translation exercise, as it contains several examples of present participles.

Suggested answer:

Camille is not obsessed with her weight, unlike some of her friends. She thinks you can go too far by comparing yourself with models and trying to look like them. Instead of dieting, she keeps in shape by being careful about what she eats, or rather, eating a balanced diet, avoiding eating too often things which are too fatty or too sweet and spending a little time every day on physical activity.

Writing 4, page 70

Students complete the gapped sentences with their own ideas, using present participles.

Reading 5, page 71

Students read a true story about a mother's fight to cure her daughter of anorexia and answer comprehension questions in French in their own words. Refer students to the *à l'examen* panel, which gives advice on how to answer questions about a passage using their own words.

Suggested answers:

1 En ne mangeant pas très bien / pas équilibré.
2 Au moment où elle a vu sa fille en sous-vêtements.
3 Elle vomissait après les repas.
4 Pour cacher son vrai poids (quand elle devait se peser).
5 Elle ne pouvait pas marcher sans se tenir aux meubles. Elle devait porter sa jambe pour pouvoir monter dans le bus.
6 Parce qu'elle avait 18 ans et pouvait donc signer elle-même son bulletin de sortie de l'hôpital.
7 En négociant sur son poids / le poids à atteindre.
8 Grâce à l'aide de sa mère.

Module 2 Styles de vie

Speaking 6, page 71

In pairs, students respond to the statement that skinny celebrities and models set a bad example to young girls.

Writing 7, page 71

Students write a paragraph responding to the statement in exercise 6. As an extra challenge, they should use at least two present participles and two *si* clauses in their answers.

Module 2 ▶ Régime alimentaire ▶ Anorexie et mode

Worksheet 12 provides extended reading comprehension and grammar activities to reinforce the language on these pages and can be used at this point.

Plenary

Students write their own story about someone with an eating disorder, including information about how it started, what the signs were, what help/support was given and how the story finished.

7 Au top sans clope!
(Student's Book pages 72–73)

Objectives
- t Talk about smoking
- g Use the imperative
- s Give advice; convey an important message

Starter

Write the heading *Fumer* on the board/OHP and ask students to predict the sort of vocabulary they are likely to encounter in this topic. They could use dictionaries if necessary.

Speaking 1, page 72

In pairs, students describe the poster, using the key language on page 72 and any relevant vocabulary they gathered in the starter exercise. They should say whether they find the poster effective and why.

Reading 2, page 72

Students read an article about the smoking habits of French teenagers and look for synonyms for expressions 1–12.

Answers:

1. interdit
2. milieu (m) scolaire
3. gros fumeur (m)
4. mesures (f pl) anti-tabac
5. des placards (m pl) énormes
6. efficace
7. nouer des liens
8. clope (f)
9. forcément
10. convivial
11. gagne du terrain
12. le plus court chemin

Reading 3, page 73

To show detailed understanding of the article in exercise 2, students answer questions in English.

Answers:

1. Smoking in French schools has been banned since 1st February 2007 and in all other public places (including shops, bars, restaurants and night-clubs) since 1st February 2008.
2. Because young French people are the biggest smokers in the EU. 53% of 17–24-year-olds are regular smokers (i.e. they smoke at least one cigarette a day). They are also starting younger (15 years old on average).
3. It is against the law to sell cigarettes to under-16s; the price of cigarettes has been increased substantially (by 20%, spread over two years); and there are huge messages on cigarette packets, such as 'cigarettes kill' and 'cigarettes can make you impotent'.
4. It is a way of making friends (e.g. by asking 'have you got a fag?') and showing that you belong to a group; smokers are seen as cooler, sexier, classier; having a cigarette in a café is a sociable activity.
5. Cigarette manufacturers are seen as 'merchants of death'; there is greater recognition that tobacco addiction exists; many young people are looking for ways of stopping smoking.

Listening 4, page 73

Refer students to the grammar panel on the imperative on page 73 before they attempt this exercise. Students listen to a radio programme which gives advice on how to stop smoking. They complete the gapped text with the correct verbs in the imperative and then translate the text into English.

CD 2 Track 9

DJ Bonjour et bienvenue à notre émission spéciale santé où vous, chers auditeurs et auditrices, êtes invités à nous appeler pour demander des conseils à notre expert sur des problèmes de santé. Aujourd'hui j'ai avec moi

	le Docteur Clémence Courvalin, spécialiste des problèmes liés au tabagisme. Elle est prête à répondre à toutes vos questions sur le tabac, surtout si vous voulez arrêter de fumer. Docteur, quels conseils pourriez-vous donner à quelqu'un qui a l'intention d'arrêter de fumer?
Dr Courvalin	Le plus difficile est d'essayer d'arrêter de fumer alors que quelqu'un dans sa famille, ou parmi ses amis, fume encore. Être entouré de gens qui fument quand on tente de réduire sa consommation de tabac et quand on essaie de gérer son manque de nicotine est quasiment impossible. Parlez donc à vos amis ou à votre famille, demandez-leur franchement de vous aider et de ne pas vous tenter en fumant devant vous. Mieux, persuadez-les d'arrêter avec vous! Arrêtez en groupe, fixez une date! C'est trop facile de dire «J'arrête demain», puis le lendemain de dire «Oh, aujourd'hui ça ne va pas, demain ce sera mieux» et ça continue ainsi de suite. Alors, discutez-en avec vos amis motivés, trouvez une date qui convient à tout le monde et arrêtez en même temps.
DJ	Merci, docteur. Passons maintenant aux questions de nos auditeurs. Pour commencer, nous avons à l'appareil Jérôme, qui a dix-huit ans. Bonjour, Jérôme, quelle est ta question pour le Docteur Courvalin?
Jérôme:	Bonjour, docteur. Je fume depuis deux ans et j'ai vraiment du mal à arrêter la cigarette.
Dr Courvalin	Tu fumes combien de cigarettes par jour, Jérôme?
Jérôme	Ben … Je sais pas moi, je dirais que j'en fume dix par jour en moyenne.
Dr Courvalin	Dix par jour, ça veut dire que tu es un assez gros fumeur. Si tu es un gros fumeur, ça peut être assez difficile d'arrêter parce que ton corps est habitué à sa dose de nicotine. Plutôt que d'essayer d'arrêter complètement tout de suite, réduis peu à peu le nombre de cigarettes que tu fumes par jour. Chaque jour essaie de retarder le moment où tu fumes ta première cigarette. Un autre conseil: si tu fumes toujours à certains moments de la journée, par exemple en prenant ton café à ta pause de dix heures, eh bien, change ta routine. Il faut dissocier café et cigarette. Alors, au lieu de prendre un café, fais une petite promenade, ou bois autre chose que du café: un chocolat chaud ou un jus de fruit, par exemple. De même, si tu as l'habitude de rester à table à la fin du repas pour fumer une cigarette, lève-toi tout de suite et va dans le salon, regarde la télé ou écoute un peu de musique pour te faire penser à autre chose qu'à cette satanée cigarette! Bonne chance!
Jérôme	Merci!
DJ	J'ai maintenant Natacha à l'appareil. Elle a dix-sept ans. Bonjour, Natacha. De quels conseils as-tu besoin?
Natacha	Bonjour, docteur. En fait, je téléphone pour moi et mon petit ami, Lucas. On est tous les deux en train d'essayer d'arrêter de fumer. Ça fait deux semaines qu'on n'a pas fumé, mais parfois l'envie de fumer est très très forte et on a vraiment du mal à résister. Qu'est-ce qu'on peut faire?
Dr Courvalin	Vous avez déjà fait une bonne chose en arrêtant ensemble. Mais il faut avoir aussi une liste de petites astuces pour mieux gérer les petits moments de faiblesse. Par exemple, si l'un de vous a envie de fumer, l'autre peut l'aider en lui disant «Écoute, on a déjà économisé soixante euros en ne fumant pas; allons au cinéma» ou «Achetons telle ou telle chose», ou encore «Mangeons au resto ce soir». Offrez-vous un petit cadeau pour vous récompenser et pour vous encourager à continuer. Mais surtout évitez toute tentation. Ne gardez pas de cigarettes à la maison. Jetez-les ainsi que les briquets, les cendriers, etc.
DJ	Merci docteur, ce sont de bons conseils. Alors, courage les futurs ex-fumeurs! Plus d'excuses! Arrêtons tous ensemble!

Answers:

Conseils généraux

(**1**) **Parlez** à vos amis ou à votre famille.
(**2**) **Demandez**-leur de ne pas vous tenter en fumant devant vous. Mieux, (**3**) **persuadez**-les d'arrêter avec vous! (**4**) **Arrêtez** en groupe. (**5**) **Fixez** une date. (**6**) **Discutez** entre vous et (**7**) **trouvez** une date qui convient à tout le monde.

Conseils à Jérôme

(**8**) **Réduis** peu à peu le nombre de cigarettes que tu fumes. Chaque jour (**9**) **essaie** de retarder le moment où tu fumes ta première cigarette. (**10**) **Change** ta routine. Il faut dissocier café et cigarette. Au lieu de prendre un café, (**11**) **fais** une petite promenade, ou (**12**) **bois** autre chose que du café. Si tu fumes à table à la fin du repas, (**13**) **lève**-toi tout de suite et (**14**) **va** dans le salon, (**15**) **regarde** la télé, ou (**16**) **écoute** un peu de musique.

Conseils à Natacha et Lucas

L'un de vous peut dire à l'autre: «(**17**) **Écoute**, on a déjà économisé soixante euros en ne fumant pas; (**18**) **allons** au cinéma», ou «(**19**) **achetons** telle ou telle chose», ou «(**20**) **mangeons** au resto ce soir». (**21**) **Offrez**-vous un petit cadeau pour vous récompenser. Et surtout (**22**) **évitez** toute tentation. Ne (**23**) **gardez** pas de cigarettes à la maison.

General advice

Talk to your friends and family. Ask them not to tempt you by smoking in front of you. Better still, persuade them to stop with you! Stop as a group. Fix a date. Discuss it between you and find a date that suits everyone.

Advice for Jérôme

Gradually reduce the number of cigarettes you smoke. Try to delay the time when you smoke your first cigarette of the day. Change your routine. You need to break the association between having a coffee and a cigarette. Instead of having a coffee, go for a walk, or drink something other than coffee. If you smoke at the table at the end of a meal, get up straight away and go into the sitting room, watch TV or listen to some music.

Advice for Natacha and Lucas

One of you should say to the other: 'Listen, we've already saved 60 euros by not smoking, let's go to the cinema', or 'Let's buy this or that', or 'Let's go out for a meal tonight.' Give yourself a little present to to treat yourself. And above all avoid all temptation. Don't keep cigarettes in the house.

Writing 5, page 73

Students translate into French a series of statements using the imperative.

Answers:

1 Fais du sport ou va au cinéma.
2 Finissez votre repas et écoutez de la musique.
3 Demandons des conseils et évitons de fumer.
4 Fixe une date et n'achète plus de clopes.
5 N'arrêtez pas complètement tout de suite, réduisez petit à petit / progressivement le nombre de cigarettes que vous fumez.
6 Soyons positifs et ayons confiance en nous!

Speaking 6, page 73

Students can choose to work alone, in pairs or in small groups to create an anti-smoking campaign for either TV or radio. They should follow the bullet point guidance provided on page 73.

Writing 7, page 73

Students write an email to a friend, giving advice on how to stop smoking.

Module 2 ▸ Santé ▸ L'interdiction de fumer dans les lieux publics

Worksheet 13 provides extended reading comprehension and grammar activities to reinforce the language on these pages and can be used at this point.

Plenary

Students write 10 sentences using the imperative to give advice on how to follow a healthy lifestyle. They then compare their list with that of their partner.

8 Mieux vaut prévenir que guérir
(Student's Book pages 74–75)

Objectives

- t Talk about prevention campaigns
- g Form the passive
- s Write a formal letter

Starter

Write the 14 English words/expressions listed below on the board/OHP and then ask students to skim-read the article on page 74 entitled *Plus de trou grâce à Sam?* and find the French equivalents.

1 risky behaviour – comportement (m) à risques
2 death – décès (m)
3 drug addiction – toxicomanie (f)
4 to appeal to – faire appel à
5 poster campaign – campagne (f) d'affichage
6 Freefone number – numéro (m) vert

Module 2 Styles de vie

> 7 to raise awareness – sensibiliser
> 8 steering wheel – volant (m)
> 9 a person who is HIV positive – séropositif/ve
> 10 care – soins (m pl)
> 11 healthcare expenses – dépenses (f pl) de santé
> 12 contributions – cotisation (f)
> 13 hole – trou (m)
> 14 filled in – comblé

Reading 1, page 74

Students re-read the article and then answer the questions in French in their own words as far as possible.

Suggested answers:

1 Pour réduire le nombre d'accidents et éviter des décès / sauver des vies.
2 L'abus de l'alcool, la toxicomanie, le tabagisme et les maladies sexuellement transmissibles.
3 En faisant appel à / En utilisant des célébrités / des personnes célèbres / des personnalités.
4 (Any 3 of:) Par des spots publicitaires (diffusés) à la radio, à la télé, au cinéma, sur des affiches ou des bannières Internet; par des brochures; par des conseils; par des numéros verts
5 Parce que le conducteur doit accepter de ne pas pas boire ou se droguer. / Pour s'assurer qu'une personne qui n'a pas bu ou pris de drogue peut conduire les autres.
6 Rappeler aux jeunes les dangers du sida / que le sida existe toujours et lutter contre / combattre la discrimination contre les séropositifs / les personnes infectées par le VIH.
7 En réduisant le nombre de jeunes ayant besoin des soins ou de traitement.

Writing 2, page 74

Draw students' attention to the grammar panel on the passive on page 75 before they tackle this exercise. Students translate the sentences into French, using the passive for 1–6, *on* for 7–8 and a reflexive verb in 9–10.

Answers:

1 Les soins sont payés par la Sécu.
2 La campagne a été organisée par le gouvernement.
3 Les jeunes seront informés.
4 J'ai été désigné comme conducteur ce soir.
5 Le coût du traitement serait réduit.
6 Les gens sont remboursés par la Sécu.
7 On donnera des conseils aux jeunes.
8 On a distribué des brochures dans les lycées.
9 Trop de jeunes se tuent au volant.
10 La situation s'améliorera.

Listening 3, page 75

Students listen to a news report about the dangers of sunbathing and choose the four correct statements from the list a–h.

CD 2 Track 10

Ce n'est plus seulement le vieillissement de la population qui augmente le taux des dépenses médicales. Actuellement le réchauffement de la planète exerce lui aussi des pressions sur nos ressources médicales.

En vingt ans, le nombre de cas de mélanome, en d'autres mots le cancer de la peau le plus grave, a triplé. Depuis que les vacances au soleil sont devenues populaires dans les années soixante, être bronzé est devenu un critère esthétique et, pour beaucoup de personnes, un signe de bonne santé.

Malheureusement, pour bronzer, on s'expose aux rayons ultraviolets du soleil. Ces derniers peuvent être très néfastes, provoquer un coup de soleil, un vieillissement précoce de la peau, voire un cancer de la peau. Pourtant, les Français se protègent peu du soleil. Selon l'Institut national de la recherche contre le cancer, seuls 56% utilisent de la crème solaire, et 12% n'en mettent pas du tout. Les 15–24 ans sont les moins prudents avec 19% qui n'utilisent aucune protection (qu'il s'agisse de crème, de se mettre à l'ombre ou de se couvrir). Il est temps d'agir avec plus de prudence et de relancer la mode du teint de porcelaine!

Answers:

Statements b, c, e and h are correct.

Speaking 4, page 75

Following the advice provided in the bullet points, students create a mini-presentation to launch a campaign against skin cancer targeting young people.

Writing 5, page 75

Following the advice given in the bullet points, students write a formal letter of about 200 words in French to a newspaper, giving their reaction to the various health campaigns targeted at young French people that they have learned about in this unit ('Sam', HIV, etc.). They should follow the advice on how to write a formal letter in the advice panel on page 75 and use the key language in their answers.

Module 4 ▶ Environnement et écologie ▶ La sécurité en montagne

Worksheet 14 provides extended reading comprehension and grammar activities to reinforce the language on these pages and can be used at this point.

64

Plenary

As follow-up work on the passive, give students the following gapped French sentences to complete, with their English equivalents.

Present passive:
1 Des brochures _____, des conseils _____ et des numéros verts _____ en place. (Brochures are distributed, advice is given and Freefone numbers are set up.)
2 Le système de couverture sociale français _____. (The French system of social security is well-known.)
3 Les frais médicaux _____ partiellement _____. (Medical expenses are partly reimbursed.)
4 Les dépenses de santé _____ par les cotisations obligatoires qui _____ par tout salarié. (Healthcare expenses are not completely covered by the compulsory contributions paid by every salaried person.)

Perfect passive:
5 Une multitude de campagnes de prévention _____. (A host of prevention campaigns were / have been organised.)
6 La campagne «Sam» _____. (The 'Sam' campaign was created.)
7 Des campagnes d'affichage _____. (Poster campaigns were launched.)

Future passive:
8 Le conducteur _____ par les autres. (The driver will be designated by the others.)

Conditional passive:
9 Le «trou de la Sécu» _____ alors en partie _____. (The 'hole in social security' would then be partly filled.)

Answers:

1 Des brochures **sont distribuées**, des conseils **sont donnés** et des numéros verts **sont mis** en place.
2 Le système de couverture sociale français **est bien connu**.
3 Les frais médicaux **sont partiellement remboursés**.
4 Les dépenses de santé **ne sont pas entièrement couvertes** par les cotisations obligatoires qui **sont payées** par tous les salariés.
5 Une multitude de campagnes de prévention **ont été organisées**.
6 La campagne «Sam» **a été créée**.
7 Des campagnes d'affichage **ont été lancées**.
8 Le conducteur **sera désigné** par les autres.
9 Le «trou de la Sécu» **serait** alors en partie **comblé**.

Module 2 Styles de vie

Épreuve orale Module 2
(Student's Book pages 80–81)

Reading 1, page 80

This is an example of an exam-style question in which students give a spoken response to a piece of stimulus material. In this exercise students read a text on computer games that make you exercise. They make notes to prepare their answers to the questions provided. They should follow the advice in the blue panel and use the key language provided on page 80 to structure their answers.

Speaking 2, page 80

In pairs, students take turns to be the examiner and candidate, using the questions in exercise 1. They compare their answers and decide who has come up with the best arguments.

Listening 3, page 80

Students listen to an extract from a model oral exam, in which the candidate answers the questions in exercise 1. They should note in French how the candidate responds to the four questions; what questions the examiner asks in order to lead on to a more general discussion on the same theme; and what ideas and opinions the candidate expresses during the discussion.

CD 2 Track 11

Ex   De quoi s'agit-il dans ce texte?
Can Il s'agit du nouveau type de console de jeux qui demande au joueur de bouger son corps entier.
Ex   Quels sont les avantages de cette nouvelle technologie?
Can Certains disent que les jeux vidéo sont mauvais pour la santé, parce que le joueur n'est pas très actif, mais en jouant avec cette nouvelle console, on dépense autant d'énergie qu'en faisant du sport.
Ex   Pensez-vous que les jeux vidéo traditionnels contribuent à l'obésité?
Can Ça dépend de l'individu. Ceux qui passent beaucoup de temps devant l'écran et qui ne font pas d'exercice ont plus de risques de devenir obèses. Mais il n'est pas seulement question de son niveau d'activité. Il faut tenir compte de ce qu'on mange aussi. Il est important de manger équilibré.
Ex   À votre avis, les jeunes consacrent-ils assez de temps à l'activité physique?
Can Contrairement à ce qu'on lit dans les journaux, beaucoup de jeunes sont très actifs, ils adorent faire du sport le soir ou le week-end. Cependant, j'en connais certains qui sont paresseux, qui passent leur temps libre devant la télé ou devant l'ordinateur au lieu de faire quelque chose d'actif.
Ex   Que faut-il donc faire pour pousser les jeunes à faire plus d'exercice?
Can Le problème actuellement, c'est que beaucoup de jeunes vont partout en voiture, au lieu d'y aller à pied ou à vélo. Si les parents refusaient de les emmener en voiture au lycée ou en ville, par exemple, les jeunes seraient obligés de faire plus d'exercice.
Ex   Donc c'est seulement la faute des parents si certains jeunes ne font pas assez d'activité physique?
Can Selon moi, c'est la faute de l'école aussi. Il faut tenir compte du fait que beaucoup de lycéens ont trop de travail scolaire. Ils passent toute la soirée à faire leurs devoirs au lieu de sortir pour faire du sport par exemple.
Ex   Donc il faut penser à réduire le travail scolaire pour combattre l'obésité? Mais l'augmentation du nombre de cas d'obésité, n'est-elle pas liée aussi à l'alimentation des jeunes?
Can Certes, il est vrai que beaucoup de jeunes mangent trop gras et trop sucré, alors qu'ils ne mangent pas assez de fruits ou de légumes. Encore une fois, c'est la responsabilité des parents. Si les jeunes ne prennent pas de petit déjeuner, par exemple, ils auront tendance à grignoter des chips ou des bonbons pendant la matinée. D'un côté les parents devraient montrer l'exemple et ils devraient encourager les enfants très jeunes à manger équilibré. De l'autre, il faudrait aussi enseigner l'importance de la bonne alimentation à l'école.
Ex   Et à votre avis, si on ne fait pas quelque chose, quelles seront les conséquences?
Can Si on ne s'occupe pas du problème de l'obésité dès maintenant, il y aura de plus en plus de gens malades du diabète par exemple, ou du cœur. C'est pourquoi il faut faire quelque chose tout de suite, avant qu'il ne soit trop tard.

Suggested answers:

1   <u>Les réponses de la candidate:</u>
    1 nouveau type de console de jeux, joueur bouge son corps entier

2 jeux vidéo traditionnels mauvais pour la santé, le joueur pas très actif, mais avec nouvelle console on dépense autant d'énergie qu'en faisant du sport

3 dépend de l'individu: beaucoup de télé = plus de risques de devenir obèse; il faut aussi manger équilibré

4 beaucoup de jeunes sont très actifs mais certains sont paresseux: devant la télé, l'ordinateur au lieu de faire quelque chose d'actif

2 Les questions qu'utilise l'examinateur:
- Que faut-il donc faire pour pousser les jeunes à faire plus d'exercice?
- Donc c'est seulement la faute des parents si certains jeunes ne font pas assez d'activité physique?
- Donc il faut penser à réduire le travail scolaire pour combattre l'obésité?
- Mais l'augmentation du nombre de cas d'obésité, n'est-elle pas liée aussi à l'alimentation des jeunes?
- Et à votre avis, si on ne fait pas quelque chose, quelles seront les conséquences?

3 Les idées et les opinions du candidat:
- jeunes utilisent trop la voiture, responsabilité des parents
- trop de devoirs
- alimentation, responsabilité des parents, de l'école
- agir maintenant pour éviter les maladies

Reading 4, page 81

This is another example of an exam-style question in which students give a spoken response to a piece of stimulus material. In this exercise students read a text on snowboarding and make notes to prepare their answers to the questions provided. They then come up with four questions that the examiner might ask in the topic-related discussion.

Suggested follow-up discussion questions:

- Pourquoi certaines personnes aiment-elles faire des sports extrêmes?
- À votre avis, faut-il interdire les sports extrêmes? Pourquoi (pas)?
- Les sports traditionnels, tels que le rugby et la boxe, ne sont-ils pas aussi dangereux que ce qu'on appelle les sports extrêmes?
- Que faut-il faire pour diminuer le nombre d'accidents chez les adeptes de sports dangereux?

Speaking 5, page 81

In pairs, students take turns to be the examiner and candidate, first answering the questions provided in exercise 4 and then using the further discussion questions that they came up with in exercise 4.

Speaking 6, page 81

This is another exam-style question in which students give a spoken response to a piece of stimulus material. In this exercise students read a text on leisure activities past and present, and then give spoken answers to the questions provided. They should make notes to prepare their answers, using the detailed guidance and key language on page 80 to structure them, and then act out the roles of examiner and candidate with a partner.

Suggested follow-up discussion questions:

- Pourquoi les loisirs sont-ils importants?
- A-t-on assez d'heures de loisirs de nos jours?
- Que feriez-vous si vous aviez plus d'heures de loisirs? Pourquoi?
- Comment expliquez-vous le fait que de plus en plus de gens pratiquent des loisirs chez eux?
- L'industrie des loisirs n'exploite-t-elle pas les gens en sortant tous les ans un nouveau gadget «indispensable»?

Épreuve écrite Module 2
(Student's Book pages 82–83)

Reading 1, page 82

This is an example of an exam-style question in which students give a written response to a piece of stimulus material. In this exercise students read a text on the problem of smoking among young people and the bulleted instructions on what to include in their answer.

Reading 2, page 82

Students now read a candidate's answer, the notes on it and the advice panel on page 82, which provide a detailed criticism of the answer. You could give students the Edexcel marking criteria and ask them to assess and mark the answer themselves.

Writing 3, page 83

After reading the candidate's annotated answer and the advice boxes, students try to improve the answer, adding their own ideas as necessary.

Possible answer:

Heureusement que les jeunes n'ont plus le droit de fumer ni au lycée ni dans d'autres lieux publics. Le tabac est une drogue très dangereuse, puisqu'il crée une forte dépendance qui peut avoir des conséquences graves sur la santé, telles que des maladies du cœur et le cancer des poumons. Il faut tout faire pour empêcher les jeunes de commencer à fumer et l'interdiction de fumer en milieu scolaire y contribuera. Ajoutons que le tabagisme passif peut être aussi nuisible que fumer soi-même. Ceux qui ne fument pas ne devraient pas être exposés à la fumée des autres, lorsqu'ils dînent au restaurant par exemple.

Que trois quarts des jeunes fument dans la rue n'est peut-être pas si surprenant. En revanche, je trouve les statistiques selon lesquelles certains parents permettent à leurs enfants de fumer à la maison extrêmement choquantes. À mon avis ces parents-là manquent d'autorité sur leurs enfants.

Certains jeunes fument parce qu'ils pensent que c'est cool, d'autres pour faire partie d'un groupe. Il faut changer l'image que les jeunes ont de «la clope», il faut lutter contre ces fausses images. Il faut surtout les éduquer sur les dangers du tabagisme, par exemple en lançant une campagne de posters dans les lycées, en expliquant les effets nocifs du tabac et en donnant des conseils pratiques pour arrêter de fumer. Il va sans dire qu'il faudrait également leur montrer le bon exemple. Si les parents fument, comment interdire aux enfants de fumer aussi?

En outre, n'oublions pas que la majorité des ados n'a pas beaucoup d'argent: si on vendait les cigarettes plus cher, moins de jeunes en achèteraient. Ce qui est certain, c'est qu'il faut agir vite, avant qu'il ne soit trop tard.

Writing 4, page 83

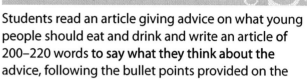

Students read an article giving advice on what young people should eat and drink and write an article of 200–220 words to say what they think about the advice, following the bullet points provided on the Student's Book page.

Writing 5, page 83

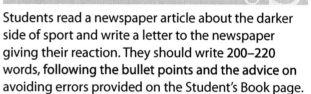

Students read a newspaper article about the darker side of sport and write a letter to the newspaper giving their reaction. They should write 200–220 words, following the bullet points and the advice on avoiding errors provided on the Student's Book page.

Module 3 Éducation et avenir

Objectives

Parler du système éducatif français	*Talk about the French school system*
Parler des différentes filières du bac	*Talk about different options at 16+*
Examiner les préoccupations des lycéens	*Discuss the concerns students have about their schools*
Examiner le quotidien des lycéens	*Discuss the daily routine of French students*
Considérer l'histoire et l'avenir de l'éducation	*Learn about the history of French education and consider its future*
Parler de l'enseignement supérieur en France	*Talk about higher education in France*
Justifier son choix de carrière	*Justify one's choice of career*
Parler de l'évolution des modes et de l'organisation du travail	*Talk about new and different ways of working*
Examiner les problèmes du monde du travail	*Discuss problems in the world of work*

g

Réviser le présent	*Revise the present tense*
Former le subjonctif	*Form the subjunctive*
Le subjonctif après certains verbes, expressions et conjonctions	*Know when to use the subjunctive*
Révision des constructions avec **si**	*Revise si clauses*
Les prépositions de temps	*Use temporal prepositions*
Combiner plusieurs temps	*Use a range of tenses*
Le plus-que-parfait	*Form the pluperfect tense*
L'infinitif passé	*Use perfect infinitives*

Repérer les chiffres à l'écoute	*Listen for numbers*
Remplacer le verbe **penser** par d'autres verbes	*Use verbs other than* penser *to give one's opinion*
Exprimer un doute, la possibilité, le souhait	*Express doubts, possibilities and wishes*
Émettre des hypothèses	*Express a hypothesis*
Évaluer les avantages et les inconvénients	*Weigh up the advantages and disadvantages of a situation*
Faire des suggestions	*Make suggestions*
Préparer un débat	*Prepare for a debate*
Organiser les idées	*Organise ideas*

Module 3 Éducation et avenir

1 Des bancs de l'école au marché du travail
(Student's Book pages 86–87)

Objectives
- **t** Talk about the French school system in more detail, including different options at 16+
- **g** Revise the present tense
- **s** Listen for numbers

> **Starter**
>
> Revise the French school system (first covered on pages 16–17 of the Student's Book) by asking students to describe from memory how it works. If necessary, provide them with prompts, such as headings for the different types of school or key ages for pupils. How much can students remember?

> **Listening 1, page 86**

Students listen to Adrien talking about the French school system. They put the written extracts (on page 86) from his description in the order in which they hear them.

CD 2 Track 12

Int — Quelle est la mission de l'école? De former les citoyens? De préparer les jeunes à la vie active? Quel est ton avis, Adrien? Peux-tu nous expliquer un peu comment tout se passe en France?

Adrien — Moi, je crois qu'il faut instruire les jeunes et les former pour qu'ils puissent s'intégrer facilement sur le marché du travail. Il faut dire que chez nous tout commence assez tôt. On va à la maternelle à l'âge de trois ans, et puis après à l'école primaire. On entre ensuite au collège. Moi, j'ai bien aimé le collège, mais à mon avis ce serait mieux si on pouvait faire plus de travaux pratiques, des ateliers cuisine ou des ateliers design par exemple. Ce n'est pas très concret au collège. Ce qu'on y apprend, c'est un peu éloigné de la vie.

En troisième au collège, à 14 ans donc si on n'a pas redoublé, on passe le brevet. C'est aussi l'année au cours de laquelle on réfléchit à son orientation. Il faut penser sérieusement à la voie qu'on veut suivre. En principe, il doit y avoir des passerelles entre les différentes filières au lycée, mais en réalité ce n'est pas toujours le cas … Les choix d'orientation ne doivent pas être irréversibles, mais parfois ce n'est pas si simple. Il faut vraiment prendre le temps de bien considérer toutes les options pour choisir la bonne voie.

Il y a des bacs classiques et des bacs techniques. Il y a aussi des CAP ou des BEP qui peuvent mener à des bacs professionnels qui sont très concrets. Il faut réfléchir, bien se renseigner et faire son choix! Moi, je viens d'obtenir mon bac OIB en espagnol, j'ai fait un bac L (c'est la filière littéraire), et OIB c'est l'option internationale. J'envisage d'entrer en fac d'histoire à Bordeaux l'année prochaine et d'effectuer ma troisième année universitaire en Espagne. Je veux devenir professeur d'histoire ou journaliste, j'hésite encore!

Answers:

B, H, C, F, D, G, E, A

> **Writing 2, page 86**

Before students tackle this gap-fill exercise, encourage them to revise the present tense by referring to pages 148–9.

Answers:

En France, les enfants (**1**) **commencent** leur scolarité à l'âge de 3 ans. À l'école maternelle, ils (**2**) **découvrent** les règles de vie collective et (**3**) **apprennent** à partager avec d'autres des activités et des espaces communs. Par la suite, ils (**4**) **entrent** à l'école primaire où ils apprennent à lire, à écrire et à compter. Ensuite, au collège, les élèves (**5**) **élargissent** leurs connaissances et (**6**) **raffinent** leurs compétences. À la fin de la troisième les élèves (**7**) **passent** le brevet, qui est un diplôme national. La 3ème (**8**) **est** une année importante puisque c'est l'année où il faut décider de son orientation. Les élèves optent pour la voie qui (**9**) **correspond** à leurs désirs. Ils décident s'ils (**10**) **vont** préparer un BEP ou un CAP, un bac classique ou un bac professionnel. La voie générale et la voie technologique (**11**) **préparent** les élèves à des études supérieures à la fac, tandis que la voie professionnelle (**12**) **propose** souvent une formation en alternance. Les élèves (**13**) **étudient** tout en

Module 3 Éducation et avenir

travaillant. Cette expérience (**14**) **doit** les aider à devenir rapidement opérationnels sur le marché du travail.

Reading 3, page 86

A vocabulary-building exercise. Students copy and complete the grid, first translating the words into English and then finding words in the passage in exercise 2 that belong to the same word family. Finally, they use a dictionary to find other words from the same family or expressions that use these words.

Answers:

	Translation	Words from same family in passage	Dictionary finds
1 vie scolaire	schooling/school life	scolarité (schooling), école (school)	aller à l'école (to go to school), écolier (pupil), scolariser (to send to school/enrol), déscolariser (not to go to school)
2 apprentissage	learning	apprendre (to learn)	apprenti (trainee)
3 s'orienter	to choose a career path	orientation (career advice)	orienter (to give advice)
4 option	option	opter (to choose)	choisir une option
5 étudiant	student	études (studies), étudier (to study)	faire des études (to study)
6 former	to train, to educate	formation (training)	faire une formation (to train)

Writing 4, page 86

Students use six words from exercise 3 to write six sentences that summarise the ideas of the text in exercise 2.

Possible answers:

1 Les enfants français sont **scolarisés** à l'âge de trois ans.
2 **L'apprentissage** de la lecture, c'est à l'école primaire.
3 Les élèves doivent **s'orienter** en troisième.
4 Il y a plusieurs **options**.
5 Les élèves font des **études** tout en travaillant.
6 Les élèves qui optent pour la voie professionnelle sont **formés** en alternance.

Reading 5, page 87

Students read an article in which two teenagers give their reasons for choosing their particular course of study, and then they answer questions in French.

Possible answers:

1 Morgane a opté pour un bac général ES.
2 L'an prochain elle a l'intention de continuer ses études à Nantes.
3 Morgane considère qu'un bac général a plus de valeur (qu'un bac technologique).
4 Parce qu'elle trouve les sciences intéressantes.
5 Elle a décidé de ne pas faire un bac littéraire (en faveur du bac scientifique).
6 Elle pense qu'avec un bac S, tout est possible.

Listening 6, page 87

Before students tackle this exercise, refer them to the *à l'examen* advice panel on page 87 on listening out for high numbers. They should read through the gapped passage and decide what sort of number they need to listen out for each time, e.g. (1) a percentage, (2) a percentage, (8) a number below 10. They then listen to the recording and fill the gaps with the missing figures.

CD 2 Track 13

À 3 ans en France, les enfants peuvent être scolarisés et commencer l'école maternelle. À 11 ans, 80% des enfants entrent au collège.

La quasi-totalité des élèves (99%) vont désormais jusqu'en classe de troisième. Au total, 8% des jeunes quittent l'école sans le niveau minimal de qualification, c'est-à-dire le brevet des collèges.

Actuellement, à peu près 70% des élèves d'une génération parviennent au niveau du baccalauréat. Autrefois réservé aux enfants de la bourgeoisie, le bac s'est quand même démocratisé un peu: en 2007, environ 621 000 lycéens ont passé les épreuves du bac.

En revanche, on compte trois fois plus de bacheliers parmi les enfants de cadres supérieurs et de professeurs que parmi ceux d'ouvriers. Parmi les élèves terminant leur CAP ou de BEP, seul un élève sur deux continue ses études après l'obtention du diplôme. Huit bacheliers sur dix entrent dans l'enseignement supérieur.

Module 3 Éducation et avenir

> Aujourd'hui, la moitié des Français âgés de 20 ans poursuivent des études.

Answers:

À 3 ans en France, les enfants peuvent être scolarisés. À 11 ans, (1) **80%** des enfants entrent au collège. (2) **La quasi-totalité (99%)** des élèves vont désormais jusqu'en classe de troisième. Au total, (3) **8%** des jeunes quittent l'école sans le niveau minimal de qualification, c'est-à-dire le brevet des collèges.

Actuellement, à peu près (4) **70%** des élèves d'une génération parviennent au niveau du baccalauréat. En 2007, environ (5) **621 000** lycéens ont passé les épreuves du bac.

En revanche, on compte (6) **trois fois plus** de bacheliers parmi les enfants de cadres supérieurs et de professeurs que parmi ceux d'ouvriers. Parmi les élèves terminant leur CAP ou leur BEP, seul (7) **un élève sur deux** continue ses études après l'obtention du diplôme. (8) **Huit** bacheliers sur dix entrent dans l'enseignement supérieur.

Aujourd'hui, la moitié des Français âgés de (9) **20** ans poursuivent des études.

Speaking 7, page 87

In pairs, students take turns to ask and answer questions 1–6 in French. They should answer in full sentences.

Answers:

1. L'enseignement élémentaire commence à partir de l'âge de trois ans en France.
2. À l'école maternelle, les élèves découvrent les règles de vie collective et apprennent à partager avec d'autres des activités et des espaces communs. À l'école primaire, ils apprennent à lire, à écrire et à compter. Au collège, les élèves élargissent leurs connaissances et raffinent leurs compétences.
3. La dernière année du collège est importante, puisque c'est l'année au cours de laquelle il faut décider de son orientation.
4. Normalement, s'ils n'ont pas redoublé, les élèves finissent leur année de terminale à l'**âge** de 18 ans.
5 & 6. Answers will vary.

Writing 8, page 87

Students write an article of around 200 words on the French school system, following the guidance provided by the bullet points on the Student's Book page.

 Module 3 ▶ Le monde du travail ▶ À quoi rêves-tu?

 Worksheet 15 provides extended reading comprehension and grammar activities to reinforce the language on these pages and can be used at this point.

Plenary

Practise high numbers by giving students the reading text from Worksheet 15 with the numbers (dates, percentages, etc.) blanked out. Then read the complete text aloud, while students fill in the appropriate figures.

2 L'Éducation, dossier prioritaire?
(Student's Book pages 88–89)

Objectives

- **t** Discuss the concerns students have about their schools
- **g** Form the subjunctive
- **s** Use verbs other than *penser* to give one's opinion

Starter

Ask students to skim-read the French students' opinions in the article *Ras-le-bol!* on page 88 of the Student's Book. Then ask them to look for some of the potentially trickier words/phrases in the text, by providing either the English or a French synonym as a prompt.

Reading 1, page 88

Students read a selection of opinions from students on what is wrong with their school and match the sentence halves to summarise each point of view.

Answers:

1 c Lysiane estime que les programmes au lycée devraient être plus légers et moins compliqués.
2 i Félix pense qu'on devrait avoir plus d'argent pour financer les voyages scolaires.
3 a Seb croit qu'en terminale, avoir un petit boulot c'est essentiel.
4 h Anne considère que les horaires sont inacceptables car trop longs.
5 f Lucas affirme qu'il n'y a pas assez de professeurs et que les classes sont surchargées.
6 b Margot est de l'avis que les enseignants ne sont plus respectés.
7 g Aurélie est persuadée que les élèves ne viennent pas en cours car ils ne correspondent pas aux besoins individuels.
8 e Sapna est convaincue que la violence est un problème majeur.

Module 3 Éducation et avenir

9 d Mo constate que le problème c'est que le racisme et l'intolérance existent aussi à l'école.

As a follow-up to this exercise, and in preparation for the productive tasks in exercises 5 and 6, ask students to follow the advice in the panel on page 88.

Tip answers:

estime – estimer
pense – penser
croit – croire
considère – considérer
affirme – affirmer
est de l'avis – être de l'avis
est persuadé(e) – être persuadé(e)
est convaincu(e) – être convaincu(e)
constate – constater

Listening 2, page 88

Students listen to Inès complaining about her school and answer the questions in French.

CD 2 Track 14

Je suis élève en terminale ES à Bayonne. Je vous expose ma situation. Mon emploi du temps est l'un des plus chargés du lycée. Nous commençons la plupart du temps à 8 heures et finissons soit à 17 heures soit à 18 heures, et le plus scandaleux c'est que nous avons cours le samedi matin.

Ça nous fait 6 jours sur 7 où nous devons être attentifs à ce que disent nos professeurs, et où l'on ne doit pas relâcher notre motivation! Des problèmes de transport se posent également. Certains lycéens ne peuvent pas venir le samedi. Certains arrivent en retard ou alors bien trop en avance parce que les horaires de bus sont différents le week-end. De plus, on ne peut pas trouver de petit boulot, puisqu'on est obligé de venir au lycée.

Et le plus scandaleux, c'est que nous ne sommes que quelques élèves de terminale à travailler le samedi matin. Certains de nos amis, également en terminale ES, finissent tous les jours à 16 heures et n'ont pas cours le samedi matin, et aucune des 15 classes de seconde n'a cours le samedi matin.

C'est injuste, non? Et c'est pour ça que nous allons faire grève. On ne peut plus supporter une situation pareille.

Answers:

1 Ses cours commencent à huit heures et terminent à 17 ou 18 heures.
2 Inès trouve scandaleux d'avoir cours le samedi matin.
3 Certains lycéens arrivent en retard, d'autres trop en avance parce que les horaires de bus sont différents le week-end.
4 D'autres élèves en terminale ES et 15 classes de seconde.
5 Ils vont faire grève.

Writing 3, page 89

Refer students to the grammar panel on the subjunctive on page 89 before they tackle this exercise. **They could look at the text *Ras-le-bol!* in exercise 1 and identify as many examples of verbs in the subjunctive as possible, writing down the infinitive, e.g.** *Il faudrait que les programmes soient …:* être.

After students have identified examples of the subjunctive in context, they should write each verb in brackets in the passage in its subjunctive form before listening to the recording to check their answers (shown in bold in the transcript). They finish the exercise by translating the passage into English.

CD 2 Track 15

Mon père me répète sans cesse: «Il faut que tu (1) **travailles** au lycée, Talia. Il faut que tu (2) **fasses** beaucoup d'efforts, parce qu'il faut absolument que tu (3) **ailles** à la fac.» Je sais qu'il a raison, mais moi, j'estime qu'il y a des choses qu'il faut changer au lycée.

D'abord, il faudrait qu'on (4) **ait** moins d'heures de cours. Ensuite, il faudrait que les professeurs (5) **soient** plus enthousiastes et qu'ils (6) **donnent** des cours plus passionnants.

J'estime qu'il est urgent qu'on (7) **introduise** des groupes de niveau. Si on avait davantage de cours en demi-groupes, on participerait plus.

Enfin, il faudrait qu'il y (8) **ait** une salle au lycée où on pourrait avoir libre accès à Internet, et une autre pour écouter de la musique, danser, faire du sport, une salle où on pourrait se défouler un peu.

Possible translation:

My father keeps telling me: 'You must work at school, Talia. You must try hard because you really must go to university.' I know that he is right, but I think that there are things that have to be changed at school. First of all, we should have fewer hours of lessons. Next, the teachers should be more enthusiastic and should give more exciting lessons. I think that ability groupings should be introduced urgently. If we had more lessons in half groups, we would contribute more. Finally, there should be a room in the school where we could have free access to the Internet, and another one in which to listen to music, dance, play sport: a room where we could let off some steam.

Writing 4, page 89

Another exercise to reinforce how to form the subjunctive. Students rewrite the sentences, using each of the structures provided twice only and putting the appropriate verbs into the subjunctive.

Suggested answers:

Il faut que / Il est essentiel que / Il est nécessaire que / Il est urgent que are interchangeable in the answers.

1 Il faut que le ministère de l'Éducation supprime les cours le samedi matin au lycée.
2 Il est essentiel que le Conseil Régional donne plus d'argent pour financer les sorties au lycée.
3 Il est urgent que les professionnels de l'Éducation examinent les raisons de l'absentéisme des lycéens.
4 Il est nécessaire que le gouvernement propose des cours qui correspondent aux besoins collectifs et individuels.
5 Il est nécessaire que les programmes soient moins chargés au lycée.
6 Il est essentiel que les élèves respectent l'autorité des enseignants.
7 Il faut que tout le monde combatte la violence à l'école.
8 Il est urgent que les établissements trouvent des solutions pour améliorer l'intégration des élèves d'origine étrangère au lycée.

Speaking 5, page 89

In pairs, students discuss the problems in the French school system, taking turns to identify a problem and offer a solution. They should try to use a range of opinion expressions and subjunctive phrases in their discussion.

Writing 6, page 89

Students create a poster suggesting ways in which their own school could be improved. They need to suggest at least eight possible changes, using a range of opinion expressions and subjunctive phrases.

Module de transition ▶ Scolarité ▶ Où faire ses devoirs?

Module 3 ▶ Le système éducatif ▶ La politique et les lycéens

Module 3 ▶ Le système éducatif ▶ La fin de l'école le samedi

Module 3 ▶ Le système éducatif ▶ À quoi ça sert la récré?

Worksheet 16 provides extended reading comprehension and grammar activities to reinforce the language on these pages and can be used at this point.

Plenary

Students use the subjunctive to write at least eight sentences giving advice on another topic they have so far studied in *Edexcel AS French*, e.g. healthy living or how to get on with family members.

3 Une semaine dans la vie d'un lycéen
(Student's Book pages 90–91)

Objectives

- **t** Discuss the daily routine of French students
- **g** Know when to use the subjunctive
- **s** Express doubts, possibilities and wishes

Starter

Test students on what they can remember about the subjunctive by asking them (with books closed): When is it used? After which four expressions of necessity is it used? How is the present tense of the subjunctive formed? With this last question you could write a series of infinitives on the board/OHP, together with various pronouns, and ask for volunteers to come up with sentences using an expression of necessity, a pronoun and the correctly conjugated verb.

Listening 1, page 90

Students listen to Marie talking about her life at boarding school and correct the five false statements.

CD 2 Track 16

Voyons, les élèves de seconde travaillent en étude surveillée tous les jours de 17h30 à 19h00, mais nous, les terminales, on a le droit de travailler dans notre chambre, les élèves de première aussi d'ailleurs.

Le dîner est servi de 19h00 à 19h30 dans le self et après on a une pause jusqu'à 20h15.

À partir de 20h30 on a quartier libre, c'est-à-dire qu'il faut rester à l'internat, mais on peut faire des activités, par exemple on peut aller au foyer, au gymnase ou à la salle d'informatique. On peut continuer ses devoirs si on veut, on a le choix, quoi.

On éteint les lumières à 22h30. Si on est surchargé de travail, on peut continuer à

Module 3 Éducation et avenir

travailler plus tard, mais pour ça il faut s'arranger avec les pions.

Le vendredi soir on rentre à la maison, puis on revient à l'internat le lundi matin. Certains élèves qui habitent très très loin rentrent le dimanche soir après 20h30.

Moi, j'aime bien être interne. Je me sens plus autonome, j'aime bien la vie de groupe. Je me suis fait de très bons copains ici. J'ai pas à passer des heures en voiture ni à écouter le gna gna gna de mes parents. Avec les programmes surchargés qu'on a, c'est vraiment une situation idéale pour moi.

Possible answers:

1 Le soir, les élèves de seconde travaillent en étude surveillée.
2 Les élèves de première et de terminale ont le droit de travailler dans leur chambre.
3 Le dîner est servi de 19h00 à 19h30 dans le self.
4 Après le dîner, les élèves ne peuvent pas quitter l'internat, mais ils ont le temps libre s'ils veulent en profiter.
5 Marie aime bien être interne. Elle aime bien la vie de groupe et s'est fait de très bons amis à l'internat.

As a follow-up exercise, play the recording a second time and get students to note the following information in French:

a   ce qui se passe entre 17h30 et 19h00
b   ce qu'on peut faire à partir de 22h30
c   ce qui se passe le vendredi soir
d   les raisons pour lesquelles Marie aime être interne

Answers:

a Entre 17h30 et 19h00 les élèves de seconde travaillent en étude surveillée. Les élèves de première et de terminale ont le droit de travailler dans leur chambre.
b À partir de 22h30 on doit éteindre les lumières. En revanche, si on a beaucoup de devoirs, on peut continuer à travailler.
c Le vendredi soir les élèves rentrent à la maison.
d Marie est contente d'être à l'internat parce qu'elle aime la vie de groupe, elle aime être autonome, et elle n'aime pas les trajets pour aller à l'école.

Listening 2, page 90

Students now listen to Julien talking about his life at boarding school and complete the gapped passage with verbs in their correct subjunctive form. (Answers are shown in bold in the transcript.)

 CD 2 Track 17

Ça me plaît d'être interne. Puisque je suis en terminale, j'ai pas mal de liberté et je peux travailler tard le soir et sortir du lycée parfois, à condition que j' **(1) avertisse** un surveillant. Mais des fois, j'ai du mal car je n'aime pas trop qu'on me **(2) dise** tout le temps ce que je dois faire. Je préfère qu'on me **(3) laisse** tranquille. Faut dire que ça dépend des pions, aussi. Bien que certains **(4) soient** compréhensifs, d'autres sont moins sympathiques.

C'est marrant, depuis que je suis à l'internat, bien que **(5) je voie** moins souvent mes parents je crois que je m'entends mieux avec eux. Ma mère ne se sent plus obligée de ranger mes affaires et elle m'accorde même un peu plus de liberté. Je ne regrette pas de ne plus vivre à la maison, quoique mes frangins me **(6) manquent** et mon chien Loulou aussi.

Quand j'irai à la fac, il se peut que **(7) je devienne** pion à mon tour pour payer mes études. J'aime bien qu' **(8) on m'obéisse**! Non, je dis ça pour plaisanter! J'aimerais bien travailler avec des jeunes. Je crois qu'il est important que les lycéens **(9) aient** des pions auxquels ils peuvent s'identifier. Mais ce qui est plus important, c'est que je **(10) puisse** me payer mon permis!

Writing 3, page 90

Refer students to the grammar panel on the subjunctive on page 90 before they tackle this exercise. They then translate the short passage into French, using the language featured in exercises 1 and 2 and putting verbs into the subjunctive where appropriate.

Possible answer:

Mélanie: J'étudie de 17h à 19h. Je travaille vite mais bien pour que je puisse jouer au babyfoot après le dîner. Bien qu'on éteigne les lumières à 10h30, on peut continuer à travailler pourvu qu'on avertisse/ prévienne un surveillant. J'aime bien être interne. Je suis autonome et, bien que je ne voie pas souvent ma famille, je ne me sens pas seule car / parce que je me suis fait de très bons amis ici.

Reading 4, page 91

Students listen to and read the article on a week in the life of a *lycéen*. In this exercise they find synonyms for the 10 words listed.

 CD 2 Track 18

Une semaine dans la vie d'un lycéen
Lundi 8h, Nice, lycée Pasteur

Module 3 Éducation et avenir

Marie est en seconde. Ce matin, elle a cours de maroquinerie dans l'atelier de l'établissement. Depuis le début de l'année, elle prépare un défilé de mode pour le lycée. Thème retenu: les cinq continents. Marie a choisi l'Afrique. Chaque semaine, elle consacre quatre heures en plus de ses cours à préparer ce défilé.

Mardi 10h, Marseille, lycée Colbert

Dans le CDI, une vingtaine de jeunes discutent activement. Ils sont tous en première et deuxième année de CAP vente alimentaire. Au début de l'année, ils se sont lancé un défi: monter une mini-entreprise dans le cadre de l'opération Entreprendre au Lycée.

L'idée: préparer des jus de fruits naturels à la fraîcheur et aux propriétés nutritives incontestables. Le VITAFRESH a déjà remporté un franc succès lors de la journée de vente au lycée Marseillveyre, avec 240 cocktails vendus en une heure aux élèves de seconde. Farid est le président de l'association: «Cette expérience, je ne l'oublierai pas. Ça m'a appris à travailler, à écouter les autres et à avoir plus confiance en moi. Je préfère travailler dans une entreprise que travailler à l'école.»

Mercredi 13h, Nice, lycée Pasteur

Après le repas à la cantine, Marie, Nassima, Magali et Indira se retrouvent. Elles n'ont pas cours cet après-midi. Pendant que les autres vaquent à leurs occupations, elles préparent le défilé. «On se dépêche un peu, mais on sera prêt à temps. Je suis très fière de faire ce que je fais … tout le monde l'est d'ailleurs. La prof est tout le temps avec nous, elle nous soutient à fond.»

Jeudi 8h, Manosque, lycée professionnel Martin Bret

C'est l'heure de l'atelier d'écriture de Marie Christine Avelin. Dans le CDI, face au stade d'athlétisme, il est question de gymnastique cérébrale pour Thibaud et ses camarades de dernière année de bac Maintenance de véhicules automobile, un bac pro en alternance.

«Notre prof de français nous a inscrits au Prix littéraire des lycéens et apprentis sans nous demander notre avis. On était surpris, mais contents. Finalement, ça plaît à tout le monde dans la classe.»

Vendredi, 18h30, Marseille, lycée Colbert

Rachid assiste au conseil de classe. C'est une réunion qui a lieu une fois par trimestre pour parler du travail de la classe. Tous les enseignants sont présents, ainsi que le proviseur et le Conseiller d'Éducation. «Je suis fier d'être délégué de classe» dit Rachid. «On m'a élu et j'en suis fier. Je représente mes camarades, je parle en leur nom. Je dois bien écouter leur avis, m'informer des problèmes ou des difficultés … Après la réunion je fais un compte-rendu à la classe, leur explique comment ça s'est déroulé … Il faut être responsable mais je crois que je suis à la hauteur!»

Samedi 20h, Nantes, pizzeria La bonne pâte

Le samedi soir, Ahmed travaille comme livreur de pizza. «C'est difficile de trouver un bon job. On est nombreux à en chercher un.» Pour Ahmed, ce travail est essentiel: «Un peu pour l'argent de poche car j'ai pas envie de dépendre de mes parents, mais surtout pour le permis. Ça m'apprend aussi la valeur de l'argent et ça me fait voir ce que c'est que d'avoir des contraintes. Je suis content et fier de pouvoir me payer mon permis.»

Answers:

1 établissement
2 consacre
3 succès
4 se dépêche
5 à fond
6 finalement
7 fier
8 m'informer
9 compte-rendu
10 contraintes

Reading 5, page 91

More detailed reading comprehension on the exercise 4 text. Students decide whether the statements are true or false and correct the false statements.

Answers:

1 F – Marie passe quatre heures en plus de ses cours chaque semaine à préparer ce défilé.
2 F – Le VITAFRESH est préparé à base de jus de fruits naturels.
3 F – Farid n'oubliera pas son expérience en tant que président, tant elle a été positive.
4 V
5 F – Thibaud et ses camarades assistent à un atelier d'écriture.
6 F – Le conseil de classe est une réunion trimestrielle / se réunit une fois par trimestre.
7 F – Rachid n'agit pas tout seul. Il représente ses camarades de classe.
8 F – Ahmed travaille pour avoir un peu d'argent de poche et pour payer son permis lui-même.

Module 3 Éducation et avenir

Writing 6, page 91

Students write an essay in French of 200–220 words on whether they would like to be a student in France, giving reasons for their opinion and including the bullet point details provided to make their answers as full as possible. Before they prepare their essay, refer them to the advice panel on using a wide range of language in their writing.

Module 3 ▶ Le système éducatif ▶ Tricher aux examens

Module 3 ▶ Le système éducatif ▶ Redoubler, ça marche?

Module 3 ▶ Le système éducatif ▶ Comment tu t'entends avec tes profs?

Worksheet 16 provides extended reading comprehension and grammar activities to reinforce the language on these pages and can be used at this point.

Plenary

Write the sentences below on the board/OHP and ask students to underline the verbs that are in the subjunctive and give their infinitive. They could also pick out the expressions that determine why the subjunctive has been used each time (in bold below).

1 **Bien que** ce soit un poste à responsabilité, Rachid aime bien être délégué de classe.
2 Les délégués de classe existent **pour que** la direction puisse entendre le point de vue des élèves.
3 La prof des filles **veut qu'**elles réussissent.
4 Le prof de Martin a inscrit sa classe au prix littéraire des lycéens et des apprentis **afin qu'**ils puissent améliorer leurs compétences.
5 Marie et ses copines vont travailler **jusqu'à ce que** tout soit prêt pour le défilé.
6 **Il est possible que** Farid travaille dans le commerce après son expérience avec VITAFRESH.
7 Ahmed **ne veut pas que** ses parents paient son permis.
8 Ahmed **comprend que** les jeunes aient du mal à trouver un petit boulot.

4 Passé, présent, futur

(Student's Book pages 92–93)

Objectives

- (t) Learn about the history of French education and consider its future
- (g) Revise *si* clauses
- (s) Express a hypothesis

Starter

Prepare some true/false statements about the history of French education and test students' general knowledge with them: *On n'enseigne pas les études religieuses dans les écoles françaises; On peut porter le voile islamique à l'école en France; Il y a plus d'écoles privées que d'écoles publiques en France; La plupart des écoles privées sont catholiques*, etc.

Reading 1, page 92

Students put the newspaper articles back together, linking the three elements – photo, headline and body of text – of each one.

Answers:

a 2 y
b 1 x
c 3 z

Reading 2, page 92

Students find the French for the phrases listed.

Answers:

1 c'est-à-dire
2 récemment
3 ces dernières
4 pour la plupart
5 le plus souvent

Speaking 3, page 92

In pairs, students answer the questions on the two texts about *laïcité*.

Possible answers:

1 Selon le principe de laïcité, aucun signe religieux n'est accepté dans les écoles en France. Tous les citoyens sont égaux, chacun a le droit à sa religion, mais personne n'a le droit de montrer / d'afficher sa croyance.
2 Le voile islamique est un symbole religieux, celui de l'islam. Les musulmanes doivent ou veulent porter le voile, cependant la République considère que le voile constitue une manifestation de la foi religieuse, donc elles ne peuvent pas le porter à l'école. Elles, ou leurs parents, considèrent que cela n'est pas juste et va contre leur liberté d'avoir et de pratiquer leur religion.
3 Ces écoles offrent une éducation catholique.
4 Parce que certains parents veulent que leurs enfants aient une éducation religieuse. D'autres parents voudraient un nouveau départ pour leur enfant qui a eu des difficultés dans le système public. D'autres personnes choisissent le système privé parce qu'elles refusent le système public.

77

Module 3 Éducation et avenir

Listening 4, page 93

A gap-fill exercise on using the computer for learning purposes. Before listening to the recording, ask students to guess which words from the box on the Student's Book page might fit in the gaps, using context and grammatical clues. They then listen to see how many of the words (in bold in the transcript) they guessed correctly.

CD 2 Track 19

Apprend-t-on mieux avec un ordinateur?

Un grand nombre d'élèves ont accès à un ordinateur chez eux, mais malheureusement la plupart d'entre eux ne savent pas nécessairement comment bien s'en servir pour (1) **mieux** apprendre. Ils ne comprennent pas (2) **forcément** que l'ordinateur puisse leur être (3) **utile** dans leurs études. Quand on demande à un élève de faire des recherches sur Internet par exemple, il faut bien définir les (4) **thèmes** et il vaut mieux (5) **préciser** les sites où l'on sait qu'il trouvera des informations qui lui seront utiles. Beaucoup trop d'élèves (6) **trouvent** les (7) **renseignements** dont ils ont besoin mais ne savent pas quoi en faire. Il est essentiel que les professeurs montrent aux (8) **élèves** comment sélectionner et traiter les informations qu'ils trouvent. Sinon, ils se contentent de rendre un copier-coller de dates, de chiffres et ne retirent rien de l'exercice.

Reading 5, page 93

Students read a passage about ways of improving French schools and match the pairs of opinions.

Answers:

a 3, b 5, c 1, d 6, e 4, f 2

Writing 6, page 93

Refer students to the grammar panel on *si* clauses on page 93 before they tackle this exercise. Students rewrite the verbs in brackets in the correct tense and then translate the text into English.

Answers:

Finis les cartables de 15 tonnes! Plus besoin de cahiers ou de manuels!

Si tout (1) **passait** par l'ordinateur, en arrivant en cours Ophélia (2) **s'installerait** devant un ordinateur portable, l'(3) **allumerait** et (4) **taperait** le code d'accès à son cahier virtuel.

Le cours pourrait commencer. Si, en plus d'un clavier, l'ordinateur (5) **était** équipé d'une tablette graphique avec un stylet, elle (6) **pourrait** prendre des notes ou dessiner des schémas plus facilement.

Si le professeur utilisait son tableau électronique pour donner son cours et ensuite (7) **stockait** ses documents sur le site du lycée, Ophélia (8) **pourrait** réviser chez elle en se connectant au serveur du lycée.

Suggested translation:

No more schoolbags weighing 15 tonnes! No more exercise or textbooks!

If everything was/were done by computer, when Ophelia arrived in class she would settle down in front of her laptop, switch it on and type in the access code to her virtual exercise book.

Then the lesson could start. If, in addition to a keyboard, the computer had a graphics tablet with a stylus, she would be able to take notes or draw diagrams more easily.

If the teacher used the electronic whiteboard to deliver his/her lesson and then archived his/her documents on the school website, Ophelia would be able to revise at home by logging on to the school server.

Writing 7, page 93

Students select one of the three themes suggested and write a paragraph of up to 200 words giving and justifying their opinion. Refer students to the advice panels on page 93 on using a wide variety of language in their written work.

Worksheet 16 provides extended reading comprehension and grammar activities to reinforce the language on these pages and can be used at this point.

Plenary

Students choose another of the themes listed in exercise 7 to write about.

5 Une fois le bac en poche
(Student's Book pages 94–95)

Objectives

- **t** Talk about higher education in France
- **g** Use temporal prepositions
- **s** Weigh up the advantages and disadvantages of a situation

Starter

On the board/OHP, write a list of prepositions taken from the grammar panel on page 95 of the Student's Book. Ask students in pairs to translate each preposition into English and create a sentence containing each one. This will check

78

how many temporal prepositions the students already know before they revise this grammar point in more detail in the unit.

Listening 1, page 94

Students read about the four different routes a–d that students can follow after gaining their *baccalauréat*. They then listen to four French teenagers talking about the route they personally chose and why. Students copy and complete the grid on page 94, noting the letter of the chosen route and writing the reasons in English.

CD 2 Track 20

Orlane Moi, je voulais faire des études supérieures mais pas trop longues. J'adore les langues, alors j'ai choisi de faire un BTS Commerce International. Après deux ans d'études, je pourrai entrer bien formée sur le marché du travail. En fait ce sont mes parents qui ne voulaient pas trop que j'aille à la fac et qui m'avaient suggéré de faire un BTS. Ils considéraient que j'avais besoin d'être bien encadrée par des enseignants, avec un emploi du temps qui ressemble à celui du lycée. Et quand j'ai regardé le programme, j'ai dit oui tout de suite, ça avait l'air super. Je m'y attends avec impatience.

Matthieu Moi, les études longues, ça ne me fait pas peur. Je suis passionné d'histoire, c'est vraiment mon truc. J'aimerais préparer un doctorat. Je poursuivrai mes études à Rennes 2. Mes parents me soutiennent à fond, sauf qu'il va falloir que je trouve un boulot d'été pour contribuer un peu financièrement, mais je suis prêt à chercher. J'ai un copain qui travaille dans une cabine de péage des Autoroutes du sud de la France, et je crois que je vais postuler chez eux.

Cyril Mon truc, c'est les matières scientifiques: maths, physique, chimie. Ce sont celles que je préfère et où j'obtiens mes meilleures notes … sans beaucoup bosser ou alors dans l'urgence. Aujourd'hui, j'envisage de faire une prépa. Après? Peut-être aller en école d'ingénieurs ou de commerce, je ne sais pas. Je n'ai pas encore beaucoup d'idées sur les métiers auxquels ces études me conduiront. Je sais que je suis prêt à bosser pas mal si le métier m'intéresse vraiment. Et je veux gagner pas mal d'argent. Peut-être dans la finance (banque, Bourse) ou dans la recherche scientifique.

Élodie Pour moi, c'était important de choisir une filière qui me permette de trouver un emploi. Maintenant, j'ai le bac S en poche et j'envisage de faire un DUT de chimie à l'IUT Nancy Brabois. J'aimerais avoir un emploi assuré à vie et bien rémunéré, et je sais qu'il y a pas mal de débouchés dans cette voie.

Answers:

	route	reasons
Orlane	a	short period of study, vocational training, supervised by teachers, structured timetable, likes languages
Matthieu	c	isn't afraid of long period of study, passionate about history, wants to do PhD
Cyril	b	interested in science, prepared to work hard for an interesting and well paid job, perhaps in finance
Élodie	d	wants to be assured of a safe and well paid job for life

Listening 2, page 94

Students now listen to a girl who failed her *baccalauréat* talking about what she did next. They answer multiple-choice comprehension questions on the passage.

CD 2 Track 21

Quand j'ai raté mon bac STT (sciences et technologie tertiaires) ma famille a voulu que je redouble, mais je trouvais cela inutile. Depuis mes 16 ans, je travaille dans des centres de loisirs, et plus tard je veux travailler dans l'animation. Sur Internet, j'ai trouvé des informations sur les diplômes Jeunesse et Sports, et j'ai vu que le bac n'était pas indispensable pour celui qui m'intéressait car je suis déjà titulaire du BAFA, le Brevet d'Aptitude aux Fonctions d'Animateur de centre de vacances et de loisirs. Alors, j'ai passé un entretien pour intégrer cette formation en alternance. Je termine cet été et j'ai déjà des contacts avec trois clubs de danse pour décrocher un emploi.

Answers:

1 a Sabine a préparé un bac STT.
2 b La famille de Sabine a voulu qu'elle redouble.
3 c Sabine a appris que pour entrer dans l'animation le bac n'était pas indispensable.
4 c Sabine cherche un emploi dans un club de danse.

Listening 3, page 94

Students listen to five students talking about their experiences. They match each statement a–e to the appropriate person.

CD 2 Track 22

Olivia, en 3ème année de géographie

Le passage du lycée à la fac a été assez difficile. Avec seulement 17 heures de cours hebdomadaires, sans contrôle de présence, j'ai dû apprendre à gérer mon travail par moi-même, m'obliger à travailler chez moi et à la bibliothèque. À l'université, on apprend beaucoup, à condition de se discipliner. Et puis, il faut s'initier à de nouvelles méthodes de travail.

Kévin, en licence de physique

L'université, c'est une formation de qualité, mais il y a aussi la culture en dehors de la fac: l'intérêt pour l'actualité, les petits boulots, les associations étudiantes, les loisirs; tout facilite notre entrée dans le monde du travail.

Nordine, en école d'ingénieurs

Dans les grandes écoles, les cours sont denses et les profs n'ont pas forcément le temps de tout détailler. Ce qui est important, c'est d'aller à la bibliothèque pour expliquer et approfondir ce qu'on a vu en cours.

Gaëlle, en licence d'histoire

Avec le nouveau système LMD, chaque étudiant aura un professeur référent. Mais il ne faudra pas hésiter à aller le voir. Trop d'étudiants se laissent submerger par les difficultés et réagissent trop tard. En organisant son emploi du temps dès le début, on peut profiter de notre liberté.

Thomas, en CFA

J'ai choisi le CAP de peintre en alternance dans un centre de formation d'apprentis privé. Au moment où je désespérais de trouver un patron, je suis tombé sur une entreprise familiale. Mes chefs m'ont toujours dit qu'ils étaient contents de mon travail et je ne me suis jamais ennuyé. Mais il faut être motivé pour l'apprentissage, des fois, c'est dur.

Answers:

a Gaëlle
b Olivia
c Nordine
d Kévin
e Thomas

Reading 4, page 95

Reading comprehension exercises on the choices that school leavers make. Students translate into English the expressions in bold in the article on page 94. They then decide whether the English sentences 1–7 are true or false and correct the false sentences.

Answers:

près de – nearly
(% (pour cent) – per cent
9) sur (10) – (9) out of (10)
plus de (7%) – more than (7%)
un fort pourcentage – a high percentage
sans aucun – without any
nombreux – many
le moindre – the least

1 V
2 F – Forty per cent commit themselves to longer university study.
3 V
4 F – More than 7% try for preparatory classes.
5 F – There is a high percentage of failure after the first year of university study.
6 F – 40% of secondary school leavers leave university without any qualification.
7 V

Writing 5, page 95

Refer students to the grammar panel on temporal prepositions on page 95 before they attempt this English–French translation exercise.

Possible answer:

En 2005 je me suis engagé(e) sur la longue voie des études universitaires. J'ai étudié la géographie pendant trois ans jusqu'au niveau de la licence. Maintenant, je vais entreprendre mon master et puis dans deux ans je vais entrer sur le marché de l'emploi. J'étudie aussi l'espagnol depuis cinq ans. J'espère visiter l'Amérique du Sud après avoir terminé mon mastère.

Speaking 6, page 95

Students read an article on apprenticeships, whereby young people can earn money while studying at the same time, and answer the questions on the Student's Book page. The first four questions deal with the article and question 5 asks students to explain their plans for the next three years.

Module 3 Éducation et avenir

Answers:
1 L'alternance is a type of apprenticeship, whereby one works for part of the time and studies for the rest (perhaps one week out of three).
2 <u>Les avantages:</u>
Vos études sont financées: l'entreprise paie votre formation, vous touchez un salaire, vous pouvez vous «payer» une grande école.
On est plus «employable»: les entreprises aiment le système de l'alternance.
<u>Les inconvénients:</u>
Il faut tout de suite assumer les contraintes de la vie active: les horaires ne sont pas flexibles, on a des vacances raccourcies, on assume tout de suite le stress du travail, on a moins de temps libre.
Il y a tendance à s'investir plus dans le travail que dans les études.

Worksheet 17 provides extended reading comprehension and grammar activities to reinforce the language on these pages and can be used at this point.

Plenary
Using information from the unit and their own ideas, students summarize in French the advantages and disadvantages of each of the four possible post-baccalauréat routes as outlined in exercise 1.

6 Pour quel métier êtes-vous fait(e)?
(Student's Book pages 96–97)

Objectives
- **t** Justify one's choice of career
- **g** Use a range of tenses
- **s** Make suggestions

Starter
Give students five minutes to read through the careers quiz on page 96 of the Student's Book to make sure they understand the questions and answers. Allow them to look up a maximum of three words in a dictionary. They then report back on what the quiz is about.

Listening 1, page 96
Students listen to Noah as he works through the careers quiz. They should note his answers to each question, work out his results using the inverted panel below the quiz, and choose a career for him.

 CD 2 Track 23

Annick	Alors Noah, très bientôt, tu vas entrer dans le monde du travail. Tu dois réfléchir un peu à ce que tu aimerais faire. On va faire ce petit test ensemble, d'accord? Pour chacune des questions ci-dessous, tu me donneras quatre réponses parmi les douze possibles, ensuite on verra quelle carrière te conviendrait …
Noah	Je veux bien. Je te donne quatre réponses, c'est ça? Quelle est la première question alors?
Annick	Quelles sont les matières ou activités scolaires que tu aimes le plus? Qu'est-ce que tu me réponds?
Noah	Voyons, j'aime beaucoup les matières scientifiques … Et j'aime l'informatique. Ensuite, les sciences économiques et sociales et j'aime beaucoup l'histoire.
Annick	D'accord. Numéro deux alors. Quelles sont les activités que tu aimes le plus pratiquer durant ton temps libre?
Noah	Parmi ces options, attends … J'aime beaucoup lire, surtout des mags scientifiques. Mais j'aime l'informatique. J'ai créé le site de ma mère. Je trouve ça fascinant. Quoi d'autre? J'aime bien visiter les musées. Voilà, ça fait quatre réponses déjà.
Annick	Numéro trois. Dans quelle activité penses-tu être le meilleur?
Noah	Monter un meuble en kit? J'ai horreur de ça. Je n'y arrive jamais. Alors d – utiliser un ordinateur … J'aime jouer au *Trivial Pursuit* aussi. Convaincre les gens … Quoi d'autre, elle est dure cette question … Suivre une émission scientifique, je dirais.
Annick	D'accord, c'est noté. Quelles sont les qualités qui te définissent le mieux?
Noah	Alors là, il va falloir que tu répondes à ma place, Annick, toi qui me connais si bien!
Annick	D'accord. Les qualités qui te définissent le mieux … Je dirais la curiosité, qu'est-ce que t'es curieux toi! L'ouverture d'esprit. Tu es une personne très ouverte. Et la rigueur … et la logique.
Noah	Merci mademoiselle. Et quelles sont les vacances qui me tentent? Ah, j'aimerais faire le tour du monde des musées et visiter des monuments historiques. Visiter la Nasa, eh oui, c'est mon rêve, ce serait for-mi-dable.

Module 3 Éducation et avenir

	Et j'aimerais aussi faire un séjour linguistique, ça serait bien.
Annick	Et la dernière question. Quelles sont les conditions de travail qui te correspondent le plus?
Noah	Ben, je passe des heures connecté … mais j'aimerais aussi travailler dans un atelier. Ou peut-être dans une bibliothèque, ou dans un lieu chargé d'histoire.

Answers:

1 c, d, f, l
2 c, d, k, l
3 d, l, i, h
4 l, j, d, c
5 e, l, c, j
6 d, e, k, l

Three highest letters: c 4, d 5, l 6

SCIENCES: professeur des écoles ou en collège-lycée, enseignant-chercheur, ingénieur, acousticien …

INFORMATIQUE: technicien en informatique industrielle, administrateur de base de données, analyste-programmeur …

CULTURE: antiquaire, galeriste, archéologue, médiateur culturel …

Speaking 2, page 97

In pairs, students do the quiz themselves, taking turns to ask and answer the questions and note down the responses, and find out which career is an ideal match for them. Remind them to use the expressions provided on the Student's Book page in their discussion.

Reading 3, page 97

Students read what six French teenagers consider important for their future career. They then match each person to one of statements 1–6.

Answers:

1 Marine
2 Enzo
3 Alexis
4 Ambre
5 Amir
6 Charlotte

Writing 4, page 97

Students write a letter of 200–220 words to a magazine, in answer to the questions «*Pour quel métier êtes-vous fait(e)? Qu'est-ce qui compte pour vous?*» They should refer to the advice panel and the list of bullet points in order to make their answers as full as possible.

 Worksheet 18 provides extended reading comprehension and grammar activities to reinforce the language on these pages and can be used at this point.

Plenary

Students take on the role of careers adviser and advise the six teenagers in exercise 3. Give them the first answer below as an example to follow for style. They should use a range of tenses in their answers, including the subjunctive.

Possible answers:

Ce qui importe le plus pour Enzo, c'est qu'il ait un bon salaire et un poste stable. Il pourrait considérer le métier de comptable ou trésorier par exemple.

Ce qui importe le plus pour Marine, c'est que son travail soit stimulant. Elle pourrait considérer le métier d'institutrice ou infographiste.

Ce qui importe le plus pour Ambre, c'est qu'elle soit en contact avec les gens. Elle pourrait considérer le métier d'attachée de presse ou assistante sociale.

Ce qui importe le plus pour Amir, c'est qu'il y ait un équilibre entre sa vie professionnelle et sa vie privée. Il pourrait considérer le métier d'antiquaire ou technicien en informatique.

Ce qui importe le plus pour Charlotte, c'est qu'elle ne soit pas stressée. Elle pourrait considérer le métier de bibliothécaire ou documentaliste.

Ce qui importe le plus pour Alexis, c'est qu'il puisse continuer à apprendre. Il pourrait considérer le métier d'archéologue ou chercheur.

7 La vie active
(Student's Book pages 98–99)

Objectives

- (t) Talk about new and different ways of working
- (g) Form the pluperfect tense
- (s) Prepare for a debate

Starter

Before students tackle exercise 1, ask them to skim-read the text and guess from the context what the following words mean: *le dada, se vanter, manier, une filiale, la disponibilité*. They then check their guesses in the dictionary to see how many they got right. They could also summarise in three or four sentences what the article is about.

Reading 1, page 98

Students decide whether statements 1–6 are true or false and correct the incorrect sentences.

Answers:

1 V
2 F – Stéphanie a déjà une bonne formation en droit et en économie.
3 V
4 V
5 F – Stéphanie doit gérer la marchandise.
6 V

Writing 2, page 98

Refer students to the grammar panel on the pluperfect tense on page 98 of the Student's Book before they tackle this exercise.

Answers:

1 À la fin de ses études, il **avait trouvé** du travail sans aucun problème.
2 Marc **avait appris** l'allemand avant d'entrer au monde du travail.
3 Son BTS commerce international lui **avait permis** d'acquérir une bonne formation.
4 Il **avait** toujours **voulu** travailler dans le secteur du commerce.

Writing 3, page 98

Using their knowledge of the pluperfect tense and the vocabulary used in exercise 1, students translate the sentences into French.

Answers:

1 Stéphanie avait toujours voulu utiliser les langues étrangères (dans son travail).
2 Son BTS (administratif) lui avait permis d'acquérir une bonne formation en droit et en économie.
3 Ce jour-là, Stéphanie avait reçu et saisi la commande.
4 Elle s'était assurée de la disponibilité de la marchandise.
5 Elle avait prévenu son client et avait défini le moyen de transport.

Reading 4, page 99

Students read a short piece about Mayetic, a company that employs 25 people who all work from home using the latest means of communication. They then read 10 statements on the same topic and decide whether these refer to the advantages or disadvantages of teleworking.

Answers:

Avantages: A (could go in either category), B, C, E, G, H, J
Inconvénients: A (could go in either category), D, F, I

Listening 5, page 99

Students listen to Franck Gentzbittel, who sells IT products via the Internet, and answer the comprehension questions in French.

CD 2 Track 24

Int   Franck Gentzbittel est titulaire d'un DESS en finances. À 26 ans, il vit toujours chez ses parents. C'est aussi dans la demeure familiale qu'il a créé son entreprise de vente de produits informatiques sur Internet via les sites spécialisés de type *Price Minister* et *eBay*.

Franck   Nous avons aménagé une pièce en bureau et une remise en espace de stockage. Travailler de chez moi est un bon moyen de tester le marché. Cela me permet de démarrer petit et de voir venir.

Int   L'autre avantage qu'il y voit, c'est la possibilité de choisir ses horaires. Pour lui, c'est plutôt 11 heures à 23 heures que 9 heures à 19 heures.

Franck   Mais, si je peux me permettre de vous donner un conseil, apprenez à vous arrêter quand il le faut! Une fois la porte du bureau fermée, vous n'êtes plus au travail, mais chez vous!

Answers:

1 Dans le domaine des finances.
2 Il a 26 ans.
3 *Price Minister* et *eBay*.
4 Le bureau de Franck se trouve chez ses parents / dans la maison familiale.
5 Travailler de chez lui permet de tester le marché. L'autre avantage c'est qu'il peut choisir ses horaires.
6 Il faut savoir s'arrêter de travailler.

Listening 6, page 99

A gap-fill exercise which requires students to listen to the passage on the benefits of teleworking and fill in the missing words (shown in bold in the transcript).

CD 2 Track 25

Avoir du temps pour soi! C'est le **(1) bénéfice** majeur que mettent en avant les **(2) salariés** qui bénéficient des 35 heures dans leur **(3) entreprise**. 76% des personnes interrogées ont répondu que la **(4) réduction du temps de travail** (RTT) leur avait permis de profiter plus de leur temps libre.

Module 3 Éducation et avenir

Plus de temps pour soi, mais pour quoi faire? Contrairement aux idées reçues, ce n'est pas du temps supplémentaire pour (**5**) **consommer**. Le temps libéré par les 35 heures est consacré à la vie de tous les jours. 54% des personnes interrogées déclarent avoir utilisé leur temps pour effectuer leurs (**6**) **tâches quotidiennes**. La pratique (**7**) **d'une activité sportive ou culturelle** (21%) de même que la vie associative (9%) arrivent nettement derrière.

Speaking 7, page 99

In pairs, students choose one of the proposed debates on how working practices have changed. They make notes and then present their point of view to their partner, who listens and gives his/her own point of view. They choose between:

Débat 1: the advantages and disadvantages of traditional working methods versus teleworking;

Débat 2: reducing the number of hours you work to 35 hours per working week versus working longer hours for more money.

Refer students to the advice panel and useful expressions with which to plan and conduct their debates.

Module 3 ▶ Le monde du travail ▶ Les 35 heures: qu'est-ce qui a changé?

Worksheet 19 provides extended reading comprehension and grammar activities to reinforce the language on these pages and can be used at this point.

Plenary

Get students to devise their own grammar quiz on the pluperfect tense with which to test each other. They then vote on who has come up with the most challenging activities.

8 Le monde du travail
(Student's Book pages 100–101)

Objectives
- (t) Discuss problems in the world of work
- (g) Use perfect infinitives
- (s) Organise ideas

Starter

Ask students to brainstorm in pairs vocabulary that could relate to the topic of *Les problèmes du monde du travail*. They then pool their ideas to produce a class vocabulary for the topic.

Listening 1, page 100

Students listen to Rui talking about his midwifery training and put the statements in the order in which they hear them. Refer students to the grammar panel on the perfect infinitive on page 100 before they read statements 1–6 and work out their meaning.

CD 2 Track 26

Quand j'ai échoué pour la seconde fois au concours de médecine, j'avais le choix entre me contenter d'un niveau bac + 2 et une école de sage-femme. J'ai choisi la formation de sage-femme, faute de mieux si vous voulez. Mais cette appréhension a vite disparu quand je suis arrivé à l'école. Mon premier stage en salle de naissances a levé tous mes doutes. On a la chance d'assister à ce moment magnifique où une maman regarde son enfant pour la première fois. C'est une chance inouïe, un privilège. Être un garçon constitue un avantage en fait. Les patientes sont surprises et nous posent une ribambelle de questions. Ça aide à créer un lien de confiance. Notre second atout, c'est qu'on n'accouche pas. Du coup, la patiente n'a pas peur d'être jugée. Elle sait qu'on la comprendra si elle a trop mal et qu'elle demande une péridurale, par exemple. C'est un métier pour les mecs en fait! Si c'était à refaire, je referais le même parcours.

Answers:

3, 6, 4, 2, 1, 5

Writing 2, page 100

Refer students to the grammar panel on the perfect infinitive on page 100 before they tackle this exercise, in which they change the infinitives in brackets into perfect infinitive constructions.

Answers:

Après (**1**) **avoir fait** un master en géographie, Francine est partie travailler à l'étranger. Elle est très contente (**2**) **d'avoir eu** cette expérience puisqu'elle a appris l'espagnol en même temps. Après (**3**) **être rentrée** en France, elle s'est mise à la recherche d'un emploi. Après (**4**) **s'être présentée** à plusieurs entretiens, sans succès, elle a décidé de monter sa propre petite entreprise. Elle est fière (**5**) **d'avoir pris** cette décision car sa société compte aujourd'hui cinq employés!

Speaking 3, page 100

In pairs, students look at the advert and prepare answers to the questions on it. They then discuss their answers with their partner.

Module 3 Éducation et avenir

Reading 4, page 100

Students use the Internet to research the definitions of 15 acronyms related to the world of work.

Answers:

PME = Petite(s) et Moyenne(s) Entreprise(s) – small and medium enterprise(s)/company/ies (SME)
BTP = Bâtiments et Travaux Publics – construction and public works
INSEE = Institut National de la Statistique et des Études Économiques – body responsible for publishing official statistics (equivalent of Office for National Statistics)
ANPE = Agence Nationale Pour l'Emploi – Job Centres
SMIC = Salaire Minimum Interprofessionnel de Croissance – minimum wage for an employed person
RMI = Revenu Minimum d'Insertion – 'minimum integration income': benefit for parents on low incomes
CMU = Couverture Maladie Universelle – government health insurance scheme for those on low incomes
CDI = Contrat à Durée Indéterminée – permanent contract
CDD = Contrat à Durée Déterminée – fixed-term contract
CPE = Contrat Première Embauche – first employment contract (withdrawn)
RTT = Réduction du Temps de Travail – reduction to 35-hour working week
CGT = Confédération Générale du Travail – union
CFDT = Conféderation Française Démocratique du Travail – union
FO = Force Ouvrière – union
CRS = Compagnie Républicaine de Sécurité – special anti-riot force

Listening 5, page 101

Students listen to and read a report about the failure of the CPE *(Contrat Première Embauche)*, a scheme devised by the government to provide stabler working conditions for under-25s. They then correct the eight errors in the written report. (The corrections are shown in bold in the transcript.)

CD 2 Track 27

En **2006**, le gouvernement a perdu son pari. Celui de parvenir à convaincre les jeunes du bien-fondé de sa réforme phare pour l'emploi des **moins** de 25 ans, le contrat première embauche.

Le gouvernement assure que le CPE **n'est pas** «un cadeau fait aux entreprises» mais qu'il doit servir à résorber un chômage des moins de 25 ans qui atteignait **23%** en 2005.

Les **études** estiment par ailleurs que, avant d'entrer dans une vie active «stable», les jeunes passent par une période d'au moins 8 à 11 ans

de **précarité**. Seuls 58% des 15–29 ans sont actuellement en **CDI** alors que 21% doivent se contenter d'emplois temporaires.

Aucun argument n'a convaincu les syndicats de salariés et d'étudiants et le gouvernement a retiré le CPE en **avril** 2006.

Reading 6, page 101

Students read an article about unemployment in France. An initial gist-reading exercise requires them to match the headings to the three paragraphs; it is followed by comprehension questions in English.

Answers:

Para 1: c Jeunes et seniors au chômage
Para 2: b Des milliers d'emplois non pourvus
Para 3: a Mobilité réduite

1. One of the countries in the OECD (Organisation for Economic Co-operation and Development) with the highest rate of unemployment amongst people under the age of 25 **and** amongst people over the age of 55.
2. Between 300 000 and 500 000.
3. France has turned to a foreign workforce.
4. Building, hotels and restaurants, ICT, banks.
5. The reluctance of people to move about.

Writing 7, page 101

Students write an article of 200–220 words discussing how confident they feel about their professional future, following the bullet point guidance on the Student's Book page.

 Worksheet 19 provides extended reading comprehension and grammar activities to reinforce the language on these pages and can be used at this point.

Plenary

Ask students to research on the Internet the topic *Le Chômage en France*. They could focus on areas such as: how many unemployed people there are; regions of France where unemployment is particularly bad; a comparison between unemployment in France and other EU countries; what is being done to improve the situation. They then report what they have learned to the rest of the class in French.

Épreuve orale Module 3
(Student's Book pages 106–107)

Writing 1, page 107

This is an example of an exam-style question in which students give a spoken response to a piece of stimulus material. In this exercise students read a text about problems in the French school system, on page 106, and make notes to prepare their answers to the questions provided. They should read the detailed guidance and useful expressions on page 106 to help them structure their answers. Either before or after they complete exercise 2, you could give them the model answer below and let them compare it with their own responses.

Model answer:

1 <u>Quels sont les thèmes majeurs mentionnés dans ce texte?</u>
Ce texte soulève les problèmes auxquels le système éducatif en France doit faire face à l'heure actuelle.
Il traite d'un malaise général chez les collégiens et les lycéens, qui ne se plaisent pas en classe.
En ce qui concerne les compétences essentielles, il existe un pourcentage élevé d'écoliers qui ne savent pas lire lorsqu'ils rentrent en sixième.
On mentionne également que les élèves qui ne sont pas d'origine française ont des difficultés à s'intégrer dans le système scolaire.
Finalement, sur le plan du chômage, il met en relief le nombre de jeunes qui quittent l'école sans avoir les qualifications nécessaires pour trouver un emploi.

2 <u>Combien de jeunes quittent l'école chaque année sans diplôme et se retrouvent au chômage?</u>
Tous les ans, 160 000 jeunes quittent le lycée sans avoir les qualifications nécessaires pour rentrer sur le marché de l'emploi.

3 <u>À votre avis, que faut-il faire pour améliorer l'intégration des élèves d'origine étrangère?</u>
Tout d'abord, il faut créer un environnement où les gens se respectent mutuellement.
Il faut un effort de la part de l'établissement et de la part des élèves d'une école, pour que chacun s'y sente à sa place. On doit encourager tout le monde à avoir l'esprit ouvert envers les autres cultures et les encourager à partager les idées, afin qu'ils puissent mieux se comprendre.
Avant tout, je pense qu'il faut s'assurer que tous les élèves aient la possibilité d'avoir des cours de langue française s'ils en ont besoin, car ne pas parler la langue de ses copains de classe peut constituer une barrière importante à l'intégration.

4 <u>Pourquoi l'éducation est-elle importante dans la société?</u>
L'éducation prépare l'enfant pour la vie. C'est d'une importance capitale pour l'enfant et pour son épanouissement personnel et plus tard professionnel.
L'éducation permet d'obtenir des qualifications. On peut choisir ses qualifications donc choisir son avenir, choisir la vie qu'on désire.
L'éducation ouvre toutes les portes et chasse l'ignorance. Elle forme la base d'une société civilisée et assure les progrès dans tous les domaines.
L'éducation signifie un meilleur avenir pour tous, car les enfants sont les citoyens de demain.

Speaking 2, page 107

In pairs, students take turns to ask and answer the questions on the text from exercise 1. To encourage students to vary their language as much as possible in their answers, tell them to score a point every time they use one of the expressions on page 107 but lose a point if they later repeat the expression.

Listening 3, page 107

Students read a stimulus text about whether sexual discrimination still exists in the workplace. They listen to an extract of a model oral exam and should note down the questions that the examiner asks the candidate (see transcript).

CD 2 Track 28

Ex   Quel est le thème principal de ce texte?
Can Ce texte parle de l'égalité entre les hommes et les femmes à l'école et sur le marché du travail. Bien que l'école encourage les élèves à suivre la filière qu'ils veulent, les employeurs ne pensent pas forcément que c'est une bonne chose. En effet, ces statistiques montrent qu'il existe toujours des options choisies plutôt par les garçons, et d'autres choisies plutôt par les filles, par exemple les filles préfèrent les langues et la littérature.
Ex   Que pensez-vous des statistiques données dans cet article?
Can Selon ces chiffres, l'égalité dans le travail est un idéal, mais concrètement il semble qu'il existe toujours une division entre les métiers d'hommes et les métiers de femmes! Par contre, je n'imaginais pas une seconde que presque la totalité des étudiants en électronique, 95%, étaient des garçons. Je pensais qu'il y avait plus de filles quand même. En revanche, je ne suis pas surpris de voir que la majorité des étudiants en langue sont des filles!
Ex   Pensez-vous qu'un homme soit capable d'être sage-femme?

Module 3 Éducation et avenir

> Can   Personnellement, je crois que tout le monde est capable de faire ce qu'il veut vraiment faire. Ce qui compte avant tout, c'est d'utiliser ses compétences, ses qualités, et faire le métier qui nous plaît. Je suis pour l'égalité des sexes en ce qui concerne le travail, le choix des professions, mais aussi des salaires.
>
> Ex   L'homme et la femme sont-ils vraiment égaux dans notre société d'aujourd'hui?
>
> Can   Il est important de souligner que la société a fait énormément de progrès en ce qui concerne ce sujet. Par exemple, mes parents n'ont pas choisi leur carrière alors que moi je suis libre de considérer les options qui me sont offertes …

Speaking 4, page 107

In pairs, students take turns to ask and answer the examiner's questions and 'mark' their partner's responses, i.e. give suggestions on how their partner can improve the quality of his/her language.

Writing 5, page 107

Students prepare oral answers to the questions on the topic of education and the world of work.

Épreuve écrite Module 3
(Student's Book pages 108–109)

Reading 1, page 108

This is an example of an exam-style question in which students give a written response to a piece of stimulus material. In this exercise, students read a text about the 35-hour working week in France and identify the key words and ideas contained within it. They then think of ways of paraphrasing what they have read to include in their written response; this is an important exercise, as students will gain no marks for lifting phrases directly from the stimulus material. Finally, they should translate the bullet points to include in their answers into English.

Possible answers:

Key words and ideas:

Plus de vie, moins de travail?

La réduction du temps de travail a connu une accélération en France avec **la loi des 35 heures**. À titre personnel, les Français se disent en majorité **satisfaits de travailler moins** (ce qui n'est guère étonnant, **à salaire égal**); cependant beaucoup s'interrogent sur **les conséquences collectives**, tant sur le plan **économique** que **social**. Or, afin de relancer le pouvoir d'achat, le gouvernement vient d'annoncer que la loi des 35 heures **sera modifiée** et que les salariés pourront **transformer leurs jours de RTT en supplément de salaires**. Va-t-il falloir de nouveau travailler plus pour dépenser plus?

Synonyms or related vocabulary:
plus de vie – plus de temps libre
heures – horaires
satisfaits – contents
travailler moins – ne pas travailler autant
salaire – paie, payer, rémunération
les conséquences – l'impact
modifier – changer, faire des modifications, transformer
jour – journée

English translation of bullet points:
- what you think of the attitudes towards work in your country
- the advantages and disadvantages of reducing the statutory working time
- how working practices and organisation will evolve in years to come
- your personal preferences with regard to work in the future

Reading 2, page 108

Students look at the three plans that could be used as a basis for their article and decide which is the best and why.

Answer:

B is best, because the notes
- provide a fully planned response to the bullet points. In particular, point 2 is well set out under *Avantages* and *Inconvénients*.
- contain a good range of useful expressions.
- make good use of the topic vocabulary, e.g. *salariés, le télétravail, vie professionnelle*.

Writing 3, page 109

Students write their own plan on which to base their article.

Writing 4, page 109

Following the advice panel on page 109 of the Student's Book, students work on improving the quality of the language used in their article. In this exercise, they rephrase the bullet points from exercise 1. They are recommended to include questions of their own.

Suggested answers:

a **Dans un premier temps**, intéressons-nous à l'attitude des Anglais envers le travail. / **Premièrement**, considérons la perception du travail en Grande-Bretagne.

b **Dans un deuxième temps,** il faut considérer les bénéfices de la réduction du temps de travail pour société puis les problèmes qu'elle pose. /

Il faut peser le pour et le contre de la RTT pour les employés français.

c **Ensuite**, imaginons l'évolution possible des modes de travail et son impact. / Demandons-nous comment les modes de travail peuvent évoluer … / Le monde de l'emploi à l'avenir, comment sera-t-il? Voici la question à laquelle nous devons trouver une réponse à présent. / Interrogeons-nous sur le monde du travail dans le futur …

d **Enfin,** je me pose des questions sur ma future profession, sur mes futures conditions de travail.

Writing 5, page 109

Students write their article, following their plan and the ideas and vocabulary they have noted.

Writing 6, page 109

This is another exam-style question in which students give a written response to a piece of stimulus material. Following the steps outlined in exercises 1–5, students read the text about *lycéens* who hold down a job at the same time as studying for their *baccalauréat* and write an article on it, including responses to the list of bullet points provided.

Module 4 Autour de nous

Objectives

Parler de la francophonie	*Talk about French-speaking countries*
Examiner les motivations des vacanciers	*Discuss reasons for going on holiday*
Raconter un voyage	*Describe a journey*
Débattre du meilleur moyen de transport	*Debate the best means of transport*
Examiner les solutions pour réduire les émissions de CO_2	*Look at ways of reducing CO_2 emissions*
Comprendre les causes du réchauffement climatique	*Understand the causes of global warming*
Parler des catastrophes naturelles	*Talk about natural disasters*
Parler du développement durable et des initiatives individuelles et collectives	*Talk about sustainable development and individual and collective initiatives*
Considérer les solutions possibles pour sauver la planète	*Consider possible ways of saving the planet*

Le discours indirect	*Form reported speech*
Construire des phrases complexes	*Use constructions to create complex sentences*
Reconnaître le passé simple	*Recognise the past historic tense*
Les pronoms indéfinis	*Use indefinite pronouns*
Les verbes suivis par **à** ou **de** + infinitif	*Use verbs followed by à or de + infinitive*
Le futur antérieur	*Form the future perfect tense*
Combiner les temps du présent, du passé et du futur	*Combine present, past and future tenses*
Le conditionnel passé	*Form the conditional perfect*
Les verbes impersonnels	*Use impersonal verbs*
Faire + infinitif	***Faire** + infinitive*

Faire des recherches	*Do research*
Expliquer et donner des exemples	*Explain and give examples*
Écrire un blog	*Write a blog*
Comparer et contraster	*Know how to compare and contrast*
Adopter et défendre un point de vue	*Adopt and defend a point of view*
Maîtriser les nombres et les statistiques	*Master numbers and statistics*
Écrire une brochure	*Write a brochure*
Convaincre à l'oral	*Speak convincingly*
Élargir votre vocabulaire	*Broaden your vocabulary*
Relire son travail	*Check your work*

Module 4 Autour de nous

1 Francophones et francophiles
(Student's Book pages 112–113)

Objectives
- (t) Talk about French-speaking countries
- (g) Form reported speech
- (s) Do research

Starter

In pairs, students name as many French-speaking countries as they can in five minutes and then pool their ideas. How many did they manage to list?

Listening 1, page 112

Students listen to a report on French-speaking countries and note the missing numbers (shown in bold in the transcript) in the gapped text.

To help focus their listening, students could read the text first and try to guess what sort of number belongs in each gap, e.g. (2) will be a fraction; (3) will be a year; (4) will be a large number; (5) will be a percentage, so a number up to 100.

CD 3 Track 2

200 millions de francophones, dont **(1) 72** millions de francophones partiels dans le monde

Le français est avec l'anglais l'une des deux seules langues parlées sur tous les continents. Il est en outre la **(2) neuvième** langue la plus utilisée dans le monde.

Entre 1994 et **(3) 2002** le nombre d'apprenants du français et en français dans le monde augmente de **(4) 15 409 252**, soit 20% de plus qu'en 1994. Passant de 75 340 561 apprenants en 1994 à 90 749 813 en 2002, on peut parler d'une augmentation globale significative. L'analyse par région permet d'enregistrer que l'augmentation la plus importante du nombre d'apprenants concerne l'Afrique et le Moyen-Orient.

Les pays où l'on trouve le plus de francophones et francophones partiels pour l'Afrique du Nord, sont le Maroc en nombre et la Tunisie en pourcentage de la population totale; pour l'Afrique subsaharienne, la République démocratique du Congo en nombre et le Gabon en pourcentage; pour l'Europe centrale et orientale, la Roumanie en nombre et en pourcentage; au Moyen-Orient le Liban devance largement l'Égypte en pourcentage; dans l'Océan indien, Madagascar passe devant les Comores en nombre, mais pas en pourcentage; en Extrême-Orient, avec des valeurs très faibles, si le Viêt Nam est premier en nombre, le Cambodge l'est en pourcentage; en Europe de l'Ouest, les pourcentages atteignent, bien sûr, quasiment **(5) 100%** en France et en Communauté française de Belgique et s'en rapprochent au Luxembourg. Le Québec, quant à lui, recense plus de **(6) 6 millions** de francophones, soit **(7) 83,1%** de sa population. Pour l'ensemble du Canada, le nombre de locuteurs est en progression et se situe à plus de **(8) 9,2** millions.

Reading 2, page 112

Students re-read the article and translate the words in clouds into English, using the context to help them.

Answers:

dont – of whom
partiel – part/partly
l'un(e) des – one of the
tous les – all the
entre – between
soit – in other words / i.e.
total – total
largement – hugely/by a wide margin
quasiment – nearly
l'ensemble de – the whole of

Reading 3, page 112

A vocabulary-building exercise in which students copy out the words in bold in the text in exercise 1, note whether they are nouns or verbs and then write down another word from the same family (so for a verb in the article they need to find a noun from the same family).

Answers:

Verbe	Nom
apprendre	l'apprenant
augmenter	l'augmentation
analyser	l'analyse
enregistrer	l'enregistrement
devancer	le devancement
valoir	la valeur
atteindre	l'atteinte
recenser	le recensement
progresser	la progression

Module 4 Autour de nous

Reading 4, page 112

Students copy and fill in the table on French-speaking countries, using the information in the exercise 1 article.

Answers:

	Pays où l'on trouve le plus de francophones en nombre	**… en pourcentage par rapport à la population totale**
en Afrique du Nord	le Maroc	la Tunisie
en Afrique subsaharienne	la République démocratique du Congo	le Gabon
en Europe centrale et orientale	la Roumanie	la Roumanie
au Moyen-Orient	L'Égypte (?)	Le Liban
dans l'Océan indien	Madagascar	les Comores
en Extrême-Orient	le Viêt Nam	le Cambodge

Speaking 5, page 113

Students speak for one minute about French-speaking countries of the world, making sure they cover the bullet points listed on the Student's Book page.

Listening 6, page 113

Students listen to three people talking about their holidays in a French-speaking country and identify who made each of the statements listed on the page.

CD 3 Track 3

Léa Je suis partie toute seule au Sénégal et c'était formidable. J'ai passé pas mal de temps sur la plage de Casamance à me reposer, mais j'ai aussi fait des excursions. Un jour, je suis allée au village de Gorée où j'ai été surprise de trouver des maisons qui ressemblaient à des maisons provençales. J'ai fait de la plongée sous-marine dans la presqu'île de Dakar. J'ai vu des poissons et des plantes extraordinaires. J'ai beaucoup aimé les marchés avec les fruits et les légumes exotiques comme les gombos par exemple, et toutes ces couleurs … Et je peux dire que l'accueil était vraiment très chaleureux. Je ne m'attendais pas à ça. C'était une belle expérience.

Rachida J'ai passé mes vacances sur l'île de la Réunion. Après onze heures de vol, je suis arrivé à Saint-Denis-de-la-Réunion. J'ai fait un circuit dans les cirques de l'intérieur. J'ai fait des randonnées impressionnantes et j'ai vu des cascades superbes qui ont toutes des noms amusants tels que «la cascade du voile de la Mariée» ou «celle de Pisse-en-l'air»! On trouve aussi de minuscules hameaux parsemés dans les montagnes. À Vidot, un de ces hameaux, j'ai mangé des saucisses de porc fumées au feu de bois. Quel délice! Un jour, j'ai fait une rando sur les sentiers de lave du Piton des Neiges, qui est le plus haut sommet de l'Océan indien. La vue était stupéfiante. À vos pieds l'île forme un dôme et la mer turquoise s'étale devant vous. Le cœur de l'île est tellement beau que j'aimerais y retourner pour y vivre.

Émilie Moi, j'ai eu la chance d'aller à Nefta avec ma famille. Nefta est une oasis avec mille sources, qui ne se trouve pas loin de Tozeur. On y a tourné des scènes du *Patient anglais* et, non loin de là, des scènes de la *Guerre des Étoiles*. Ses mosquées et ses minarets sont superbes. Pendant la nuit, les étoiles paraissaient si proches que j'avais envie de les cueillir. J'ai flâné sous les palmiers et j'ai vu de merveilleux couchers du soleil. Dans le calme, on entendait la voix du Muezzin appeler à la prière. J'adore Nefta, c'est un petit coin de paradis où j'ai passé des vacances inoubliables. Mes vacances là-bas sont les meilleures de toute ma vie. Je vais y retourner un jour.

Answers:

1 Léa   4 Rachida   7 Rachida
2 Rachida   5 Léa   8 Léa
3 Émilie   6 Émilie   9 Émilie

Reading 7, page 113

Refer students to the grammar panel on reported speech on page 113 before they tackle this exercise. Students read what Ovide says about his trip to Canada. Check that they have understood the text by asking them to summarise it in English. They then read the passage reporting on what Ovide has described and choose the verbs in the correct tense from the three options.

Answers:

Ovide nous raconte que, l'été dernier, **il est parti** au Canada afin de découvrir le Québec. Il nous a confié qu'**il voulait** trouver un job d'été et par la même occasion financer tout son voyage. Il nous a expliqué qu'**il avait dû** obtenir un permis de travail auprès de l'Ambassade du Canada et que ce processus **avait été** plutôt compliqué, mais qu'**il avait réussi** à avoir une autorisation de travail temporaire, ce qui lui **avait permis** de travailler dans un bar. Il nous avoue que son séjour s'est très bien passé!

Speaking 8, page 113

Students research a French-speaking country or region in order to plan and give a presentation lasting two minutes. They should structure their presentation by following the bulleted questions provided.

Module 4 ▶ La culture francophone ▶ Le foot au Togo

Module 4 ▶ La culture francophone ▶ Le couscous: bientôt le plat le plus populaire des Français?

Module 4 ▶ La culture francophone ▶ La culture française est morte!

Worksheet 20 provides extended reading comprehension and grammar activities to reinforce the language on these pages and can be used at this point.

Plenary

In pairs, students take turns to describe their favourite holiday. Using reported speech, they then report back either in writing or orally on what they have learned about their partner's trip.

2 Du tourisme de toutes les couleurs
(Student's Book pages 114–115)

Objectives

- Discuss reasons for going on holiday
- Use constructions to create complex sentences
- Explain and give examples

Starter

This exercise could be done either before or after exercise 1. Bring into class a variety of adverts for holiday destinations taken from magazines. Students in pairs come up with answers to the questions provided in exercise 1.

Speaking 1, page 114

A vocabulary-building exercise on the theme of holidays: students have three minutes in which to find as many answers as possible to the questions provided on the page. They then pool their ideas with the rest of the class to produce an extensive topic vocabulary.

Listening 2, page 114

This dictation exercise requires students to listen to the recording about reasons why French people go on holiday and transcribe it word for word. Students may need to listen to the passage several times in order to make grammatical sense of what they are writing, which is an excellent exercise in improving accuracy as well as pronunciation.

CD 3 Track 4

Les motivations des Français qui partent en vacances sont multiples: se reposer, se déstresser, se détendre, s'évader, se retrouver en famille, découvrir le paysage et les gens …

Les vacances constituent de plus en plus un moment privilégié qu'il faut «remplir» avec des activités de toutes sortes: sportives, culturelles, ludiques, relationnelles …

Listening 3, page 114

Students listen to four teenagers talking about their holidays and match them to the five types of holiday represented by different colours: green, blue, white, grey and yellow.

CD 3 Track 5

1 Zachary, 18 ans
À Noël, je suis allé visiter la «grosse pomme», New York. Et à New York, c'est dingue. C'est du 24 heures sur 24, non stop, j'adore ça. L'ambiance est super sympa. Je me perds dans le Met, le musée d'art. Je suis accro à Central Park … C'est le paradis urbain!

2 Noémie, 20 ans
Au Maroc, je suis partie dans le désert

Module 4 Autour de nous

avec mon copain et c'était grandiose. Deux dromadaires, un chamelier et des milliers d'étoiles la nuit. Bivouaquer à la belle étoile, c'est tout simplement fabuleux. On ne dormait pas beaucoup la nuit car regarder les astres, c'était fascinant.

3 Haroun, 18 ans
Je suis parti au Québec faire du canot et du kayak. Là-bas j'ai découvert le vrai silence, c'était impressionnant. Ça m'a fait un de ces effets! On voit des centaines et des centaines de kilomètres de rivières et de lacs devant soi, c'est incroyable, et il n'y a quasiment personne … C'est extraordinaire.

4 Nadia, 19 ans
Moi, j'ai fait une balade anti-stress en Provence. J'ai fait du yoga tous les jours et je me suis défoulée complètement. À Correns, c'est le nom du village, tout est biologique, les fruits, les légumes, la viande, le vin … c'est tellement bon! C'était super, c'était 100% zen!

Answers:

1 D, 2 E, 3 B, 4 A

Speaking 4, page 114

Direct students to the pronunciation panel on the distinction between the nasal sounds *on* and *en/an* before they listen to Marjane's description and repeat it.

CD 3 Track 6

M**on** truc, c'est le ski. Normalem**en**t je pars d**an**s les Alpes. Je vais à Courchevel ou à Chamonix, au pied du M**on**t Bl**an**c. Là **on** peut vraim**en**t apprécier la majesté de la nature. J'aime surtout partir **en** avril, quand **on** peut s**en**tir le soleil sur s**on** visage et le v**en**t d**an**s les cheveux.

Reading 5, page 115

Students read two paragraphs on the changing face of French tourism and answer the English questions provided.

Answers:

1 Intelligent tourism, through which they can rediscover the culture and history of their regions.
2 By promoting their churches, villages and museums.
3 Le Havre was named a World Heritage Site by Unesco. The mayor hopes that this will put the town on the tourist routes.
4 Spend an afternoon on a guided tour of a Renaissance château, hearing about the history of the furniture.
5 Theme parks.
6 More people visit Eurodisney than the Eiffel Tower. The argument put forward is that theme parks attract more visitors than simple tourist sites.
7 A play park on the theme of health and life.

Writing 6, page 115

Refer students to the grammar panel on conjunctions on page 115 before they tackle this exercise. They read each pair of sentences / phrases and choose the most appropriate word or expression to link them from the three options provided. Warn them that in some cases they may need to insert the words at the start of the first sentence / phrase rather than between the two words. Students should also look out for the conjunctions that govern the subjunctive, where they may need to change the verbs accordingly.

Answers:

1 Cette année, vous aurez plus de chance de trouver un petit bout de sable pour votre serviette sur la côte méditerranéenne **car** les Français partent à la recherche de leur héritage.
2 Partout dans l'Hexagone, les petits villages s'efforcent de mettre en valeur leurs monuments **parce qu'**ils veulent attirer des visiteurs.
3 Ils font du marketing **afin que** les touristes viennent.
4 **En raison de** l'inscription du Havre au Patrimoine Mondial de l'Unesco, le maire est optimiste pour l'avenir du tourisme dans sa ville.
5 Les enfants sont d'une importance primordiale dans ces enjeux **puisque** ce sont eux qui décident et qu'est-ce qu'ils sont exigeants!
6 **À cause de** ces goûts sophistiqués, les villes et les villages ont dû reformuler leur approche.
7 La barre est haute **car** les parcs d'attractions sont des concurrents sérieux, Eurodisney est le monument le plus visité en France.
8 **Bien que** nos villages **soient** pittoresques, on peut se demander s'ils vont pourvoir relever le défi lancé par ces parcs d'attractions.

Writing 7, page 115

Students write a passage of 200–220 words about tourism and their own holiday preferences, answering the bulleted questions and following the advice given in the panel.

 Module de Transition ▶ Voyages vacances ▶ L'île de Madagascar

Module 4 ▶ Environnement et écologie ▶ La sécurité en montagne

 Worksheet 20 provides extended reading comprehension and grammar activities to reinforce

Module 4 Autour de nous

the language on these pages and can be used at this point.

Plenary

In pairs, students swap the texts they wrote in exercise 7 and suggest ways in which their partner could improve the quality of language in his/her writing, by using different tenses, more conjunctions or more varied vocabulary. They then take back their texts and make the improvements.

3 Carnet de voyage
(Student's Book pages 116–117)

Objectives

- (t) Describe a journey
- (g) Recognise the past historic tense
- (s) Write a blog

Starter

Before students attempt exercise 1, ask them to find the following details to help them grasp the gist of this potentially difficult passage: the name of the castle the travellers saw (château de Lerma); the name of the duke who lived there (Duc de Lerma); why he lived there (in exile); how much his possessions were considered to be worth after his death (140,000 écus); the name of the mountain range they had to cross (la Somma Sierra); the city they saw after crossing the mountains (Madrid).

Listening 1, page 116

Students listen to and read the extract from Alexandre Dumas's diary and complete the English sentences to summarise the content of the passage.

CD 3 Track 7

Madrid, ce 9 octobre 1846

En quittant Burgos, la première chose remarquable que nous trouvâmes sur notre route fut le château de Lerma, où mourut en exil le fameux duc du même nom, célèbre par la faveur dont il jouit près du roi Philippe III, et par la profonde disgrâce qui la suivit.

Les biens, et par conséquent le château que l'on voit de la route et qui faisait partie de ses biens, furent saisis après sa mort pour une somme de quatorze cent mille écus. Personne, dès lors, ne s'occupa plus de cette propriété, qui peu à peu tomba en ruine.

Monsieur Faure, l'un de nos voyageurs, nous donna tous ces détails.

Au fur et à mesure que nous avancions, nous voyions, trompés par un effet d'optique, venir à nous les sommets bleuâtres de la Somma Sierra. Pour traverser ce passage, l'effectif de notre attelage fut porté à douze mules.

Le matin, en nous éveillant, nous vîmes à l'horizon d'un vaste désert quelques points blancs se détachant dans une brume violette: c'était Madrid.

Answers:

1 Having left Burgos, the first remarkable thing they found was Lerma castle.
2 In exile, the Duke of Lerma died.
3 After his death, all of his goods and the castle therefore were seized.
4 The castle fell into ruin.
5 In order to cross the mountains, the team of mules was made up to 12.

Reading 2, page 116

Refer students to the grammar panel on the past historic tense on page 116 before they tackle this exercise. They look back through the diary extract, find examples of the verbs listed in the box used in the past historic and translate them into English.

Answers:

trouver – nous trouvâmes – we found
être – fut – (it) was; furent – (they) were
mourir – mourut – (he) died
jouir – il jouit – he enjoyed
suivre – suivit – (it) followed
s'occuper – s'occupa – (nobody) looked after
tomber – tomba – (it) fell
donner – donna – (he) gave
voir – nous vîmes – we saw

Reading 3, page 117

Students read a travel blog about a handicapped person's holiday on an old motor-tricycle. As a gist-reading exercise they skim-read the blog to find synonyms for the words and phrases listed.

Answers:

1 évidemment
2 se déplacer avec aisance
3 grâce à
4 essais
5 les environs
6 le torrent

7 périple
8 plaisirs

Reading 4, page 117

Refer students to the grammar panel on page 117 on when to use the past historic before they tackle this exercise. Students re-read the blog and find examples of verbs in different tenses.

Answers:

1   Perfect:
j'ai pu
(ce périple) a permis

2   Imperfect:
s'imposaient
j'étais
C'était
je roulais
je rédigeais
je croyais

Past historic:
(l'idée) germa
nous arrivâmes
(une amie) hébergea
(la pluie) essaya
nous visitâmes
nous rejoignâmes
(Yves) monta

As a follow-up exercise, ask students to rewrite the seven past historic phrases using the perfect tense.

Answers:

L'idée d'une randonnée a germé
nous sommes arrivés
une amie qui nous a hébergés
la pluie a essayé
nous avons visité
nous avons rejoint
Yves a monté

Reading 5, page 117

A detailed comprehension exercise. Students re-read the blog in exercise 3 and rewrite sentences 1–7 to give the correct information.

Answers:

1   Thierry a trouvé sa tricyclette dans un vide-grenier.
2   Il y avait quelques réparations à faire.
3   Thierry voulait absolument faire une randonnée.
4   Thierry est parti en automne.
5   Le premier soir, ils ont logé chez une amie.
6   Le lendemain, ils ont fait du camping au bord d'une rivière.
7   À présent, Thierry aimerait partir en Afrique.

Writing 6, page 117

Students read the blog on page 117 about a trip to Vietnam and then continue it in 200 words, using either the perfect tense or, if they are feeling confident, the past historic. To add to the challenge, students are given a list of words which they must include; failure to do so will lose them marks. Before writing their blog, they should read the advice panel on how to improve the quality of their language.

Worksheet 21 provides extended reading comprehension and grammar activities to reinforce the language on these pages and can be used at this point.

Plenary

Students could either research the writer Alexandre Dumas in more detail or do a similar plenary exercise to the one they did in Unit 2, namely: in pairs, they swap the blogs they wrote in exercise 6 and suggest ways in which their partner could improve the quality of language in his/her writing. They then take back their texts and make the improvements.

4 Bonne route!
(Student's Book pages 118–119)

Objectives

- Debate the best means of transport
- Use indefinite pronouns
- Know how to compare and contrast

Starter

Give students three minutes to brainstorm as much vocabulary as possible on the theme of transport, using the following headings for support if necessary: *moyens de transport; avantages; inconvénients; l'avenir.*

Reading 1, page 118

A gist-reading exercise: students read the article on summer travel in France and find the French equivalents of the words and phrases listed.

Answers:

1   (de) l'été/estival
2   essor
3   autonomie et économie
4   bouchon/embouteillage
5   se faire piéger
6   de bons conseils
7   heure de pointe
8   réseau
9   perturbé
10 sur l'ensemble de

Reading 2, page 118

A detailed comprehension exercise. Students re-read the article in exercise 1 and answer questions on it in English.

Answers:

1 Two-thirds of French society.
2 More people can afford private cars.
3 Because they allow them to be independent and are also affordable.
4 He gives advice on routes to take and those to avoid, and also when to set off.
5 a Rush-hour traffic level with a few jams.
  b Dense traffic with potentially difficult conditions and up to 250 km of jams over the whole network.
  c Disruptions with traffic jams totalling more than 250 km and up to 500 km.
  d Exceptionally heavy traffic with over 500 km of jams; more at peak times when some people are leaving and others returning home.

Listening 3, page 118

Students listen to an interview between two people discussing the relative merits and drawbacks of different means of transport. They note down in French the types of transport and the advantages and disadvantages mentioned.

CD 3 Track 8

Int	Avant, pour choisir son mode de transport, on regardait le prix du voyage et aussi la durée du voyage. Aujourd'hui, on est obligé de se poser la question «quel est l'impact écologique de mon déplacement?» N'est-ce pas, Jean-Louis?
Jean-Louis	Oui, vous avez tout à fait raison. Prenons l'avion par exemple, c'est au décollage et à l'atterrissage qu'il consomme le plus de carburant. Il faut donc éviter d'emprunter ce transport aérien pour de courtes distances.
Int	Effectivement.
Jean-Louis	Lors d'un aller-retour Paris–New York par exemple on rejette une quantité de CO_2 presque équivalente à la limite annuelle d'émissions par personne à ne pas dépasser.
Int	Oh là là! Il vaut mieux garder les pieds sur terre dans ce cas alors … Et la voiture? Les Français aiment beaucoup se déplacer en voiture.
Jean-Louis	Oui, les Français sont fiers de leurs voitures. Eh bien, tenez-vous bien, si vous traversez seul la France à bord d'un monospace, vos émissions de CO_2 seront plus importantes que si vous aviez pris l'avion! Par contre les moteurs diesel émettent moins de CO_2 que les autres types de moteur car ils consomment moins de carburant.
Int	Il faut s'acheter un diesel et partir en famille alors.
Jean-Louis	Voilà. C'est ça.
Int	Si on prend le car, quelle différence cela fait?
Jean-Louis	Le car est bon marché et écologique, surtout s'il est plein.
Int	Quel est le moyen de transport le moins polluant?
Jean-Louis	Le train, le train à propulsion électrique: c'est le transport le moins polluant. On peut traverser le tunnel sous la Manche en Eurostar, et maintenant on a la LGV Est, c'est un réseau européen impressionnant. Et puis ça fait plaisir de voyager en train. C'est moins cher que l'avion et c'est plus écolo. Pourtant, beaucoup de petites gares ont été fermées et souvent on est obligé de louer une voiture une fois arrivé à destination … À ce moment-là, ce n'est plus très écologique …

Possible answers:

Moyens de transport	Avantages	Inconvénients
Avion		Pas bien pour de courtes distances car il consomme le plus de carburant au décollage et à l'atterrissage; aller-retour Paris–New York rejette une quantité de CO_2 presque équivalente à la limite annuelle d'émissions par personne à ne pas dépasser

Module 4 Autour de nous

Voiture	Moteurs diesel émettent moins de CO_2 que les autres types de moteur; voyager en diesel et en famille	En traversant seul la France à bord d'un monospace, vos émissions de CO_2 seront plus importantes que si vous aviez pris l'avion
Car	Bon marché et écologique, surtout s'il est plein	
Train	Train à propulsion électrique = le transport le moins polluant; on peut voyager loin – sous la Manche en Eurostar, etc.; ça fait plaisir de voyager en train; moins cher et plus écolo que l'avion	Les petites gares ont été fermées donc on est obligé de louer une voiture une fois arrivé à destination = pas écolo

Reading 4, page 118

Refer students to the grammar panel on indefinite pronouns on page 119 before they tackle this gap-fill exercise. Students complete the passage with the correct words from the box, using their topic knowledge and any grammatical clues to help them. They should note that there is one word too many for the number of gaps.

Answers:

(**1**) **Tout le monde** en France n'a pas la même attitude envers l'écologie. (**2**) **Certains** sont préoccupés par le prix du voyage alors que (**3**) **d'autres** s'inquiètent plus de l'impact écologique de leur déplacement. (**4**) **Chacun** peut aider, en évitant par exemple d'emprunter le transport aérien pour de courtes distances.

Les Français aiment beaucoup se déplacer en voiture, parce qu'ils peuvent se rendre (**5**) **n'importe où**. Donc, (**6**) **quelques-uns** d'entre eux se tournent à présent vers les voitures hybrides, car elles sont plus «vertes» et à long terme, plus économiques. (**7**) **Plusieurs** jeunes déclarent aimer les voyages en car puisque c'est convivial, mais le train est toujours le moyen de transport le moins polluant, et le voyage en train a toujours (**8**) **quelque chose** de romantique, bien sûr!

Writing 5, page 119

Students select the correct indefinite pronoun from the options provided to make sense of the sentences.

Answers:

1 Il y a 30 ans, partir **quelque part** en vacances était un privilège réservé à **quelques-uns**.
2 Aujourd'hui, **chacun** a sa voiture personnelle, et donc sa liberté.
3 **N'importe qui** peut regarder le site de Bison Futé avant de partir.
4 Car les bouchons, c'est **quelque chose** d'inévitable!
5 Pourtant, **quelques-uns** commencent à parler du co-voiturage car cela revient moins cher.
6 **Certains** sont préoccupés par les émissions de carbone alors que **d'autres** préfèrent ne pas y penser.

Speaking 6, page 119

In pairs, students prepare answers to the questions provided, using the notes they made in exercise 3.

Listening 7, page 119

Students listen to a recording about a day of problems for those flying in and out of France and decide whether the statements provided are true, false or not mentioned.

CD 3 Track 9

La journée de vendredi a été marquée par de fortes perturbations. Selon les syndicats, 84% des hôtesses et stewards étaient en grève. Au cours de la journée on a enregistré au moins 54% d'annulations de vols long-courriers au départ de Roissy-Charles de Gaulle.

La navette Air France entre Toulouse et Orly qui opère habituellement 27 vols quotidiens n'a assuré qu'une fréquence sur deux vendredi selon la direction de l'aéroport de Toulouse-Blagnac.

À quelques heures des départs liés aux vacances scolaires de la Toussaint, on pouvait voir des files d'attente importantes et des passagers agacés devant les comptoirs d'enregistrement d'Air France à Roissy.

Answers:

1 V, 2 PM, 3 F, 4 F, 5 V, 6 PM

Writing 8, page 119

Students write a piece in which they weigh up the pros and cons of different ways of travelling from Paris to Marseille for an Écolo'Zik concert. They should follow the information provided and use the key language in their writing.

 Module 4 ▸ Environnement et écologie ▸ Voyager en France en TGV

Module 4 ▸ Environnement et écologie ▸ Comment rouler écolo?

Module 4 Autour de nous

 Worksheet 22 provides extended reading comprehension and grammar activities to reinforce the language on these pages and can be used at this point.

Plenary

Students write up their notes from exercise 6 as an article about how to travel in as eco-friendly a way as possible.

5 Dossier carbone
(Student's Book pages 120–121)

Objectives

- **t** Look at ways of reducing CO_2 emissions
- **g** Use verbs followed by *à* or *de* + infinitive
- **s** Adopt and defend a point of view

Starter

Write key words and expressions for the unit (from the text and gloss box on page 120) on the board/OHP and ask students to work out what they mean in English, using a dictionary if necessary. This will familiarise them with the topic vocabulary before they start the unit.

Reading 1, page 120

Students read the text about ways of compensating for polluting the atmosphere. They then read the six statements and decide which are a positive response to the ideas discussed in the article and which are negative.

Answers:

A négative, B négative, C positive, D positive,
E négative, F négative

Writing 2, page 120

Students re-read the six opinions in exercise 1 and identify the expressions that each person uses to express their point of view. Students then use these expressions to write six sentences giving their own opinion on the topic of ecological compensation.

Answers:

A On exagère quand on affirme que …
B On a tort de croire que …
C Je suis convaincu que …
D Mon sentiment à ce sujet est que …
E Il n'a pas été démontré que …
F Il est manifeste que …

Reading 3, page 121

Before students tackle this gap-fill exercise, refer them to the grammar panel on verbs followed by *à* or *de* + infinitive on page 120 of the Student's Book. Selecting from the verbs in the box and adding the appropriate preposition, students copy and complete the gapped sentences and then translate them into English. Warn them that there are more verbs than gaps.

Answers:

1. Il est grand temps que chacun **commence à** limiter ses déplacements en avion. (It's high time that everyone started limiting their plane journeys.)
2. Les gens doivent **tenter de** consommer moins de carburant, essayer ne coûte rien! (People must try to consume less fuel, trying costs nothing!)
3. Il faut que les industriels signent un accord selon lequel ils **s'engagent à** limiter ses émissions de gaz à effet de serre. (Industrialists must sign an agreement committing them to limiting their greenhouse gas emissions.)
4. Il faut que le gouvernement arrête de **promettre de** financer le développement des énergies renouvelables et le fasse enfin. (The government has to stop promising to finance the development of renewable energies and must finally act.)
5. Nous devons **cesser de** rejeter autant de carbone dans l'atmosphère. (We have to stop pouring so much carbon into the atmosphere.)
6. Certains **refusent de** reconnaître que le réchauffement climatique constitue un problème. (Some people refuse to accept that global warming constitutes a problem.)

Listening 4, page 121

Students listen to a recording about an initiative to get people hiring bikes in some of France's big cities. They select the correct statements from the options given.

 CD 3 Track 10

Se déplacer en vélo, tout le monde est pour. De nombreuses villes comme Lille, Lyon, Rennes et Paris mettent en place des systèmes de location pratiques et bon marché. À Lyon, Le Vélo'V existe depuis plus de deux ans. Les 60 000 abonnés, dont 55% ont moins de 30 ans, ont parcouru plus de 8 millions de kilomètres. Sur une telle distance, des véhicules motorisés auraient rejeté 3 600 tonnes de CO_2. À Paris, où l'utilisation du vélo a augmenté de 48% depuis 2001, c'est le Vélib' qui entre en piste.

Pour se procurer un vélo, rien de plus simple. Il suffit de se rendre dans l'une des 750 stations

98

Module 4 Autour de nous

de la ville pour emprunter l'un des 10 648 vélos disponibles. Une formule idéale pour aller en cours, au travail ou se balader en ville.

La première demi-heure est gratuite. Au-delà, le prix de la location va de un à deux euros la demi-heure supplémentaire.

Answers:

1 b, 2 a, 3 c, 4 c, 5 b, 6 a, 7 b, 8 a

Reading 5, page 121

Students read the three newspaper articles and match them to the most appropriate headline. They then find the French for the six English expressions provided.

Answers:

1 F Les agrocarburants – une fausse bonne idée?
2 D Contrôler l'industrie automobile
3 B Copains de classe, compagnons de route

1 carburants tirés de betterave à sucres, blé ou colza
2 rouler avec de l'huile de friture est une possibilité
3 On peut augmenter le prix de l'essence
4 des véhicules moins puissants et moins énergivores
5 Il faut récompenser les voitures dites «propres»
6 on peut … limiter les allées et venues

Speaking 6, page 121

In pairs, students select one of the themes of the unit from the list on page 121 and follow the bulleted instructions to give their opinion. Their partner listens and says whether he/she agrees or disagrees with this viewpoint.

Module 4 ▶ Environnement et écologie ▶ Voyager en France en TGV

Module 4 ▶ Environnement et écologie ▶ Comment rouler écolo?

Worksheet 23 provides extended reading comprehension and grammar activities to reinforce the language on these pages and can be used at this point.

Plenary

Students write a newspaper article of between 200 and 220 words on what should be done to limit CO_2 emissions. Provide them with the following bullet points to structure their writing.

- ce que vous pensez de l'idée de la location de vélos dans les grandes villes
- quels sont les avantages et les inconvénients du covoiturage
- ce que vous pensez de l'idée de la compensation écologique
- ce que l'on pourrait faire pour réduire les émissions de CO_2 dans la ville où vous habitez.

6 Ça se réchauffe!

(Student's Book pages 122–123)

Objectives

- **t** Understand the causes of global warming
- **g** Form the future perfect tense
- **s** Master numbers and statistics

Starter

To help students complete exercise 1, write the following English words/phrases on the board/OHP:

1 the greenhouse effect; 2 essential to life; 3 the average temperature; 4 economic development; 5 global warming; 6 undergoing a major economic boom; 7 slightly; 8 the global average.

Then ask students to find the French equivalents in the passage in exercise 1 on page 122.

Answers:

1 l'effet de serre
2 indispensable à la vie
3 la température moyenne
4 le développement économique
5 le réchauffement climatique
6 en plein boom économique
7 légèrement
8 la moyenne mondiale

Listening 1, page 122

Students listen to the recording about the greenhouse effect and fill the gaps in the printed passage with some of the words from the box on the page (shown in bold in the transcript).

CD 3 Track 11

L'effet de serre est un phénomène (**1**) **naturel** qui est indispensable à la vie. La présence de (**2**) **gaz** dans l'atmosphère permet de garder sur Terre une partie de (**3**) **l'énergie** émise par le Soleil. Sans eux, la température moyenne serait de −18°C. Mais le développement économique, fondé sur (**4**) **les énergies fossiles** (charbon, (**5**) **pétrole**), a amplifié le phénomène. Résultat, La Terre (**6**) **se réchauffe** à vitesse grand V, subissant des changements climatiques: tempêtes, sécheresses, inondations …

(7) Notre mode de vie est la cause du réchauffement climatique avec **(8) les moyens de transport**, de chauffage, de production industrielle et agricole. Nous sommes tous responsables. Les pays riches, **(9) industrialisés** depuis le XIXème siècle, sont les principaux accusés. Un Américain émettrait autant de **(10) gaz carbonique** que 107 Bangladais!

En plein boom économique, la Chine pourrait cependant **(11) prendre la tête** du classement dès 2007. La France, elle, se situe légèrement **(12) au-dessus** de la moyenne mondiale.

Reading 2, page 122

Students choose the correct options to complete the text on climate change.

Answers:

À cause des humains, la terre se (1) **réchauffe**. Le dérèglement climatique est dû à (2) **l'accumulation** de gaz à effet de serre dans l'atmosphère depuis (3) **le début** de l'ère industrielle. Depuis 1850 environ, les humains ont émis dans (4) **l'atmosphère** une quantité considérable de gaz à effet de serre. Ces émissions proviennent principalement de (5) **la combustion** des énergies fossiles (charbon, pétrole, gaz) qui ont justement permis le (6) **développement** industriel et conduit à notre civilisation actuelle. Ainsi, depuis 1850, la concentration des gaz à effet de serre (7) **a augmenté** considérablement dans l'atmosphère, augmentant ainsi l'effet de serre. Notre couette (8) **s'est épaissie**: au lieu de nous protéger du froid, elle commence à nous donner trop chaud …

Reading 3, page 122

A vocabulary-building exercise. Students copy and complete the table, using the vocabulary in exercise 2.

Answers:

	verbe	participe passé	nom
1	réchauffer	réchauffé	le réchauffement
2	dérégler	déréglé	le dérèglement
3	diminuer	diminué	la diminution
4	accumuler	accumulé	l'accumulation
5	émettre *(behaves like mettre)*	émis	l'émission
6	développer	développé	le développement
7	augmenter	augmenté	l'augmentation
8	protéger	protégé	la protection

Writing 4, page 123

Refer students to the grammar panel on the future perfect tense before they tackle this exercise. Students rewrite the sentences, putting the verbs in brackets into the future perfect tense, and then translate them into English.

Answers:

1 La banquise de l'Arctique **aura rétréci** de moitié. (The arctic ice will have shrunk by half.)
2 Les ours polaires **auront disparu** et les glaciers **auront fondu**. (The polar bears will have disappeared and the glaciers will have melted.)
3 La température de la terre **aura augmenté** de 1,4 à 5,8°C. (The earth's temperature will have increased by 1.4 degrees to 5.8°C.)
4 La température en France en été **aura atteint** 35°. (The French summer temperature will have increased to 35°.)
5 1200 espèces menacées **auront perdu** leur habitat. (1200 endangered species will have lost their habitat.)
6 Le désert **aura gagné** du terrain et des terres productives **seront devenues** arides à cause du manque d'eau. (The desert will have gained ground and fertile soil/lands will have become arid because of lack of water.)
7 Le niveau de la mer **sera monté**. Les Maldives, les Pays-Bas et des villes comme Venise **auront disparu**. (The sea level will have risen. The Maldives, the Netherlands and towns like Venice will have disappeared.)
8 Des populations entières **auront dû** être déplacées. (Entire populations will have had to be relocated.)

Speaking 5, page 123

In pairs, students study the graphs on climate change and discuss possible answers to questions 1–8.

Writing 6, page 123

Students write a 200–220 word pamphlet to raise public awareness about climate change. They should include the details mentioned in the bullet points and use the key language on page 123.

Worksheet 23 provides extended reading comprehension and grammar activities to reinforce the language on these pages and can be used at this point.

Plenary

Challenge students to expand their vocabulary further, following the style of exercise 3: write on the board/OHP a selection of topic-related words taken from the earlier units in Module 4 and ask

Module 4 Autour de nous

students to continue the exercise 3 table. Such words could include: *changer, la réduction, limiter, le déplacement, financer*.

7 La Terre en colère
(Student's Book pages 124–125)

Objectives
- Talk about natural disasters
- Combine present, past and future tenses
- Write a brochure

Starter

Students in pairs choose one of the four newspaper articles in exercise 1 to read aloud. They have three minutes to prepare by checking they know how to pronounce any new words. Then, depending on the size of the group, students take turns to read aloud either the whole or part of their article to the rest of the class. When all the articles have been read out, ask students to summarise in English or French what they think each one is about. Most of the news stories should be quite familiar to them and there are many cognates to help them get a general sense of the article.

Reading 1, page 124

Students skim-read the four newspaper articles and find the French equivalents of the key vocabulary listed on page 124. Point out to students that the words are not in the reading order of the text.

Answers:

1 inondations
2 sécheresse
3 l'élévation du niveau de la mer
4 un tremblement de terre
5 des vagues géantes
6 l'ouragan
7 pris au piège
8 privés de
9 conséquences désastreuses
10 zones côtieres
11 les zones sinistrées
12 les dégâts
13 les réfugiés
14 suite à
15 malgré
16 par ailleurs

Listening 2, page 124

Students listen to a news report about a mudslide in the Philippines and note down the five numbers that are mentioned (in bold in the transcript). They then listen again and work out what the figures represent. As preparation for this exercise, students could speculate before listening on the sort of numbers (and associated vocabulary) they are likely to hear in such a report.

 CD 3 Track 12

Aux Philippines, le bilan ne cesse de s'alourdir après la coulée de boue géante provoquée par le passage du cyclone Durian.

La Croix-Rouge fait état de plus de **800** morts ou disparus. Dimanche, la présidente a décrété l'état de catastrophe nationale et annoncé une aide d'urgence de plus de **20 millions** de dollars.

Les **deux tiers** de la population de la région touchée ont été évacués. **Des milliers** d'habitants se trouvent donc sans abri. Les dégâts sont estimés à **plusieurs milliards** de dollars.

Answers:

800 = number of people dead or missing
20 million dollars = sum sought in aid
two-thirds = proportion of the population evacuated
thousands = number of homeless
several billion dollars = estimated cost of damage

Listening 3, page 125

Students listen to two radio reports and copy and complete the grid on page 125 to note the relevant details.

CD 3 Track 13

1
Le cyclone Dean, considéré comme «extrêmement dangereux», se dirigeait dimanche vers les côtes haïtiennes et jamaïcaines, après avoir fait deux morts dans le département français de la Martinique et un autre en République dominicaine.

Dimanche à 6h, l'œil du cyclone se trouvait à 245km au sud de Port-au-Prince. Accompagné de vents soufflant à 230 km/h, Dean se déplaçait dans la direction ouest-nord-ouest à la vitesse de 28km/h. Haïti a déjà subi samedi de fortes pluies, prélude à l'arrivée du cyclone. Le trafic aérien et maritime a été suspendu.

2
Mardi, 12 septembre 2006. Des inondations dues aux averses saisonnières ont été signalées

Module 4 Autour de nous

à travers l'Éthiopie. Le nombre de personnes touchées par les inondations avait atteint 357 000 au début de la semaine dernière.

Les pluies ont repoussé les rives du Lac Tana. La région a besoin d'une aide alimentaire immédiate. 123 décès ont été signalés, causés par une augmentation de maladies, faute d'une infrastructure sanitaire suffisante. Les personnes déplacées ont été accueillies dans six sites d'hébergement temporaire.

Answers:

	Reportage 1	**Reportage 2**
Type d'incident	cyclone	inondations
Date/jour	dimanche	mardi, 12 septembre 2006
Lieux	Haïti Jamaïque la Martinique la République dominicaine	Éthiopie
Nombre de victimes	3 morts	357 000 personnes touchées 123 morts
Autres details (3)	vents soufflant à 230 km/h le cyclone Dean se déplace dans la direction ouest-nord-ouest à la vitesse de 28km/h de fortes pluies en Haïti le samedi	Les pluies ont repoussé les rives du Lac Tana La région a besoin d'une aide alimentaire immédiate et d'une infrastructure sanitaire
Précaution prise	trafic aérien et maritime suspendu	six sites d'hébergement temporaire établis

Speaking 4, page 125

Students create their own radio report about a natural disaster, using the notes provided. They should look at the key language on page 125 and listen again to the structures used in the reports in exercise 3 to help them achieve the right journalistic style in their report.

Reading 5, page 125

Students read the open letter written by Nicolas Hulot, president of *la Fondation Nicolas Hulot pour la nature et l'homme*, and answer the comprehension questions in English.

Answers:

1 Because, in a world where two-thirds of the population struggle to survive on a daily basis, we now have the additional worry of an excessively heavy ecological footprint.
2 Air, water, earth, the climate, oceans, rivers, forests, animals, plants, glaciers.
3 How can we redress the balance? How can we make more of less? How can we protect resources and share them more equitably?
4 The society of 'being' as opposed to the society of 'having'.
5 Citizens of the earth.

Writing 6, page 125

Before students tackle this exercise, refer them to the grammar panel on page 124 on using a range of tenses in oral and written work. Students write a brochure to inform teenagers about the consequences of global warming and what they should do to reduce its impact. They should structure their answers by following the instructions in the bullet points.

Plenary

Challenge students to talk/write about one of the topics covered in Modules 1–3 (family, relationships, lifestyle, education, etc) using examples of each of the nine tenses in the grammar panel on page 124.

8 C'est si simple d'être écolo!
(Student's Book pages 126–127)

Objectives

- (t) Talk about sustainable development and individual and collective initiatives
- (g) Form the conditional perfect
- (s) Speak convincingly

Starter

As a class, brainstorm ways to protect the environment, drawing on vocabulary from GCSE and the last seven units.

Module 4 Autour de nous

Listening 1, page 126

Before they listen to the recording, ask students to read the eight statements on sustainable development and then choose the five that they predict they will hear. They then listen to check whether they guessed correctly.

CD 3 Track 14

Le développement durable est bel et bien une révolution culturelle, qui devrait nous conduire à changer de comportement, produire et consommer différemment. Ce que nous mangeons, la manière dont nous nous chauffons … voilà autant d'actions qui nous lient à notre environnement. Aucune action individuelle n'est dérisoire. Chaque geste compte. Le tri des déchets par exemple est un acte volontaire qui est indispensable pour l'environnement et il semble que le recyclage soit passé dans les mœurs. En 2005, plus de 50% des ménages en France recyclent aussi bien des piles que le verre et le plastique. En ce qui concerne la surchauffe planétaire, chacun peut aider en réduisant sa consommation d'énergie: isoler son logement, moins se déplacer en voiture et en avion.

Afin de préserver l'eau pure, chacun doit éviter de se servir des rivières comme d'un camion poubelle, comme un moyen rapide et efficace pour évacuer de l'huile, de la peinture et autres polluants. Commencez par vous procurer *Le Petit Livre Vert pour la Terre*, qui est téléchargeable en ligne, pour en savoir plus sur les petits gestes du quotidien qui vont permettre de sauver notre planète …

Answers:

2, 4, 5, 7, 8

Reading 2, page 126

Refer students to the grammar panel on the conditional perfect on page 126 before they tackle this exercise. Students match the sentence halves and then translate the sentences into English to show that they have understood them correctly.

Answers:

1 f Si j'avais laissé couler l'eau en me brossant les dents, j'aurais gaspillé 12 litres d'eau. (If I **had let the water run** while brushing my teeth, I would have wasted 12 litres of water.)
2 h Si j'étais allé à l'école à pied, j'aurais économisé du carburant. (If I **had gone** to school on foot, I would have saved fuel.)
3 g Si j'avais utilisé le verso de mes feuilles, j'aurais consommé moins de papier. (If I **had written on** the back of my worksheets, I would have used less paper.)
4 c Si j'avais utilisé des piles rechargeables, j'aurais réutilisé quelque chose au lieu de polluer. (If I had used rechargeable batteries, I would have reused something instead of polluting.)
5 e Si j'avais rangé les courses dans mon sac à dos, je n'aurais pas utilisé de sacs en plastique. (If I **had** put my shopping into my backpack, I wouldn't have used plastic bags.)
6 a Si j'avais éteint l'ordinateur, j'aurais économisé de l'électricité. (If I **had turned off the computer**, I would have saved electricity.)
7 d Si je n'avais pas trié les déchets, je n'aurais pas pu tout recycler. (If I **hadn't sorted the rubbish**, I wouldn't have been able to recycle everything.)
8 b Si j'avais pris une douche, pas un bain, j'aurais consommé moins d'eau. (If I **had taken a shower**, not a bath, I would have used less water.)

Writing 3, page 126

Students rewrite the sentences, putting the verbs in brackets into the correct tense.

Answers:

1 S'ils avaient pris le train, ils auraient économisé du carburant.
2 Si elle avait utilisé le verso de ses feuilles, elle n'aurait pas consommé autant de papier.
3 Si nous avions trié les déchets, nous aurions pu tout recycler.
4 Si j'avais mis les appareils en veille, j'aurais économisé de l'électricité.
5 Si vous n'aviez pas laissé couler l'eau en vous brossant les dents, vous n'auriez pas gaspillé de l'eau.
6 Si tu avais rangé les courses dans ton sac à dos, tu n'aurais pas utilisé de sac en plastique.

Listening 4, page 127

Students listen to and read the passage about ways of protecting the environment. They fill in the gaps in the printed text, using words from the box provided. (Answers are shown in bold in the transcript.) They then note the five verbs in the conditional perfect tense. For an extra challenge, ask students to try to work out what the missing words are before they listen to the passage.

CD 3 Track 15

Les actions écologiques (1) **à l'échelle locale** sont possibles. Hier les élèves du lycée agricole nous l'ont prouvé en élisant leur nouveau éco-délégué. Pratiquement tous les élèves du lycée (2) **auraient participé** aux élections, ce qui montre leur intérêt pour (3) **l'environnement** et leur communauté.

103

Luc (4) **aurait été élu** pour son enthousiasme, sa détermination à mettre en œuvre des projets écologiques et à sensibiliser, voire impliquer, le public.

L'année dernière, Luc a participé à la construction de nichoirs à oiseaux. (5) **L'objectif** du projet était de préserver les différentes espèces d'oiseaux que l'on trouve sur le site (6) **de l'école**. La mairie (7) **se serait intéressée** à cette initiative et envisage de collaborer avec le lycée pour élargir le projet aux étangs de la région.

En tant qu'éco-délégué, Luc aurait promis de créer un jardin organique et de (8) **construire** une cabane écologique, où ils pourraient stocker leurs (9) **outils**. Les élèves comme les habitants de la ville pourraient travailler et profiter des produits du jardin. Le projet (10) **aurait suscité** beaucoup d'(11) **intérêt**.

Answers (verbs in conditional perfect):

1 auraient participé
2 aurait été élu
3 se serait intéressée
4 aurait promis
5 aurait suscité

Reading 5, page 127

Students read about two community projects and summarise them in English, covering the topics listed in the bullet points.

Speaking 6, page 127

Students prepare a presentation on environmental initiatives which individuals and communities could take part in. They should use the bulleted questions, the advice box and the key language provided to structure their talk.

 Module 4 ▶ Environnement et écologie ▶ Nicolas Hulot, le révolutionnaire vert

Module 4 ▶ Environnement et écologie ▶ Les gorilles en danger à cause des portables

 Worksheet 24 provides extended reading comprehension and grammar activities to reinforce the language on these pages and can be used at this point.

Plenary

Students write six sentences along similar lines to those in exercise 3 on page 126 with answers to show they understand how the conditional perfect is formed. They then test their partner with the sentences.

9 Ensemble, sauvons la planète!
(Student's Book pages 128–129)

Objectives

t Consider possible ways of saving the planet
g Use impersonal verbs; *faire* + infinitive
s Broaden your vocabulary; check your work

Starter

List on the board/OHP a selection of French impersonal verbs: *il faut, il faut que, il s'agit de, il vaut mieux, il vaut mieux que, il suffit de, il suffit que*. Ask students to provide the English equivalents and decide which expressions are followed by an infinitive and which by the subjunctive. They then write two sentences using each expression.

Listening 1, page 128

Students listen to and read the passage on ways of protecting the environment and fill in the missing words/phrases (shown in bold in the transcript). They may need to hear the passage several times in order to complete it. To make the exercise slightly easier, you could provide the first letters of the missing words.

 CD 3 Track 16

Pour que le monde change, (1) **il faut que** nous changions d'habitudes et d'attitudes, et pour cela, il faut convaincre tous les habitants de cette planète que la situation est (2) **sans issue** si nous continuons (surtout les plus riches) à vivre de cette façon. Car nous sommes encore loin d'une prise de conscience générale! (3) **On** parle des changements climatiques, de la fin du pétrole, du manque d'eau, de la perte de la biodiversité, de l'érosion des sols … mais tous ces discours restent abstraits pour (4) **la plupart d'entre nous**. Or, si (5) **chacun** n'est pas intimement persuadé de l'imminence du danger, nous n'avancerons pas. Il faut créer un sentiment d'urgence, un véritable état de guerre. (6) **Il faut aller** beaucoup plus vite! C'est pourquoi je passe mon temps à témoigner, à informer, à montrer l'état de la planète, de la manière la plus sincère et la plus honnête possible.

J'ai filmé il y a quelques jours en Afrique du Sud, pour mon émission, *Vu du ciel*, (7) **des centaines** de petits manchots abandonnés par leurs mères, et de jeunes otaries (8) **mourant** de faim. C'est (9) **un phénomène** que les scientifiques n'avaient pas rencontré jusqu'alors, des mères abandonnant leurs petits parce qu'elles ne parviennent plus à les nourrir. **(10) On en connaît la raison**: à cause de la surpêche, il n'y a plus assez de poissons! L'homme est en train d'affamer les animaux sauvages! La situation est plus grave **(11) qu'on ne le dit**. Autant dire que **(12) la priorité des priorités**, pour moi, tient dans l'éducation et l'information. C'est notre seule chance.

Writing 2, page 128

Refer students to the grammar panel on impersonal verbs on page 128 before they tackle this exercise. Students add ideas from the text to the impersonal verbs listed to create sentences. This will help them with their productive spoken and written work later in the unit.

Possible answers:

1 Il est urgent de convaincre la population.
2 Il est nécessaire qu'on arrête de vivre de cette façon.
3 Il vaudrait mieux qu'on reconnaisse l'imminence du danger.
4 C'est essentiel qu'on informe et éduque.
5 Il s'agit de montrer l'état de la planète.
6 Il est possible qu'à cause de la surpêche il n'y ait plus de poissons.
7 Il suffit d'introduire des quotas stricts pour la pêche.
8 C'est capital de témoigner et d'informer.

Reading 3, page 129

Students read a passage on the efforts made by different governments over recent years to save the planet. They answer the comprehension questions in French.

Answers:

1 L'Agenda 21 / Un plan d'action pour le XXIe siècle qui définit le développement durable / un développement plus juste dans le monde a été créé/accepté.
2 Grâce au Grenelle on a parlé d'écologie.
3 Les pays qui signent le protocole de Kyoto s'engagent à réduire/diminuer leurs émissions de gaz à effet de serre de 5% avant 2012.
4 Les pays émergents n'ont pas été obligés de signer le protocole de Kyoto jusqu'à maintenant.
5 Students give their own opinion.

Listening 4, page 129

Students listen to and read various opinions on an Internet forum about how to reduce climate change, and decide whether each one is calling for individual, collective or government action. They should note key words from each of the opinions to justify their choice. Point out that sometimes more than one type of action can be attributed to the opinions.

CD 3 Track 17

Tout le monde parle du développement durable, comment sauver la planète en réalité?

1
C'est très simple: chacun doit agir. Il faut réduire la consommation, il faut recycler et il faut réutiliser.

2
Tout est lié … Ceux qui sont au pouvoir doivent considérer les choix énergétiques de la France. Il est essentiel de privilégier les énergies renouvelables.

3
Il faudrait accomplir une vaste mutation de nos structures économiques et sociales et modifier en profondeur notre manière et nos raisons de vivre.

4
Désormais, il faut privilégier les formes d'agriculture respectueuses de l'environnement. Il est essentiel que les députés et les représentants des agriculteurs travaillent ensemble.

5
Il faut protéger la biodiversité et arrêter la diminution drastique des ressources.

6
Les problèmes environnementaux, c'est pour les durs! Moi, j'aime bien le luxe et le confort et partir en vacances. Je n'y vois pas de mal.

7
Il faut lancer une politique d'éducation, de sensibilisation et de formation à l'écologie et au développement durable dès aujourd'hui.

8
On ne peut pas compter à l'infini sur la bonne volonté du consommateur, ce n'est pas juste. Les gouvernements ont un rôle à jouer.

9
Chacun doit participer, c'est le seul moyen. C'est si simple d'adopter des gestes écocitoyens dans sa vie quotidienne.

10
Il faudrait donner aux citoyens la possibilité d'être les co-créateurs des actions mises en place dans leurs municipalités.

11
Il faudrait baisser la TVA sur les produits dits «propres» …

> 12
> Il suffirait d'imposer une taxe sur les produits importés de pays ne faisant aucun effort pour réduire leurs émissions de gaz à effet de serre …

Answers:

1. I – chacun (or C if you consider the recycling scheme)
2. G – ceux qui sont au pouvoir
3. I/C/G – mutation de nos structures économiques et sociales et modifier en profondeur notre manière et nos raisons de vivre
4. C/G – il est essentiel que les députés et les représentants des agriculteurs travaillent ensemble
5. I/C/G – il faut protéger la biodiversité et arrêter la dimunition drastique des ressources
6. I – moi
7. G – une politique d'éducation, de sensibilisation et de formation
8. G – les gouvernements ont un rôle à jouer
9. I – chacun
10. C – citoyens, leurs municipalités
11. G – la TVA
12. G – une taxe sur les produits importés

Speaking 5, page 129

In pairs, students decide which of the opinions they agree with and put them in order of importance.

Writing 6, page 129

Students write an article of 200–220 words in French on environmental problems, following the numbered points provided to structure their article. They should take care to re-read and check their article after they have written the first draft.

Worksheet 24 provides extended reading comprehension and grammar activities to reinforce the language on these pages and can be used at this point.

Plenary

To help extend their vocabulary for topics covered in the earlier modules, challenge students to create an exercise similar to exercise 3 on page 122, using some of the key language from either Module 1 or 2. They then give their vocabulary-building exercise to their partner, who must try to complete it.

Module 4 Autour de nous

Épreuve orale Module 4
(Student's Book pages 134–135)

Reading 1, page 134

This is an example of an exam-style question in which students give a spoken response to a piece of stimulus material. In this exercise, students read a text on the subject of pollution and make notes to prepare their answers to the questions provided. They should also try to predict what other questions the examiner is likely to ask them on the same theme. If necessary, they could re-read the detailed guidance on page 106 to help them structure their answers.

Listening 2, page 134

Students listen to a model exchange between an examiner and candidate based on the stimulus material and questions. They could make notes on what they hear before working with a partner to ask and answer the questions themselves. They should use the key language on page 134 to help structure their answers.

CD 3 Track 18

Ex   Selon l'article, qu'est-ce qui inquiète le plus les Français aujourd'hui?

Can D'après ces statistiques, on peut conclure qu'actuellement, c'est la pollution et surtout celle de l'eau et de l'air qui préoccupe le plus les Français de nos jours.

Ex   Parmi les problèmes qui préoccupent les Français, lesquels occupent la troisième place?

Can Après la pollution et l'insécurité, les Français s'inquiètent du nombre d'accidents de la route et doutent de la sécurité des aliments, c'est-à-dire qu'ils recherchent des garanties sur la qualité de la nourriture.

Ex   Quelle a été votre réaction en lisant cet article?

Can Je suis étonné que les Français se sentent si concernés à la fois par la pollution et par la qualité et sécurité des aliments. Je crois que les médias exercent une grande influence sur l'opinion publique et jouent un rôle dans le classement de ces préoccupations. Puisqu'on entend très souvent parler de la pollution et des problèmes d'environnement, forcément on commence à s'en inquiéter.

Ex   Que pourrait-on faire pour réduire la pollution?

Can Voyons … on peut faire beaucoup de choses, autant à l'échelle individuelle que sur le plan collectif, national et international. Par exemple, chacun peut essayer de limiter ses déplacements, d'utiliser les transports en commun ou son vélo. Les collectivités pourraient améliorer les transports en commun tandis que le gouvernement pourrait introduire une taxe sur le carbone.

Writing 3, page 134

Students read a stimulus text about how new social housing is being built along eco-friendly lines. They read the questions on the text and the answers provided, and then try to improve on them, using their own words and the key language provided.

Suggested answers:

1 Le groupe 3F semble être une société qui s'occupe de construire et de gérer des logements sociaux tels que les HLM (les Habitations à Loyer Modéré).

2 On qualifie 3F de «champion du développement durable» car quand ce groupe construit ou améliore des logements, il prend des mesures en faveur de la protection de l'environnement et il privilégie les énergies renouvelables.

3 Les logements de 3F ont une haute performance énergétique et utilisent des sources d'énergie différentes (le vent par exemple). Il se peut qu'ils polluent moins et fassent faire des économies aux locataires.

4 Je ne suis jamais allé(e) dans une maison écolo, donc c'est difficile à dire. Et puis je dois avouer que j'aime bien le confort et le luxe. Mais il se peut qu'on ne s'aperçoive même pas de la différence. L'électricité par exemple, on ne peut pas savoir si elle est produite par une centrale, une éolienne ou des panneaux solaires. De plus, il est important de nos jours de penser à l'environnement. J'aimerais moi aussi contribuer à la préservation de l'environnement, donc j'espère pouvoir habiter une maison aussi écolo que possible.

Writing 4, page 135

Students look at the short article and graph on page 135 and write four questions based on them that the examiner might ask. They then listen to the recording to check whether they had correctly predicted any of the questions.

CD 3 Track 19

Quelle conclusion peut-on tirer des statistiques de cet article?

> Comment expliquer le changement d'habitudes de la part des Français?
>
> Qui trie les déchets chez vous?
>
> Pensez-vous qu'il est important de recycler?

Speaking 5, page 135

In pairs, students take turns to ask and answer the questions in exercise 4.

Speaking 6, page 135

Students prepare model answers to the 15 general questions on the topics of the module.

Writing 7, page 135

Students write three questions in French on each of the topics suggested. These questions could be used regularly in conjunction with the questions in exercise 6: in every lesson, the teacher or a student pulls a question out of a 'hat' for brainstorming and discussion.

Épreuve écrite Module 4
(Student's Book pages 136–137)

Reading 1, page 136

This is an example of an exam-style question in which students give a written response to a piece of stimulus material. In this exercise, students listen to and read a student's essay based on the stimulus text about the holiday preferences of the French. They then discuss in pairs the positive aspects of the essay, taking into account the annotations, and decide what mark Jenny, the candidate, should be awarded.

> **CD 3 Track 20**
>
> Les Français en vacances
>
> Tous les étés, les deux tiers des Français, soit 45 millions de personnes, quittent leurs domiciles et partent en vacances, en quête de détente et de repos. Certains veulent se déstresser, d'autres désirent s'évader tandis qu'un grand nombre part à la découverte du paysage et à la rencontre de nouvelles personnes ... Les vacances constituent un moment privilégié. Et ce qui est certain, c'est que les Français veulent en profiter!
>
> La majorité des Français passe leurs vacances en France où ils préfèrent partir à la campagne ou à la mer. Les différentes régions ont fait un grand effort pour attirer les vacanciers et leur pouvoir d'achat en promouvant un tourisme dit «de terroir». Elles cherchent à mettre en valeur leur riche patrimoine historique et même à développer un «tourisme ludique».
>
> Quand les Français partent à l'étranger, il semblerait qu'ils privilégient l'Europe. Ils sont surtout attirés par le beau temps et les prix intéressants. Plus les prix baisseront et plus les touristes français iront loin à l'étranger.
>
> Il faut constater que les vols charters ont contribué à changer les attitudes des Français envers les voyages à l'étranger. Aujourd'hui, il existe des vacances à la portée de toutes les bourses. Qui saurait résister à ces prix si raisonnables? Si l'on vous proposait de passer un long week-end au Maroc pour vous remettre du stress du quotidien à un prix dérisoire, seriez-vous capable de dire non?

Writing 2, page 137

Students write a 200–220 word report in French explaining what they think of the idea of responsible tourism, after reading the stimulus material on the subject. They should structure their piece of writing by covering the points listed in the bullet points and following the advice provided in the panels.

Writing 3, page 137

Students write a letter of 200–220 words to a French friend, outlining their plans for the gap year they plan to take before starting university. They should use the bullet points and the advice panel to help them structure their piece of writing.

Transition Module, Unit 2

A *Trouvez les mots suivants dans le texte:*

1. gets bigger
2. a great concern
3. very light
4. resolved
5. weaknesses
6. at first sight
7. replaces
8. extends
9. has the use of

Le cartable électronique

*SVT – sciences de la vie et de la terre

Depuis la rentrée, des élèves de Picardie et d'Alsace testent un cartable ultraléger et multimédia. Chaque élève dispose d'un ordinateur portable qui remplace les livres de cours. Pour l'instant, l'expérience est tentée dans deux disciplines, SVT* et histoire. Chez les élèves, elle fait l'unanimité. «C'est plus marrant que les manuels sur papier! Si ça marche dans toutes les matières, on n'aura plus à porter des sacs super lourds.» Car le cartable électronique pèse 1 kilo. Pas plus.

À première vue, la leçon électronique se présente comme une leçon classique, avec des textes et des illustrations. Mais l'élève peut «naviguer» à l'intérieur en cliquant sur l'écran. Tu ne comprends pas un mot? Clique sur l'icône «dico» et la définition s'affiche. Tu veux voir une image plus en détail? Clique sur l'icône «Zoom» et elle s'agrandit. Tu as du mal à mémoriser une date? Clique sur l'icône «Repères» et une chronologie illustrée apparaît. Le cours d'histoire propose même des vidéos et des cartes animées.

Sur un plan technique, tout n'est pas encore au point. L'expérience menée actuellement révèle les lacunes du système. «La batterie ne tient que deux heures», raconte Aurélien. Yannick Gargam, prof de SVT, regrette que l'interactivité soit limitée: «Pour l'instant, les élèves doivent faire les exercices sur un cahier. Mais à terme, ils devraient pouvoir travailler sur l'écran.» Les responsables du projet, eux, affirment que ces questions seront résolues. Reste un gros souci: le prix de telles machines. Chacune coûte plus de mille euros. Si on les étend à tous les collèges et lycées de France, qui va payer?

B *Lisez le texte et répondez aux questions en anglais.*

1. In which two school subjects is the electronic schoolbag being tested? (2)
2. Why do students enjoy using them? Give two reasons. (2)
3. What can you do with the three icons mentioned? (3)
4. What are the two technical problems mentioned? (2)
5. Which other drawback is mentioned? (1)

C *Relisez. Faites une liste des verbes réguliers qui sont dans le texte et donnez l'infinitif.*

Exemple: testent – tester, …

D *Remplissez les blancs dans les phrases suivantes avec la forme correcte des verbes.*

1. Est-ce que tu _____ ton ordi tous les jours? (utiliser)
2. Oh oui! D'abord, je _____ souvent de la musique. (télécharger)
3. Mon père _____ tous ses livres sur Amazon. (acheter)
4. Ma mère _____ beaucoup de formulaires en ligne. (remplir)
5. Par contre, mon grand-père ne _____ jamais aux mails. Il _____ téléphoner. (répondre, préférer)
6. À Noël, mon frère et moi, nous _____ les cadeaux pour la famille sur eBay. (choisir)
7. Et après Noël, je _____ les cadeaux que je n'aime pas aussi sur eBay. (revendre)
8. Ma petite sœur _____ avec ses copines sur MSN en faisant ses devoirs. (tchater)
9. Elle et ses copines _____ aussi des textos, mais elles _____ MSN. (envoyer, préférer)
10. Alors souvent, elles ne _____ pas leurs devoirs avant minuit. (finir)
11. Et dans ta famille, vous _____ aussi beaucoup de temps devant l'ordi? (passer)

Transition Module, Unit 4

A *Lisez le texte. Notez les dix activités sportives et traduisez-les en anglais. Lesquelles de ces activités impliquent de l'escalade? (Il y en a quatre.)*

En vacances, les ados prennent des risques

«J'aime bien tout ce qui est un peu risqué, témoigne Damien, 17 ans. *Depuis que j'ai 12 ou 13 ans, j'adore par exemple sauter dans la mer du haut des falaises. Et je saute d'un peu plus haut chaque année … Depuis trois ans, je fais du surf. Comme on ne peut en faire que sur la Côte Sauvage, où la baignade est dangereuse, ma mère est souvent morte de trouille.»* Aurélia, 19 ans, reconnaît qu'elle a, elle aussi, «le goût du risque»: grimper aux arbres, foncer en rollers (elle ne met pas de protections), faire du ski hors piste … L'été dernier elle a réalisé son rêve: sauter en parapente. *«Une expérience inoubliable,* dit-elle … *mais un cauchemar pour mes parents!»*

Aux yeux des jeunes, ces activités ne sont pas seulement l'occasion de changer d'air: elles ouvrent aussi un champ de découverte plus personnel. Des différences se font cependant sentir selon le type d'activité choisie. En alpinisme ou en spéléologie, par exemple, il y a l'idée d'un monde à part, qui attire des ados pour son côté secret ou inaccessible. Avec le canyoning, dont l'approche est plus ludique, l'ado vient plutôt chercher une émotion rapide.

Mais par-delà l'envie de consommer des «sensations» à travers des activités parfois très à la mode, ces sports peuvent aussi aider les adolescents à progresser en tant que personnes. *«Ces sports sont un peu comme une école de la vie,* estime Catherine Reverzy, psychiatre. *Ils peuvent constituer une mise à l'épreuve de soi, une recherche de ses limites, de ses vérités. C'est une manière de se sentir exister, mais aussi d'éprouver son courage, son cran. C'est une épreuve de volonté et d'effort qui peut être transposée dans d'autres domaines.»*

> foncer   *to go at breakneck speed*
> un champ de découverte   *an area for discovery*
> ludique   *play-like*
> en tant que   *as*

B *Relisez le texte. Trouvez deux expressions familières, l'une signifiant **très effrayé(e)** et l'autre signifiant **courage**.*

C *Relisez le texte et trouvez les expressions françaises qui signifient:*

1. everything that involves some risk
2. she admits she enjoys risk
3. the opportunity for a change of scene
4. the notion of a separate world
5. to be looking for a quick thrill
6. a personal test
7. a search for one's limits
8. to put one's courage to the test
9. a test of willpower

D *Choisissez trois ou quatre activités dans la liste de l'exercice 1. Écrivez un paragraphe expliquant pourquoi vous aimez pratiquer cette activité (ou pourquoi vous voulez l'essayer). Utilisez des expressions du texte.*

Exemple:

J'aime la baignade. Je reconnais que je n'ai pas le goût du risque et …

Je voudrais essayer le surf. C'est ludique et …

EDEXCEL AS French Worksheet 3

Transition Module, Unit 5

A Lisez l'interview sur les jeunes Français et l'alcool. Remplissez les blancs avec des mots choisis dans la liste ci-dessous. Utilisez chaque mot une fois seulement. Attention: il y a deux mots de trop.

> alcool   bière   consomment   éducation   garçons   gros   population   relations
> santé   vin   week-end

Les jeunes recherchent l'ivresse

En France, l'alcool tue chaque année 45 000 personnes dont 25% entre 15 et 24 ans, alors que cette classe d'âge ne représente que 13% de la **(1)**_____ française.

Pourquoi les jeunes boivent-ils? À quelle occasion?

Les jeunes Français sont ceux qui **(2)**_____ le moins d'alcool en Europe. Contrairement à ce que l'on croit, dans notre pays, la consommation régulière d'alcool est surtout l'apanage des adultes. Ce sont eux les **(3)**_____ consommateurs. L'alcool fait d'ailleurs partie des pratiques culturelles. La boisson n'est pas le problème de **(4)**_____ publique le plus important chez les jeunes. De plus, il y a une diminution globale de la consommation d'alcool en France. La consommation quotidienne a disparu chez les jeunes dans les années 90. En revanche, ils recherchent plus l'ivresse, à l'occasion de soirées, le **(5)**_____ .

Les filles boivent-elles autant que les garçons?

Non, elles boivent moins. En France, la disparité entre les filles et les **(6)**_____ est importante. Cet écart s'observe dans les pays du Sud mais il est beaucoup moins important dans les pays du Nord. Cette différence entre les filles et les garçons peut s'expliquer par le fait que les filles veulent garder la maîtrise de ce qu'elles font, par crainte de **(7)**_____ sexuelles non protégées ou subies.

Quelles sont les boissons que les jeunes consomment?

Les garçons consomment plutôt de la **(8)**_____ et des alcools forts, très peu de vin. Les filles, quant à elles, ne sont pas des consommatrices de bières et préfèrent les alcools forts. Mais, de toute façon, elles en consomment peu. Boire du **(9)**_____ est surtout une habitude d'adulte!

© Le Journal Santé 26/02/2007

| être l'apanage de | to be the preserve of |

B Relisez le texte. Les phrases suivantes sont-elles vraies ou fausses? Corrigez les phrases fausses.

1 En France, l'alcool tue environ 11 000 jeunes tous les ans.
2 Les jeunes Français boivent un peu d'alcool tous les jours.
3 Le soir ou le week-end, les jeunes aiment boire mais en quantité modérée.
4 Les filles et les garçons ne boivent pas de la même façon.
5 Quand elles boivent, les filles préfèrent limiter leur consommation.
6 Il y a peu de différence entre les pays du Nord et les pays du Sud.
7 Les garçons consomment de tous les alcools, c'est-à-dire de la bière, du vin et des alcools forts.
8 En France, les adultes boivent beaucoup et ils préfèrent boire du vin.

C Écrivez un paragraphe sur les habitudes de consommation typiques d'un garçon et d'une fille en France.

Exemple:

Un jeune Français typique ne boit pas tous les jours. En revanche, quand il boit, il …

Une jeune Française typique ne boit pas tous les jours. …

EDEXCEL AS French Worksheet 4

Transition Module, Units 6–7

A *Lisez le sondage en ligne sur les métiers de rêve. Faites la liste des métiers mentionnés (il y en a 12) et donnez l'anglais. Employez un nom ou un verbe.*

Exemple: travailler avec les ordinateurs – working with computers

Sondage: métiers de rêve

Depuis longtemps déjà, vous avez une idée bien précise du métier que vous comptez exercer «quand vous serez grand(e)». Quel est ce métier? Qu'est-ce qui vous attire? Quelle est l'attitude des adultes qui vous entourent par rapport à ce rêve? Comment envisagez-vous d'y parvenir?

Il y a plusieurs métiers que j'ai rêvé de faire … Tout petit, je voulais être vendeur de mousse au chocolat, mais on m'a appris assez rapidement qu'un vendeur n'est pas censé manger son fonds de commerce. J'ai ensuite voulu devenir paléontologue car j'avais la passion des dinosaures. Mais mon vrai rêve, c'est les ordinateurs. Trifouiller, programmer, jouer, j'aime tout faire avec. Depuis que j'en ai touché un, j'ai su que c'était ce que je voulais faire. J'ai d'abord bossé, économisé pour m'en payer un, puis j'ai subi deux années éprouvantes de maths pour pouvoir avoir ma licence. Et là, j'attends les résultats.
Kévin

J'ai longtemps voulu être funambule. Puis avocat, mais lorsque j'ai compris qu'on me demanderait de défendre des personnes coupables, j'ai abandonné l'idée. Maintenant, je veux faire de la recherche (et au moins une trouvaille!) en sciences.
Gwladys

Moi, comme toutes les petites filles, j'ai longtemps voulu être maîtresse. Depuis que j'ai 14 ans, je veux être juge des enfants. En 3ème, j'ai fait mon stage en entreprise dans un cabinet d'avocat, et ça me plaît! J'ai effectué ma JAPD* il y a un mois environ, et depuis toute petite, j'adore les uniformes, de pompier, gendarme, policier ou autre. Depuis ma JAPD, je pense aussi à une carrière dans l'armée.
Sindy

* JAPD – Journée d'Appel de Préparation à la Défense. Le service militaire obligatoire n'existe plus, mais tous les jeunes Français, participent à une journée d'information sur l'armée et la défense du pays.

B *Trouvez les expressions suivantes dans le texte.*

1. un mot formel qui veut dire *magasin* ou *contenu d'un magasin* (Kévin)
2. un mot familier qui veut dire *ouvrir et examiner* (Kévin)
3. un mot familier qui veut dire *travailler* (Kévin)
4. un mot qui veut dire *responsable d'un crime* (Gwladys)
5. un mot familier qui veut dire *découverte* (Gwladys)
6. un mot familier qui veut dire *institutrice* ou *professeur des écoles* (Sindy)
7. une expression qui désigne une période de découverte d'un métier, obligatoire pour tous les élèves (Sindy)
8. un mot qui veut dire *bureau*, par exemple pour les avocats (Sindy)

C *Répondez aux questions. Écrivez des phrases complètes.*

1. Pourquoi Kévin a-t-il abandonné son premier rêve?
2. Quel rêve a-t-il eu ensuite?
3. Qu'est-ce qu'il a fait pour payer son premier ordinateur?
4. Pendant combien de temps a-t-il étudié les maths?
5. Comment s'appelle le diplôme qu'il espère obtenir?
6. Quel a été le premier rêve de Gwladys?
7. Pourquoi est-ce qu'elle n'a pas voulu devenir avocat?
8. Dans quel domaine veut-elle maintenant travailler?
9. Est-ce que Sindy a aimé son stage en entreprise? Justifiez votre réponse.
10. Est-ce qu'elle a trouvé l'expérience de la JAPD positive? Justifiez votre réponse.

Transition Module, Units 8–9

A *Lisez le récit d'Antho. Il contient beaucoup de mots qui ressemblent à l'anglais. Comment dit-on en français…?*

1	enthusiasm	4	dome	7	fumes	10	convinced
2	vegetation	5	lava	8	in Indian file	11	stomach
3	bamboo	6	rounded	9	emergency code	12	rock

Saint-Vincent et les Grenadines: à la découverte d'un volcan, la Soufrière

Nous avons commencé l'ascension du volcan côté sud-est à 8h du matin sous une légère pluie mais avec un enthousiasme délirant à l'idée d'escalader un volcan! Il y a plusieurs étages de végétation sur le volcan. Le premier c'est de la forêt tropicale mélangée à de la forêt de bambou. La terre volcanique est une terre riche, les bambous atteignent des diamètres et des hauteurs incroyables. La forêt est magnifique avec un vert foncé dominant très intense.

Et puis soudain, le sol disparaît brutalement, et s'ouvre à nos pieds un trou immense, un gouffre, le cratère du volcan … Le trou béant mesure plus d'1,5 kilomètre de diamètre pour 180 mètres de profondeur. En bas le sol est plat, mais au milieu, en plein centre, se trouve un dôme de lave sèche, tout arrondi. Sur sa partie sud, le dôme laisse évaporer des fumées blanches, du dioxyde de soufre.

Nous sommes enfin arrivés au seul passage possible pour descendre dans le trou. On s'est lancés, en file indienne, après avoir instauré des codes d'urgence en cas de chutes de pierres. Nous nous sommes doucement enfoncés dans le trou de la Soufrière, béant sous un ciel bleu maintenant, convaincus d'atteindre l'estomac du monde … Il n'y a que nous, cette grande muraille circulaire, ce dôme de lave crachant sa fumée blanche et le ciel. On ne peut pas se cacher du soleil, on ne peut se cacher de rien. Nous nous sommes posés sur de gros rochers tombés des parois et nous avons avalé notre casse-croûte. Puis nous sommes donc remontés, plus rapidement qu'à l'aller.

Au final, nous avons marché 9h30 dans cette journée, nous ne nous sommes arrêtés que pour grignoter nos sandwichs et pourtant, submergé par mes émotions, je n'ai jamais ressenti la fatigue. Nous nous sommes tous dépassés sans même nous en rendre compte. Je n'avais jamais vu de près ou de loin un volcan. Ça a été une expérience unique, ça m'a remis à ma place … La nature m'a encore montré que c'est moi qui appartiens au monde et non l'homme qui possède la Terre.

Antho

B *Relisez le texte. Trouvez l'équivalent français de ces mots.*

1	mad	7	to set off	13	to hide	19	to feel
2	unbelievable	8	fall	14	(rock) face	20	to go beyond one's limits
3	hole	9	to go down into	15	to gulp down	21	to realise
4	abyss	10	to reach	16	picnic	22	to belong
5	gaping	11	(high) wall	17	to stop		
6	dry	12	to spit	18	to munch		

C *Complétez ce résumé. Relisez le texte pour vous aider. Attention aux verbes! Ensuite, traduisez le résumé en anglais.*

En vacances sur l'île de Saint-Vincent, Antho et ses amis (1)_____ escaladé un (2)_____ impressionnant, la Soufrière. Ils (3)_____ montés à travers une forêt de (4)_____. Le cratère est un vrai (5)_____ – plus d'un kilomètre de (6)_____. Antho et ses amis se sont (7)_____ dans ce trou (8)_____ où il est impossible de se (9)_____ du soleil. Ils (10)_____ sont arrêtés pour (11)_____ leurs sandwichs. Antho a adoré l'expérience. Il (12)_____ dépassé sans s'en rendre compte. Il a aussi compris que l'homme ne possède pas (13)_____.

EDEXCEL AS French Worksheet 6

Module I, Unit I

A *Le texte mentionne plusieurs types d'énergie. Remplissez les blancs, en ajoutant des exemples si vous pouvez.*

1 énergies _____ (vent, soleil)
2 énergies _____, non-renouvelables (_____, _____, _____)
3 énergie _____

Demain, des énergies propres?

Environnement Stratégies a interviewé Jérôme Glenn, prospectiviste* depuis 30 ans, sur le développement durable.

✱ Dans le domaine du développement durable, quel est le principal enjeu?

C'est l'énergie. En 2060, nous serons près de 10 milliards sur terre, au lieu de 6 milliards aujourd'hui. Les besoins en énergie vont donc augmenter. Or, même si l'on développe les énergies renouvelables – ce qui va se faire –, cela ne suffira pas. Nous aurons toujours besoin des énergies fossiles (pétrole, gaz, charbon).

✱ Oui, mais ces énergies contribuent à l'effet de serre. Alors, que faire?

Grâce au développement de la technologie, elles ne seront bientôt plus polluantes. Aujourd'hui, la recherche s'efforce, par exemple, de trouver la manière de séquestrer le carbone issu de ces énergies: en réinjectant dans le sol? Dans les océans? En replantant des arbres? Ce qu'il faudrait, c'est que toutes les entreprises parviennent elles-mêmes à reconvertir leur pollution. Dans trois mois, nous rencontrerons tous les spécialistes mondiaux autour de cette question.

✱ Les énergies fossiles ne sont pas éternelles. Que pensez-vous de l'énergie nucléaire?

Nous en aurons également besoin. Le gros problème est le recyclage des déchets radioactifs. Il y a bien un moyen pourtant, qui est aujourd'hui théoriquement viable: il s'agit de renvoyer les particules polluantes dans le soleil, qui est en fait une énorme centrale nucléaire. Ce projet est étudié – depuis 1975 – par les militaires américains. Au final, la solution aux problèmes d'énergie n'est pas unique, mais plurielle et collective.

* prospectiviste – personne qui étudie les scénarios probables pour l'avenir

B *Relisez le texte et trouvez les expressions françaises qui veulent dire:*

1 sustainable development
2 the greatest challenge
3 energy needs
4 it won't be enough
5 the greenhouse effect
6 to capture
7 radioactive waste
8 nuclear reactor

C *Soulignez les parties du texte qui correspondent à ces affirmations. Attention: elles ne sont pas dans l'ordre du texte.*

1 On étudie plusieurs méthodes pour réduire la pollution des énergies fossiles.
2 Aux États-Unis, on étudie une méthode pour réduire la pollution de l'énergie nucléaire.
3 L'énergie du vent et l'énergie du soleil ne remplaceront pas les énergies traditionnelles.
4 Il y aura bientôt une réunion internationale pour parler des problèmes d'énergie.
5 La population va presque doubler en 50 ans.

D *Écrivez un paragraphe pour donner votre opinion: l'énergie de l'avenir sera-t-elle propre ou non?*

- *Servez-vous des arguments du texte.*
- *Justifiez vos arguments avec des exemples.*

Je pense que l'énergie de l'avenir sera propre parce que …
   – énergies fossiles – moins polluantes
   – énergie nucléaire – recyclage des déchets
   – …

Je pense que l'énergie de l'avenir ne sera pas vraiment propre parce que …
   – population en augmentation – énergies fossiles
   – énergie nucléaire – déchets radioactifs
   – …

Module I, Units 3–4

A *Lisez cet extrait d'un forum pour ados et répondez aux questions.*

1. Qui ne s'entend pas bien avec son père?
2. Qui ne s'entend pas bien avec sa mère?
3. Qui est probablement adulte?
4. Qui n'est pas d'accord avec Diabolo?
5. Qui comprend le point de vue des parents? (2 réponses)
6. Qui ne veut pas voir son enfant devenir adulte?
7. Qui aime beaucoup sa mère?
8. Qui pense que les études, c'est très important? (2 réponses)

Barbie Bonjour. ☺
Je vais vous parler des confrontations avec les parents. Moi aussi je me dispute parfois avec mes parents. Mon père m'embête tout le temps et des fois ça m'énerve. Je lui dis «Arrête, tu ne me comprends pas», mais il n'arrête pas. ☹
Et vous, ça se passe comment?

Vitamine Tu sais, ça dépend aussi pourquoi il t'embête! Ils veulent juste nous protéger, même si nous le prenons autrement et qu'ils sont quelquefois un peu maladroits à ce sujet.

Barbie C'est vrai qu'ils font ça pour notre bien, mais ils n'essaient pas de comprendre qu'il n'y a pas que les études dans la vie et que les coups de cœur, ça arrive très souvent. C'est ce qui m'énerve le plus chez mes parents.

Diabolo Vos parents ne sont pas là pour vous embêter mais pour vous aider et vous enseigner ce qu'il y a à savoir sur la vie. Objectivement, ont-ils réellement tort quand ils vous disent de travailler davantage ou quand ils vous empêchent de sortir le soir? Ils cherchent avant tout à vous protéger et à vous aider au maximum. Barbie, peut-être que ton père t'embête, mais que cherche-t-il avant tout? Tu ne crois pas qu'il cherche à t'aider avant tout et pas réellement à t'embêter?

Vitamine Mon père, s'il ne veut pas que je sorte, c'est juste parce que ça signifie que je grandis (et il ne veut pas) mais il me laisse quand même sortir! ☺
Je suis d'accord avec ce que tu dis, Diabolo, les parents sont là pour nous protéger et ils nous protègent …

Senorita Ah, Diabolo, t'as jamais été un peu rebelle dans ton adolescence? ☺ Je passe mon temps à pester contre ma mère et pourtant le jour où elle a eu un accident, je n'ai jamais autant pleuré de ma vie. Quelquefois, ce qu'on dit, on ne le pense pas forcément, tu sais. Puis ça nous passera avec le temps …

| maladroit | *clumsy* |

B *Faites correspondre les moitiés de phrases, puis traduisez-les en anglais.*

1. Je me dispute souvent
2. Mes parents m'
3. Ça dépend pourquoi ton père
4. Les parents sont là
5. Mes parents ne cherchent pas
6. Le professeur vous dit

(a) à m'aider.
(b) avec mes parents.
(c) de travailler davantage.
(d) embêtent tout le temps.
(e) pour vous enseigner les choses importantes.
(f) t'embête.

C *Remplacez les noms soulignés par un pronom complément d'objet direct ou indirect.*

Exemple: 1 Ses parents l'embêtent.

1. Ses parents embêtent <u>Jérémie</u>.
2. Alizée aide <u>ses parents</u>.
3. Nolwenn ne parle plus à <u>son frère</u>.
4. Damien téléphone souvent à <u>ses grands-parents</u>.
5. Ses parents ne comprennent pas <u>Sophie</u>.
6. Juliette adore <u>sa copine Élise</u>.
7. Sa mère n'explique rien à <u>Marie</u>.
8. Samuel ne confie pas ses problèmes à <u>ses copains</u>.

EDEXCEL AS French Worksheet 8

Module I, Unit 7

A *Lisez le texte ci-dessous. Vrai ou faux?*

1. Il y a plus de garçons que de filles qui bloguent.
2. Il y a plus de filles que de garçons qui publient des images en ligne.
3. Il y a moins de garçons que de filles qui postent des vidéos en ligne.
4. La plupart des ados connectés font partie d'un réseau social en ligne.
5. Les ados utilisent autant l'e-mail que les messages instantanés.
6. Les filles plus âgées bloguent autant que les jeunes adolescentes.
7. Les ados de milieux sociaux privilégiés bloguent plus que les autres.
8. Les ados qui bloguent beaucoup et postent souvent des contenus ont moins de temps pour des activités extérieures.

Comprendre les pratiques des plus jeunes

Selon une étude de l'organisation Pew/Internet, la création de contenus, y compris de blogs, par les adolescents ne cesse de progresser, passant de 57% en 2004 à 64%. Les garçons sont moins accros que les filles (35% des filles bloguent contre 20% des garçons, 54% des filles publient des images contre 40% des garçons), sauf dans le domaine de la vidéo où les garçons sont 19% à en poster contre 10% des filles. 28% des adolescents sont des super-communicateurs, utilisant tous les moyens de communication à leur disposition. Plus de 55% des adolescents connectés utilisent des sites communautaires et ont créé un profil en ligne. La motivation principale, c'est de rester en contact avec ses proches et notamment les gens que l'on voit le plus souvent, comme ses camarades de classe.

Voici les conclusions principales de l'étude:

- Les images numériques (et les vidéos) jouent un rôle important dans la vie des adolescents. Les publier permet de commencer des conversations et la plupart des ados reçoivent des réponses.
- L'e-mail continue de perdre du terrain; les moyens de contact les plus fréquents sont les SMS, la messagerie instantanée et les réseaux sociaux.
- Les filles continuent à contribuer et à publier quand elles avancent en âge, plus que les garçons: elles contribuent d'ailleurs pour beaucoup à la croissance de la blogosphère adolescente.
- Les adolescents provenant de foyers peu fortunés ou de familles éclatées ont plus tendance à bloguer que les autres.
- Les ados les plus actifs en ligne ont tendance à être également les plus actifs dans la vie réelle.
- Les jeunes créateurs de contenus ne passent pas toute leur vie dans le virtuel. Ils font autant d'activités réelles que les autres adolescents et ont plus tendance que les autres à avoir un petit boulot.

B *Relisez la seconde partie du texte, ci-dessous. Remplissez les blancs avec des mots choisis dans la liste. Attention: il y a deux mots de trop.*

> ados   adultes   armés   cliquent   étude   évaluent   information   mots
> recherches   sites Web

Mais selon l'étude de la British Library, la «Génération Google» n'existe pas. Dans cette **(1)**_____, qui examine l'usage des moteurs de recherche, les comportements des plus jeunes ne sont pas plus avancés que ceux des **(2)**_____: ils manquent autant de compétences dans la recherche d'**(3)**_____, ils tapent peu de **(4)**_____ dans leurs requêtes, ils **(5)**_____ mal l'information et ils ne **(6)**_____ que sur les premiers liens proposés en résultats. Conclusion: les plus jeunes ne sont pas toujours les mieux **(7)**_____ pour faire des **(8)**_____ en ligne.

C *Écrivez un paragraphe pour donner votre réaction à la seconde partie du texte. Pensez-vous que la «Génération Google» existe ou pas? Les jeunes sont-ils mieux armés que les adultes pour surfer sur Internet, ou non?*

Module I, Unit 9

A *Lisez la première partie du texte (Grand Corps Malade – l'accident) et complétez ce résumé.*

1 La première passion de Fabien, c'était _____ et plus particulièrement _____ et _____.

2 Il n'a pas réalisé son projet professionnel à cause d'un _____.

3 Les _____ n'étaient pas optimistes mais Fabien était _____ et _____.

4 Un an plus tard, il a recommencé à _____.

5 Il a commencé à faire du slam sous le _____ de Grand Corps Malade.

6 Le _____ est une sorte de poésie parlée dans laquelle il n'y a pas de _____.

Grand Corps Malade – l'accident

Grand Corps Malade (Fabien Marsaud) est un slameur né en 1977 à Saint-Denis, à côté de Paris. Enfant, Fabien était un petit garçon joyeux qui aimait chanter et raconter des histoires. Il se passionnait aussi pour le sport et il jouait au foot et au basket. Il voulait devenir prof de sport mais tout a changé dans sa vie en juillet 1997. En plongeant dans une piscine, il a été victime d'un grave accident et s'est retrouvé paralysé. Les médecins lui ont dit qu'il ne pourrait plus marcher. Mais Fabien, courageux et déterminé, n'a pas accepté le diagnostic. Après un an de rééducation, il a réussi à marcher à nouveau.

C'est en référence à cette expérience douloureuse qu'il a pris le pseudonyme Grand Corps Malade. En octobre 2003, il a fait son premier slam (un récital de poésie très rythmée qui ressemble au rap, mais sans accompagnement musical) dans un bar parisien. En 2004, avec quelques amis, il a formé «Le Cercle des Poètes sans Instru» pour une création de poésie urbaine que ces slameurs proposaient dans de nombreux festivals.

B *Lisez la seconde partie du texte (Grand Corps Malade – le succès) et répondez aux questions avec vos propres mots. Écrivez des phrases complètes.*

1 Qu'est-ce qui a changé dans la technique de GCM en 2006?

2 De quoi parle-t-il dans son album *Midi 20*?

3 Qu'est-ce qui est arrivé après la sortie de l'album?

4 Comment est-ce qu'on peut décrire le style de GCM? Mentionnez au moins quatre caractéristiques.

5 Que fait GCM avec son association?

Grand Corps Malade – le succès

Plus tard, un de ses amis, S Petit Nico, a transposé ses morceaux en musique, d'où la création en mars 2006 de son premier album, *Midi 20*. Il y évoque sa ville, Saint-Denis, son amour de la vie, un chagrin d'amour mais aussi la douleur liée à son accident. Cet album a rendu GCM célèbre et a permis au public français de découvrir le slam. En 2007, il a remporté deux «Victoires de la musique».

GCM déclame ses morceaux, parfois a capella,* souvent accompagnés d'une mélodie minimaliste en arrière-plan, avec une voix naturelle et parfaitement compréhensible. Il accorde en effet une grande importance à la narration et aussi à l'humour. GCM a maintenant créé une association, «Flow d'Encre», pour animer des ateliers d'écriture et de slam avec des participants de tous âges, dans les écoles, les clubs de jeunes et même les maisons de retraite.

* a capella – sans accompagnement instrumental

C *Que pensez-vous du parcours (career) de GCM? Si vous voulez, comparez son parcours à celui d'un autre artiste (français ou non) que vous connaissez bien. Écrivez au moins 150 mots.*

J'admire le parcours de GCM parce que …

Il a choisi de … et je trouve ça …

Il a réussi à … et mon avis c'est …

Il me fait penser à … [autre artiste] parce que …

Je ne trouve pas le parcours de GCM très intéressant parce que …

Je préfère … [autre artiste] parce que …

Module 2, Units 1-2

A *Benjamin est un sportif qui recherche des sponsors. Lisez le texte, puis reliez le français et l'anglais. Attention: il y a deux termes anglais de trop. Quel terme français est considéré comme familier?*

1	être amateur de	6	se déplacer	(a)	to compete	(g)	pride
2	la sensation forte	7	conséquent	(b)	event	(h)	to reject
3	intégrer	8	disposer de	(c)	to have	(i)	sample
4	l'épreuve	9	le revenu	(d)	income	(j)	sizeable
5	s'affronter	10	l'échantillon	(e)	to join	(k)	thrill
				(f)	to be keen on	(l)	to travel

Présentation: Je m'appelle Benjamin SIMON-BAUMEL. Je suis étudiant à l'Université de Poitiers. Le sport que je pratique s'appelle le Pony-Games et il est parfait pour les amateurs de sport à risques et de sensations fortes. Je le pratique toute l'année en compétition dans toute la France. Les compétitions que je fréquente sont de niveau départemental, régional, national et certaines fois international. J'ai aussi pour objectif d'intégrer l'équipe de France. Mon sport est adapté aux amateurs de sport spectacle, il est d'ailleurs présent en démonstration aux jeux Olympiques de Beijing en 2008. Quelques explications sur le Pony-Games: dans cette discipline, 2 à 8 équipes de 2 à 5 joueurs (selon les niveaux) s'affrontent dans différentes épreuves de vitesse, d'agilité et de prouesses physiques (par exemple descendre et remonter d'un cheval au grand galop, ramasser un objet posé à terre au galop, etc.). Les règles sont simples: la première équipe ayant passé la ligne d'arrivée sans faire de faute a gagné. Les gagnants d'un match sont ceux qui ont comptabilisé le plus de points à la suite des différents jeux.

Période: À l'année

Pour la pratique en haut niveau de ce sport, il faut se déplacer dans toute la France, voire à l'étranger. Pour cela, il faudrait évidemment un budget assez conséquent. Je ne dispose que d'un revenu d'étudiant, ce qui est le cas du reste de mon équipe, c'est la raison pour laquelle nous aimerions trouver des financements extérieurs.

Recherche: Financement et aide matérielle et/ou humaine.

Visibilité: Nous pourrions principalement apporter une image jeune et dynamique à l'entreprise sponsor. Nous disposons en outre de multiples supports publicitaires: maillots, sweat-shirts, pantalons, tapis de selle, véhicules, polos, etc. Il serait aussi possible de distribuer des échantillons ou des tracts, et de faire figurer le sponsor sur notre site Internet. Et nous sommes ouverts à toutes sortes de propositions.

B *Relisez le texte. Vrai, faux ou on ne sait pas?*

1. Benjamin veut devenir sportif professionnel.
2. Il fait du Pony-Games en toutes saisons.
3. Il pense que c'est un sport plus intéressant à pratiquer qu'à regarder.
4. Il y a une épreuve de Pony-Games aux jeux Olympiques de Beijing.
5. Pour faire du Pony-Games, il faut une grande expérience de l'équitation.
6. Les coéquipiers de Benjamin n'ont pas plus d'argent que lui.
7. Il propose de marquer le nom du sponsor sur les vêtements de l'équipe.
8. Il propose de distribuer de l'information sur le Pony-Games.

C *Êtes-vous d'accord avec le principe du sponsoring sportif? Quels sont les avantages et les inconvénients? Écrivez un paragraphe.*

Le sponsoring a des inconvénients. Par exemple, les sports les moins populaires n'intéressent pas les sponsors. …

Le sponsoring a des avantages. Par exemple, les jeunes qui n'ont pas beaucoup d'argent peuvent pratiquer leur sport préféré. …

EDEXCEL AS French Worksheet 11

Module 2, Units 3-4

A *Une sociologue décrit l'évolution de la pratique sportive chez les jeunes Français. Lisez le texte, puis complétez les phrases avec un terme du texte.*

1. Les ados préfèrent le terme _____ à «activité physique».
2. Toutes les pratiques physiques des jeunes ne sont pas régulières: certaines sont improvisées et _____.
3. Certains sports qui se pratiquaient en _____ se font maintenant partout, dans la rue ou dans la nature.
4. Les sports de glisse, comme le ski ou le surf, apportent une sensation de _____.
5. Quand on change souvent d'activité sportive, on parle de _____, comme pour les émissions de télé.
6. Il y a un phénomène d'_____ quand on choisit un sport parce qu'on admire un joueur.
7. L'évolution des pratiques s'observe pour tous les _____, pas seulement pour le sport.
8. Parmi les sports moins populaires que d'autres, la sociologue cite _____.

Les adolescents ne parlent pas d'activité physique, ils parlent de sport. Derrière le sport ils mettent également des réalités multiples. Certaines pratiques physiques tiennent du jeu, de la distraction, prennent des formes souples, parfois éphémères, par exemple les matchs de foot improvisés. Nous trouvons, d'autre part, des pratiques qui ont toutes les caractéristiques d'un travail hautement spécialisé, avec des pratiques régulières en club qui sont accompagnées de renforcement musculaire, d'un certain ascétisme parfois. Entre ces deux extrêmes, il y a toute une pluralité de pratiques.

Nous avons connu une multiplication et une diversification des pratiques au cours de ces 30 dernières années. Dans les années 1970, nous avons observé de nouvelles modalités de pratiques qui étaient traditionnelles. La course, qui était traditionnellement pratiquée en stade, a pu devenir la course libre, la course sur route, la course en pleine nature, les gens se sont mis à courir dans les rues. Il existe une tendance à pratiquer hors des institutions, et en ce qui concerne les jeunes, un engouement pour des pratiques de glisse qui développent un fort sentiment de liberté, qui développent des sensations immédiates, telles que le skate-board, le surf. Une autre tendance que nous observons chez les adolescents, c'est de multiplier les activités, de faire une sorte de zapping, qui correspond à une quête d'expérimentations. Également des identifications: ils ont envie de faire du foot parce qu'ils admirent tel joueur. Nous constatons également des changements de pratiques, de filières. Nous l'observons dans tous les domaines des loisirs, pas seulement dans l'activité physique. Certaines pratiques regroupent un grand nombre de jeunes: la natation, le vélo, le football; d'autres en regroupent moins: la musculation, le combat.

B *Pour chaque mot ou expression du texte, entourez la bonne paraphrase ou le bon synonyme.*

1. distraction – amusement / manque d'attention
2. ascétisme – compétition / discipline stricte
3. multiplication – agrandissement / nombre de plus en plus grand
4. diversification – amélioration / variété accrue
5. modalité – forme / popularité
6. engouement – désir / vogue
7. quête – recherche / refus
8. ils ont envie de – ils veulent / ils sont capables de

C *Dans vos choix de loisirs et d'activités physiques, êtes-vous influencé(e) par votre entourage? Écrivez un paragraphe.*

Exemple: J'allais régulièrement dans une salle de musculation, mais j'ai arrêté parce que mes amis n'y vont plus. Par contre, maintenant, je …

Module 2, Unit 6

A *Lisez l'interview avec le Dr Meunier. Répondez aux questions avec vos propres mots.*

1. Dans quelles parties de l'hôpital est-ce qu'on envoie l'adolescente anorexique? (deux réponses)
2. Que pense le Dr Meunier de ces traitements? (deux opinions)
3. Selon le Dr Meunier, pourquoi ne faut-il pas hospitaliser l'adolescente?
4. Selon le Dr Meunier, qui peut aider la jeune fille? (deux réponses)
5. Qu'est-ce qu'on appelle «hôpital de ville»?
6. Qui accuse-t-on le plus souvent, dans les cas d'anorexie? (trois réponses)
7. Selon le Dr Meunier, quelle est la cause de l'anorexie?

Tout ce qu'on dit sur l'anorexie est faux!

Quels sont les traitements employés pour soigner l'anorexie?

Dr Meunier: Aujourd'hui, la prise en charge est principalement hospitalière. Elle intervient tardivement, lorsque les signes physiques sont importants et qu'il devient indispensable d'agir. L'adolescente passe par le service des urgences puis dans un service psychiatrique. Les traitements sont souvent extrêmes. On l'enferme par exemple dans une pièce jusqu'à ce qu'elle accepte de s'alimenter. Ou alors on la nourrit de force avec une sonde ou une perfusion. Ces méthodes sont désastreuses au niveau psychologique.

Vous dites que les parents doivent être acteurs des soins. Mais ne dit-on pas habituellement qu'il faut une coupure avec la famille?

Dr Meunier: Cela part de l'idée répandue que les parents sont coupables, alors que c'est faux. Il ne faut pas sortir l'adolescente de son milieu familial. Il ne faut pas arrêter sa vie et la désocialiser plus qu'elle ne l'est déjà. Surtout pour l'enfermer, au sens littéral du terme, en lui permettant des sorties uniquement selon sa reprise de poids ... Il faut essayer de la soigner chez elle, en faisant intervenir les proches. Il faut aussi organiser un «hôpital de ville» autour de la jeune fille: un réseau de professionnels de santé (médecin, diététicien ...) qui vont prodiguer soins et conseils.

Selon vous, il ne faut rien reprocher aux parents?

Dr Meunier: La grande tentation de ces dernières années est de trouver un coupable absolument. En ce qui concerne l'anorexie, on accuse les top-models, l'alimentation, les parents ... Mais il faut voir que l'anorexie existe depuis toujours, même si on en parle plus depuis quelques années. De plus, tout ce qui se dit sur l'anorexie est à peu près faux! Par exemple, on accuse les régimes d'être à l'origine de ce trouble du comportement alimentaire. Mais dans la réalité, seuls 30% des anorexies commencent réellement avec un régime.

| sonde | *feeding tube* |
| perfusion | *drip* |

B *Regardez l'exemple du texte. Réécrivez les phrases avec un participe présent.*

Exemple: (On l'enferme), <u>en lui permettant</u> des sorties uniquement selon sa reprise de poids.

1. on hospitalise la jeune fille – on l'envoie dans un service psychiatrique
2. on la nourrit de force – on utilise par exemple une sonde
3. il faudrait la soigner chez elle – il faudrait organiser un «hôpital de ville»
4. on peut l'aider – on peut trouver par exemple un bon diététicien
5. il faut maintenir les liens familiaux – il ne faut pas l'hospitaliser
6. on ne peut pas expliquer l'anorexie – on ne peut pas accuser les régimes et les top-models

C *Que pensez-vous des idées du Dr Meunier? En cas de maladie mentale comme l'anorexie, est-ce qu'il vaut mieux soigner le patient dans son environnement familial, ou à l'hôpital? Écrivez un paragraphe.*

Module 2, Unit 7

A *Lisez le texte. Remplissez les blancs avec des expressions choisis dans la liste ci-dessous. Attention: il y a une expression de trop.*

> à la place   après le réveil   arrêter de fumer   dans les débuts   d'un seul coup
> liés à l'arrêt   par la répétition   peu à peu   plus jamais

Petits conseils aux fumeurs

Arrêter de fumer n'est pas une chose facile, cela nécessite quelques efforts. La plupart des ex-fumeurs n'ont pas réussi à s'arrêter du premier coup, mais ont eu besoin, en moyenne, de 3 à 4 tentatives. Comme dans les autres domaines, l'apprentissage se fait **(1)**_____. Pour y arriver, vous pouvez préparer votre tentative d'arrêt. Pour cela, plusieurs tactiques sont possibles.

i. Arrêtez d'un seul coup:

La plupart des ex-fumeurs ont arrêté **(2)**_____. Cette méthode est considérée comme étant la plus efficace.

*ii. Diminuez **(3)**_____ la consommation de cigarettes:*

Si vous ne pouvez pas vous arrêter d'un seul coup, supprimez d'abord les cigarettes qui ne semblent pas indispensables.

Augmentez graduellement le temps entre deux cigarettes, jusqu'à être capable de tenir plusieurs heures sans fumer.

Sortez pendant une heure ou deux sans emporter de cigarettes.

Si vous fumez **(4)**_____, prenez plutôt une douche ou préparez immédiatement votre petit déjeuner.

iii. Évitez les fumeurs et les lieux où l'on fume:

Cette méthode n'est pas très préconisée, il faut au contraire apprendre à vivre sans fumer aux côtés des fumeurs. Mais **(5)**_____ de la tentative d'arrêt, n'allez pas chez vos amis qui fument beaucoup. **(6)**_____, invitez-les chez vous, et s'ils veulent fumer, montrez-leur le balcon ou le jardin.

iv. Ayez des activités de substitution:

Le sport est dans ce cas tout à fait indiqué. Il permet de lutter contre les problèmes de poids **(7)**_____ et est un très bon exutoire.

v. Ayez une hygiène de vie correcte:

Buvez beaucoup d'eau, privilégiez la vitamine C (fruits, crudités …), évitez les sucres et les sucreries, les graisses …

*vi. Prévoyez un soutien médical pour vous aider à **(8)**_____ définitivement:*

Demandez à votre médecin de vous prescrire des patchs, par exemple.

B *Lisez ces commentaires d'ados qui veulent arrêter ou qui ont arrêté de fumer. À quelle partie du texte (introduction et paragraphes i–vi) se rapporte leur remarque?*

Moi, j'ai arrêté du jour au lendemain. C'était dur, mais je n'ai jamais rechuté. ☺ *Ambre*

J'attends aussi longtemps que je peux, et quand je sens que je vais craquer, je sors faire un jogging. Ça marche à tous les coups! *Enzo*

J'ai toujours ma bouteille d'Évian avec moi, et des pommes dans mon sac. *Flavien*

Maintenant, j'arrive à tenir quatre heures sans – c'est pas mal pour un début. *Julie*

Ce qu'il y a de bien, c'est qu'on peut les porter la nuit, comme ça le matin, j'ai moins envie de fumer. *Louis*

Quand je vais au collège, je laisse mes clopes à la maison – comme ça, pas de tentation pendant la journée. *Nolwenn*

Lucas? Ah non, je ne vais pas chez lui, il fume comme un pompier. ☹ Mais il peut venir chez moi quand il veut … et fumer **sur la terrasse**! *Rachida*

C'est très facile d'arrêter de fumer. Je l'ai souvent fait! ☺ *Thibaut*

C *Vous avez fumé puis arrêté, ou vous fumez et vous voudriez arrêter. Choisissez les conseils du texte qui vous paraissent les meilleurs. Dites pourquoi.*

Je pense que la meilleure idée, c'est … parce que …

J'estime que la moins bonne idée, c'est … parce que …

Module 2, Unit 8

1 *Lisez le texte du site Web L'Étudiant. Faites correspondre ces mots du texte avec leur équivalent anglais.*

1 *la séropositivité*	6 *reconnu d'utilité publique*	(a) belief	(f) ignorance
2 *le stade tardif*	7 *la sensibilisation*	(b) casualness	(g) late stage
3 *la méconnaissance*	8 *le dépliant*	(c) condom	(h) leaflet
4 *la croyance*	9 *le préservatif*	(d) contributor	(i) awareness-raising
5 *la désinvolture*	10 *l'intervenant*	(e) HIV infection	(j) State-approved

Infections sexuellement transmissibles (IST): la prévention chez les étudiants

On estime à 7 000 le nombre de découvertes de séropositivité en 2004 en France. Un cas sur dix concerne les moins de 25 ans. Plus d'un tiers des infections VIH sont découvertes à un stade tardif et la moitié des cas de sida concernent des personnes qui ignoraient leur séropositivité.

Une méconnaissance des risques est certainement une des causes de la forte contamination chez les jeunes. D'après le rapport de l'ORS (Observatoire Régional de Santé), on observe une meilleure connaissance de la maladie depuis 1992, mais la compréhension des mécanismes de transmission du VIH est toujours incomplète. En effet, 15% des 18 à 69 ans pensent qu'il est efficace de se laver après l'acte sexuel, soit une croyance aussi forte qu'il y a 10 ans.

Face à ce contexte inquiétant, et ce sentiment de désinvolture de la jeune génération, il est primordial d'informer les étudiants sur les comportements à risques, de conforter leurs connaissances en matière d'infections sexuellement transmissibles et de leur donner les outils de prévention nécessaires.

LE SIDACTION

Le Sidaction, c'est l'événement national de lutte contre le sida organisé en avril par l'association Sidaction. Cinquante pour cent des fonds qu'elle collecte vont à la recherche, 50% sont utilisés pour les programmes de prévention et d'aide aux malades. En France, Sidaction est la seule association de lutte contre le sida à financer la recherche. Elle est reconnue d'utilité publique.

METTRE EN PLACE DES ACTIONS DE PRÉVENTION

Monter un stand de sensibilisation sur les IST / le sida

Vous pouvez mettre en place un stand dans votre fac/école, dans un lieu de passage des étudiants:

- décorer le stand, mettre en place une signalétique afin d'indiquer où se trouve le stand sur le site;
- coller des affiches, utiliser dépliants … et préservatifs gratuits;
- pour informer, n'hésitez pas à faire appel à des intervenants extérieurs de la médecine préventive ou d'organismes de lutte contre le sida.

Organiser une soirée de lutte contre le sida

Les événements festifs sont fréquents chez les assos étudiantes et offrent l'occasion de sensibiliser un grand nombre d'étudiants. Vous pouvez organiser une soirée sur la prévention des IST et comportements à risques en milieu étudiant. Pour ce type d'événement, les préservatifs doivent être distribués pendant la soirée, accompagnés d'interventions au micro pour expliquer la démarche de prévention et comment ils s'utilisent. Vous pouvez également reverser une partie du prix de l'entrée au Sidaction ou autres associations de lutte contre le sida.

B *Voici trois exemples de verbe à la forme passive dans le texte. Mettez-les à la forme active, avec un sujet exprimé (par exemple: **on**).*

1 plus d'un tiers des infections VIH <u>sont découvertes</u> à un stade tardif
2 50% des fonds qu'elle collecte <u>sont utilisés</u> pour les programmes de prévention
3 les préservatifs doivent <u>être distribués</u> pendant la soirée

C *Traduisez en anglais ces deux paragraphes du texte: «Une méconnaissance des risques … outils de prévention nécessaires».*

D *Vous voulez améliorer l'information sur les IST dans la faculté où vous étudiez en France. Écrivez au président de la faculté. Présentez le problème, expliquez pourquoi il est important d'agir et proposez plusieurs actions.*

Module 3, Unit I

A *Lisez l'article. L'auteur fait correspondre les classes socio-professionnelles et les types d'enseignement. Identifiez les termes français qu'elle emploie.*

Classes sociales:
1 managers
2 (manual) workers
3 teachers
4 professionals
5 families with limited means

Types d'enseignement:
6 baccalauréat option centered on science
7 baccalauréat option with a vocational bias
8 baccalauréat preparing for service industries
9 baccalauréat preparing for healthcare jobs
10 short, non-baccalauréat course at 16+

Le surplace du baccalauréat face aux disparités sociales

Tout se passe comme si désormais les inégalités étaient figées. Au baccalauréat 2007 comme les précédents, les enfants de cadres sont surreprésentés dans la filière S, la plus prestigieuse. Et les enfants d'ouvriers se retrouvent plutôt dans la série Pro, dont les débouchés sont beaucoup plus modestes. Une récente étude officielle montre à quel point les choses ont du mal à changer.

Les disparités ne font que s'amplifier au cours de la scolarité, écrit l'auteur, Olivia Sautory. En 2002, 12% des élèves de sixième ont des parents cadres, alors qu'ils sont 29% en terminale scientifique et 42% en première année de classe préparatoire. «Dans quelle mesure peut-on parler d'une démocratisation de l'accès au baccalauréat et à l'enseignement supérieur?», s'interroge Olivia Sautory.

Étudiant la période 1997 à 2004, elle tire un bilan sévère. «On observe un mouvement de spécialisation sociale croissante des séries», écrit-elle. La filière reine, S, censée ouvrir toutes les portes, en est l'exemple caricatural: en 2004, 43% des enfants de cadres ont décroché un bac scientifique et plus de 46% des enfants d'enseignants. Les professions libérales sont encore mieux placées: près de 50% de leurs enfants ont eu le bac S, la même année. En face, les bacheliers dont les parents sont des ouvriers sont bien plus nombreux dans les séries professionnelles et technologiques. En 2004, 26% ont eu un bac STT (sciences et technologie du tertiaire) ou SMS (sciences médico-sociales) contre 19% de l'ensemble des bacheliers. Il faut rappeler qu'ils arrivent moins nombreux au bac, ayant été orientés vers des filières courtes après la troisième. En 2004, ils représentent un quart des 18 ans, mais seulement 18% des bacheliers. Les enfants de cadres – 15% de la classe d'âge – sont 20%.

La conclusion d'Olivia Sautory est assez décourageante: la situation se stabilise. On a fait de la place aux familles modestes, mais l'ascension sociale est désormais limitée. Pire: les bacheliers qui ont les «mauvaises filières» du bac risquent de se trouver «marqués» dans la poursuite de leurs études supérieures.

Véronique SOULE
© Libération 03/07/2007

B *Vrai ou faux? Corrigez les phrases fausses.*

1 Le bac scientifique est le plus valorisé.
2 En 2004, les enfants de professeurs sont plus susceptibles d'obtenir un bac prestigieux que les enfants de cadres.
3 En 2007, il y a proportionnellement plus d'enfants de cadres dans la série bac professionnel.
4 La série sciences et technologie du tertiaire est considérée comme la plus prestigieuse.
5 En 2004, il y a proportionnellement moins d'enfants d'ouvriers que d'enfants de médecins dans la série sciences médico-sociales.
6 Depuis 2004, les jeunes de familles ouvrières ont autant de chance d'obtenir le bac que les jeunes des classes moyennes.
7 Selon Olivia Sautory, il n'y a pas suffisamment de mobilité sociale à l'école secondaire.
8 Elle pense que les inégalités sociales sont moins marquées qu'autrefois.

C *Sur un forum, vous lisez l'opinion suivante: «De nos jours, n'importe qui peut aller à l'université, en France». Écrivez votre réponse, et donnez des arguments tirés de l'article.*

Module 3, Units 2–4

A *Lisez l'article sur les représentants lycéens, puis trouvez l'équivalent français de ces mots.*

1. to take place
2. to sit on
3. to be heard
4. daily life
5. to elect
6. to let oneself be pushed around
7. holder
8. deputy
9. colleague
10. representative
11. to belong to
12. to meet
13. to resign
14. to start from the grass roots
15. duty

Les élections du Conseil de Vie Lycéenne (CVL) se déroulent dans tous les lycées au mois d'octobre. Damien, qui a siégé dans cette instance démocratique, explique son travail.

Dans chaque lycée de France, les élèves ont la possibilité de se faire entendre en haut lieu. Améliorer le quotidien des lycéens: tel est le but du CVL, le Conseil de la Vie Lycéenne. Sept des 10 membres du CVL sont élus par l'ensemble des lycéens au suffrage universel direct, et les trois autres sont élus par les délégués de classe rassemblés en assemblée générale. Damien Collet, élu au CVL du lycée Chevigny Saint-Sauveur, aujourd'hui en fac de sport, définit l'institution comme «un moyen de libre expression». «On ne doit pas se laisser faire et il faut savoir imposer ses idées!», insiste-t-il.

Ces CVL élisent des représentants au niveau académique* pour deux ans, 10 titulaires et 10 suppléants, qui se retrouvent trois fois par an. On appelle cette autorité le Conseil Académique de Vie Lycéenne (CAVL). Lors des réunions académiques du CAVL, les élèves élus ont un temps de travail et de formation en commun. Puis ils rencontrent, le mercredi après-midi, le recteur* et ses collaborateurs. Lors de cette réunion, le recteur répond aux demandes des lycéens, à leurs préoccupations, à leurs projets. Le CAVL, qui se veut à l'écoute des lycéens, comprend aussi des représentants des fédérations de parents d'élèves, un conseiller régional, un enseignant … et des experts. Puis, au niveau national, les représentants de chaque CAVL se regroupent dans le Conseil National de Vie Lycéenne (CNVL). Damien a fait partie de celui-ci.

«Chaque année on se réunit autour d'un sujet central, on expose nos idées puis on va au ministère de l'Éducation pour exposer notre projet au ministre», ajoute Damien. Certes, en 2006, la crise du CPE a conduit certains membres à démissionner, mais cette action était symbolique. Mais pour se faire entendre, il faut commencer à la base. C'est pourquoi il est important d'aller voter en octobre. Le devoir de citoyen, de lycéen, c'est aussi cela.

Alexandre Mathis

* académie – *regional education authority, administered by a government-appointed* recteur

B *Relisez l'article, puis complétez les phrases suivantes avec la bonne forme du verbe entre parenthèses **et** avec un autre mot.*

Exemple: 1 On a créé les <u>CVL</u> pour que les lycéens <u>puissent</u> participer aux décisions sur la vie du lycée.

1. On a créé les _____ pour que les lycéens (pouvoir) _____ participer aux décisions sur la vie du lycée.
2. Le but de ces conseils (être) _____ d'améliorer la _____ quotidienne des lycéens.
3. Selon _____, il faut que les lycéens (avoir) _____ «un moyen de libre expression».
4. Damien voudrait que les lycéens (être) _____ déterminés à imposer leurs _____ .
5. Les _____ élus aux CAVL (recevoir) _____ une formation.
6. Les CAVL ne (comprendre) _____ pas que des _____ .
7. Quand il était membre du _____, Damien (exposer) _____ ses idées au ministre.
8. Selon _____, il est important que les lycéens (aller) _____ voter en octobre.

C *Est-ce qu'il y a un Conseil de Vie Lycéenne dans votre établissement? Est-ce que vous pensez que c'est une bonne idée? Écrivez un paragraphe pour donner votre opinion.*

Module 3, Unit 5

A *L'article de Lise Le Petit, ci-dessous, compare les avantages et les inconvénients (supposés ou réels) des classes préparatoires et de l'université. Faites la liste des arguments.*

1. Pour **les partisans des prépas**,
   (a) quels sont les inconvénients de l'université?
   - attitude des étudiants: …
   - attitude des professeurs: …
   - débouchés professionnels: …

   (b) quels sont les avantages des prépas?
   - attitude des étudiants: …
   - attitude des professeurs: …
   - débouchés professionnels: …

2. Pour **Lise Le Petit**,
   (a) quels sont les inconvénients des prépas?
   - attitude des professeurs vis-à-vis de la discipline: …
   - attitude des professeurs vis-à-vis de l'enseignement: …
   - développement de l'étudiant: …
   - débouchés professionnels: …

   (b) quels sont les avantages de l'université?
   - attitude des professeurs vis-à-vis de la discipline: …
   - attitude des professeurs vis-à-vis de l'enseignement: …
   - développement de l'étudiant: …
   - débouchés professionnels: …

Prépas vs Universités: un match perdu d'avance?

Par Lise Le Petit, 20 ans, École de Commerce de Toulouse

Alors, on veut envoyer 5% des élèves de terminale dans (**1**) **les prépas**. Oui, pourquoi pas? On veut permettre aux élèves des ZEP* d'y accéder plus facilement. C'est très bien. L'initiative est belle. On veut éviter aux meilleurs élèves l'horreur de (**2**) **la fac**. En prépa, on travaille beaucoup et bien, on encadre le jeune bachelier, on lui donne des «méthodes», une «structure» et de la «culture». À côté, la fac, c'est le maaaal! Il n'y a que des (**3**) **glandeurs** et des (**4**) **graines de grévistes**. La prépa, c'est tout, la fac, c'est rien.

Alors remettons un peu les choses à leur place, s'il vous plaît. En prépa, on infantilise le jeune. Un bachelier, ce n'est plus un ado; ce n'est pas un adulte encore. Et pourtant, il se voit de nouveau enfermé dans le même système qui l'a accompagné depuis sa sixième: mot d'absence avec justification, billet de retard, et la même discipline lui est demandée que celle imposée au lycée. En prépa, le travail est (**5**) **prémâché**: on donne la bibliographie très détaillée, les profs – parfois les mêmes que ceux qui font cours aux secondes, premières et terminales – font des cours structurés. On lui (**6**) **bourre le crâne**, non pas pour lui donner le goût de ce qu'il fait, mais bien pour en faire de la (**7**) **chair à concours**.

À l'inverse, l'université est un lieu où on apprend à grandir. On (**8**) **se débrouille** – et c'est ce que certains lui reprochent, à tort ou à raison. On prend des notes, des vraies; il n'y a qu'à nous qu'on rend des comptes lorsque l'on s'absente; et l'étudiant à l'**université** doit faire une démarche intellectuelle que (**9**) **le prépa** ne fera quasiment jamais: aller chercher l'information pour compléter ses cours. Plus facile alors de prendre plaisir à ce que l'on fait.

On pourrait bien sûr m'objecter que tout ça, c'est bien beau, mais que franchement, à l'université, il n'y a pas de débouchés. Et que, au contraire, la prépa ouvre de nombreuses portes et garantit l'entrée dans une école, même assez modeste. Et moi, j'aurais bien envie de vous répondre que non, pas forcément. Premièrement, il y a beaucoup d'élèves de prépa qui se retrouvent à la fac. De plus, les universités préparent, elle aussi, à des concours – comme les concours administratifs – et des passerelles ont été mises en place entre les universités et les grandes écoles: par exemple, les écoles de commerce recrutent à bac + 2 et 3. L'entrée dans les grandes écoles n'est plus l'apanage des classes préparatoires – et je vous assure qu'ils sont bons, les élèves de fac qui réussissent ces concours!

* ZEP (zone d'éducation prioritaire) – underprivileged area where schools benefit from extra funding

l'apanage de	the preserve of

B *Quel système choisiriez-vous pour vous-même, dans l'enseignement supérieur? Un système plus encadré, comme dans une prépa, ou un système plus libre, comme à l'université? Justifiez votre réponse.*

Module 3, Unit 6

A *Lisez le texte, puis les phrases ci-dessous. Qui pourrait dire cela, Sophie, Daphné, Stéphanie, Valérie ou Marie?*

1. Parler et convaincre, c'est ça mon point fort.
2. Dans ce métier, on passe par tous les sentiments, de la tristesse à la joie.
3. Pour moi, devenir infirmière, ça ne devrait pas être une affaire de famille.
4. J'envisageais un métier dans le commerce, mais j'ai complètement changé d'avis.
5. Bien sûr que ce n'est pas un métier comme les autres. Il faut vraiment être motivé.
6. Pour moi, devenir infirmière, c'est un peu une affaire de famille.
7. J'aimais les sciences, et j'avais un emploi. Mais pour moi, ce n'était plus suffisant.

L'altruisme et le goût des contacts humains ne suffisent pas pour asseoir une vocation et construire un projet professionnel.

Vocation à l'épreuve du terrain

«Après plusieurs années passées en entreprise, je ne pouvais plus satisfaire ce besoin profond de me sentir utile, explique Sophie, 33 ans, déjà titulaire d'un DUT (diplôme universitaire de technologie) en chimie, aujourd'hui élève en première année d'IFSI (institut de formation en soins infirmiers). *Il n'est pas bien vu de parler de 'vocation', et pourtant je crois qu'il en faut un minimum pour exercer ce genre de métier. Dans trois ans, je pourrai enfin faire le boulot de mes rêves, allier la technique et le relationnel.»*

Devenir infirmière, pompier ou assistante sociale relève en général d'une conviction, d'un engouement. *«Ce n'était pas médecine que je voulais faire,* analyse Daphné, 20 ans, titulaire d'un bac SMS, en troisième année d'IFSI. *Je voulais être auprès des patients. Psychologiquement, il faut être résistant, car on est souvent confronté à la détresse, à la souffrance, voire à la mort. Mais on vit aussi des moments d'intense bonheur.»*

Tradition familiale

Ils le disent eux-mêmes, leur choix d'études n'est pas le fruit du hasard. *«J'ai une cousine qui est infirmière, une autre médecin, et un cousin aide-soignant»,* énumère Stéphanie, 26 ans, en troisième année de formation d'infirmière. Une situation que les jurys des écoles spécialisées savent bien identifier. *«Si nous recevons un candidat issu d'une longue tradition familiale de soignants,* précise Valérie Formaux, formatrice en IFSI, *il est cuisiné (gentiment!) pour savoir si son projet est le sien ou celui de papa ou maman.»*

Idéal d'équité

«Vous êtes trop honnête!» C'est ce que Marie, alors en stage de vente dans le cadre de son DUT techniques de commercialisation, s'entend dire un jour par son patron. Une révélation. *«C'était vrai. Je voulais utiliser ma tchatche à autre chose qu'à arnaquer le client»,* analyse Marie, actuellement en deuxième année d'école d'assistants du service social. Marie n'est pas une militante. *«Simplement, j'ai été éduquée dans un idéal d'équité, dans le respect d'autrui.»* Elle admet que parmi ses camarades, futurs assistants de service social, tous n'ont pas les mêmes objectifs. *«Beaucoup ont des motivations religieuses»,* observe-t-elle.

B *Lisez la suite de l'article, ci-dessous, et complétez le texte avec les mots de la liste. Attention: il y a deux mots de trop.*

| alternance | après | avant | certaines | choisi | différente | hospitalisation |
| personnels | raisons | soignants | travaille | vu | | |

Expérience perso

Mais l'engagement citoyen, s'il suffit à expliquer **(1)**_____ vocations, recèle parfois des motifs beaucoup plus **(2)**_____ . Ainsi, Aurore, **(3)**_____ son bac STT et deux années de fac d'éco, **(4)**_____ dans une agence de voyage, lorsque commence sa «descente aux enfers», une **(5)**_____ d'anorexie et de boulimie. Elle reste dix mois hospitalisée. Aujourd'hui, elle est en première année d'IFSI. «C'est une renaissance pour moi. Surtout, j'ai **(6)**_____ des choses pendant mon **(7)**_____ dans divers services qui m'ont indignée, des comportements de **(8)**_____ que je n'ose décrire, et pour toutes ces **(9)**_____, je me suis dit que si j'arrivais un jour à être infirmière, je serais **(10)**_____ .»

C *Faut-il avoir une vocation spéciale pour choisir l'un des métiers décrits dans le texte? Donnez votre avis.*

Module 3, Units 7–8

A *Ce texte évoque l'évolution de l'attitude des jeunes diplômés des grandes écoles. Trouvez dans le texte les expressions françaises qui veulent dire:*

1. very little knowledge
2. fear and fantasies
3. serious doubts
4. a wish to move on
5. a desire to advance
6. to give up on leisure time
7. to work flat out

Les jeunes diplômés et le monde du travail

Un nouveau rapport au monde

Pour les jeunes diplômés, il existe une évolution de la représentation du travail au cours de trois temps.

→ Après le bac: ils ont une grande méconnaissance du monde de travail. Plusieurs sentiments les habitent: la peur, le fantasme.

→ À la sortie de l'école: ils traversent une période de doutes importants sur la validité du projet professionnel et les capacités d'insertion.

→ Après une année d'emploi: le projet professionnel s'affirme. La représentation du travail acquiert une certaine «réalité».

Au bout de deux ans, l'envie de changer, de passer à autre chose est évoquée par les jeunes. Le désir de progresser et d'évoluer rapidement caractérise cette génération. Pour les DRH, ils sont «très impatients, très zappeurs».

Un nouveau rapport au temps

Travailler, c'est avant tout renoncer à des temps de loisirs, une étape vers la vie d'adulte. Le sport, les sorties sont «calculés». «Jamais on ne fait rien, il faut être rentable dans son temps de loisirs.» Les jeunes diplômés mettent alors en place des stratégies en arbitrant trois temps: le travail, les loisirs, le sommeil. Comment? En optimisant la pause déjeuner, en organisant les week-ends à l'avance, les vacances, en communiquant aussi de plus en plus via les SMS et les courriels.

Il semble qu'ils craignent moins que leurs aînés de revendiquer leurs priorités personnelles mais leur investissement au travail est important. Ils s'estiment moins «workaholics» que leurs aînés qui parlent tout le temps de travail chez eux et lors des repas. Les jeunes projettent que leurs préoccupations évolueront avec la parentalité en relativisant l'importance du travail dans leur vie. Cependant, les DRH sont satisfaits de l'investissement des jeunes dans leur travail. Pour eux, ils gardent une grande place pour leur vie privée mais au niveau investissement, il n'y a pas de différence, «ils se défoncent de la même manière au boulot».

> **grande école** *elite college of higher education*
> **DRH (directeur des relations humaines)** *personnel manager*

B *Vrai ou faux?*

1. Après avoir passé leur bac, les jeunes font un stage en entreprise.
2. Après avoir travaillé un an, les jeunes diplômés connaissent toujours mal le monde du travail.
3. Une fois installés dans une entreprise, les jeunes diplômés sont ambitieux et veulent vite trouver un autre poste.
4. Les jeunes, qui s'étaient «défoncés» pour leur diplôme, ont ensuite surtout envie de loisirs.
5. Une fois en entreprise, les jeunes diplômés, qui avaient pris l'habitude de longues vacances, apprennent à profiter au maximum de leur temps libre.
6. Les jeunes diplômés cherchent surtout l'équilibre entre vie privée et vie professionnelle.
7. Les jeunes diplômés pensent qu'ils travailleront moins quand ils auront des enfants.
8. En entreprise, les jeunes diplômés travaillent moins dur que la génération précédente.

C *Écrivez un dialogue court entre deux jeunes diplômés qui viennent de trouver leur premier emploi. Dans le dialogue, ils décrivent leurs attitudes et donnent leurs raisons. Servez-vous des expressions à la page 99 de votre livre.*

- L'un est ambitieux et veut s'investir à fond dans son travail.
- L'autre est sportif et veut surtout garder du temps libre pour le sport.

Module 4, Units 1–2

A *Lisez le texte. Ensuite, complétez le résumé remplissant les blancs avec un mot du texte (et son article si nécessaire).*

1 L'organisation Croq'Nature organise des vacances différentes, centrées sur _____ du pays visité.
2 L'entreprise de Naji Azizi fait découvrir _____ et _____ aux touristes.
3 Cette expérience semble réussie, puisque les voyageurs sont généralement _____ .
4 Ils sont tout à fait satisfaits de leur _____ .
5 Jean, par exemple, a beaucoup apprécié _____ avec les habitants.
6 Monique était surprise mais contente de ce qu'elle a _____ .
7 Michel a trouvé ce qu'il cherchait; une expérience proche de _____ .
8 Bien que certains _____ ne soient pas au point, il est tout de même heureux.
9 Annick a été choquée par _____ de la population.

CROQ'NATURE, LE DÉSERT AUTHENTIQUE ET ÉQUITABLE

❶ Loin des pistes sur-fréquentées par les hordes de touristes, Croq'Nature propose une découverte du désert authentique et solidaire. De l'Algérie au Niger, cette organisation a élaboré une offre touristique équitable basée sur le développement économique des communautés locales.

❷ **Un impact économique substantiel**

Le point de départ de l'aventure équitable de Croq'Nature se situe dans la ville sud-marocaine de Zagora. À l'époque, la famille Azizi était particulièrement démunie et faisait vivre difficilement ses 17 membres. Grâce au tourisme équitable, cette famille est aujourd'hui à la tête d'une véritable PME du désert qui fait travailler 25 personnes à l'année et jusqu'à 80 personnes en saison. «Nous devons notre développement au tourisme équitable», rapporte Naji Azizi, le gestionnaire de la famille. «Pour nous, il s'agit essentiellement de permettre à nos visiteurs de découvrir dans les meilleures conditions possibles le désert et la culture du nomadisme. La solidarité et la redistribution des richesses faisaient déjà partie de nos valeurs», ajoute-t-il.

❸ **Des touristes enthousiastes**

À la vue de la mine réjouie des personnes revenant d'excursions, il semble que le pari est gagné. «Cela faisait longtemps que nous souhaitions visiter un pays autrement. Cette découverte fraternelle du désert fut un enchantement», s'enthousiasme Jean après cinq jours de randonnées. «Notre voyage fut avant tout une rencontre avec des personnes. Le fait que cela représente un bénéfice réel y ajoute réellement du sens», renchérit-il.

❹ À écouter ces touristes, il semble que leur séjour était à la hauteur de leurs espérances. Des conditions de marche adaptées aux bivouacs traditionnels, les personnes que nous avons rencontrées ne tarissaient pas d'éloges pour leurs conditions de séjour. «On a toujours très bien mangé. On ne sait pas d'où ça sort mais c'est toujours frais», s'étonne même Monique en bonne Française. «À part quelques petits détails, tout était parfait», analyse Michel, un médecin de Cholet. «Plus nature, on ne fait pas. C'est justement ce que nous cherchions», ajoute-t-il.

❺ Pour certaines personnes, cette découverte du désert donne en outre un aperçu des bienfaits du commerce équitable. «Au fur et à mesure de nos randonnées, on se rend réellement compte du dénuement extrême de certaines familles vivant le long de la route de la caravane. Alors qu'en France, et bien que cliente, je suis parfois sceptique sur le commerce équitable, j'ai pu constater que cette forme de tourisme bénéficie réellement aux populations locales», rapporte Annick.

B *Transposez ce que disent Naji Azizi, Jean, Monique, Michel et Annick au discours indirect. Variez le premier verbe (dire que, déclarer que, expliquer que, etc.).*

Naji Azizi explique qu'ils doivent leur développement …

C *Que pensez-vous du tourisme équitable? Est-ce que l'idée vous semble bonne? Est-ce qu'elle vous attire? Écrivez un paragraphe.*

Module 4, Unit 3

A *Dans le texte, Fred raconte le premier voyage de ses parents (qui sont hollandais) en Indonésie, le pays d'origine de sa femme. Lisez la première partie du texte, ci-dessous, et trouvez les mots ou expressions qui veulent dire:*

1. cool
2. at dawn
3. tipper truck
4. hilly
5. green
6. hamlet
7. local
8. to taste
9. in seventh heaven
10. in a good mood

AUX ALENTOURS DE TARANGA

Mes parents ayant passé une bonne nuit (dans la chambre la plus fraîche, bien protégés des moustiques), nous pûmes dès l'aube nous mettre en route dans le camion-benne de mon beau-frère. À la faveur du jour, mes parents trouvèrent que les paysages étaient d'une grande beauté, vallonnés, verdoyants … Le village de transmigrants javanais dans lequel nous nous arrêtâmes acheva de les convaincre du charme que dégageaient les lieux. Ma mère préférait ces hameaux de quelques dizaines de maisons aux paysages de forêt primaire dans lesquels nous devions évoluer un peu plus tard. Davantage de variété peut-être? Les grands arbres ne la fascinèrent pas autant que les maisons en bambou et la décontraction des paysans du coin … Plus tard, après presque quatre heures de marche, de retour au camion, nous fûmes invités par quelques vieilles Javanaises à goûter aux spécialités qu'elles étaient en train de préparer. Mes parents étaient aux anges: l'hospitalité des gens, leur humour, suffisaient à les mettre de bonne humeur pour la journée.

B *Relisez la première partie du texte et trouvez six verbes au passé simple. Écrivez-les à l'infinitif. À quel temps sont les autres verbes?*

C *Lisez la seconde partie du texte, ci-dessous, et complétez-la avec des mots choisis dans la liste. Attention: il y a deux mots de trop.*

> accompagner   apprendre   curieux   débusquer   éléphants   éloignée   grimper
> impatients   impossible   insectes   marcher   passionner   plantes

À Taranga, tout était fait pour distraire mon père et ma mère. De plus en plus de gens apportaient à mon père des (**1**)_____ bizarres, des scarabées superbes, des mantes religieuses d'une taille inhabituelle, une chauve-souris … Parfois, un paysan passait et se demandait ce que ces Hollandais (**2**)_____ étaient en train de faire, mais dès que je traduisais les réponses de mon père, ils étaient satisfaits et nous mettaient le nez dans quelque chose que nous avions raté de peu: des fleurs, des nids, un lézard volant, un massif de (**3**)_____ carnivores … Je connaissais bien les chemins mais pour tout ce qui était insectes et plantes, j'avais encore beaucoup à (**4**)_____! Trouver un guide un tant soit peu naturaliste s'avéra une mission (**5**)_____. Les Dayaks payés pour l'occasion filaient à toute allure d'un point de départ A à un point B (un lieu-dit, une plantation (**6**)_____ …) sans s'intéresser à tout ce qui aurait pu (**7**)_____ mes parents, puis, en sueur, choisissaient une bonne souche, y posaient leurs fesses, se roulaient une clope, la fumaient lentement avant de repartir aussi vite que possible, (**8**)_____, en direction du point A. Les meilleurs guides étaient encore les gamins. Très jeunes, débrouillards, ils se faisaient un jeu de (**9**)_____ des oiseaux, des insectes, de (**10**)_____ aux arbres … Et au bout de quelques mètres, ils étaient toujours au moins trois ou quatre à nous (**11**)_____ .

D *Relisez le texte entier et répondez aux questions.*

1. Qu'est-ce que les parents de Fred admirent le plus autour de Taranga? (quatre réponses)
2. Qu'est-ce qui enchante les parents de Fred? (deux réponses)
3. À quoi s'intéressent-ils en particulier? (trois réponses)
4. Qui étaient les meilleurs guides, les Dayaks ou les enfants? Justifiez votre réponse.

E *Écrivez un texte court destiné à un forum voyage sur Internet. Utilisez le passé composé ou le passé simple. Parlez de l'endroit le plus exotique que vous connaissez.*

Module 4, Unit 4

A *Lisez le texte sur le tourisme lent et trouvez les expressions qui veulent dire:*

1. ne pas aller vite
2. moyens de transport partagés avec des étrangers
3. transports activés par un effort physique
4. transports à moteur pour une personne ou une famille
5. diminuer la capacité à se déplacer
6. transports proposés sur le lieu de vacances
7. contrôler la circulation
8. limiter/interdire les transports à moteur dans certaines rues
9. transporter les sacs et valises des vacanciers
10. promenade ou excursion à pied
11. promenade ou excursion à vélo

Un nouveau concept: le tourisme lent

Le tourisme lent repose sur deux principes: prendre son temps et s'immerger dans le lieu visité. Il se traduit par un état d'esprit mais aussi par les moyens utilisés pour découvrir les environs, la façon de vivre des habitants.

Ce type de tourisme favorise le respect de l'environnement. On préférera par exemple les transports en commun ou les transports non motorisés aux véhicules individuels, on favorisera également les produits de terroir de l'épicerie locale aux produits standards de l'hypermarché le plus proche. Au lieu de se précipiter sur les lieux «à voir absolument» dans les 100 kilomètres à la ronde, on choisira d'apprécier ce qui est juste autour de la location: topographie, patrimoine naturel, culturel et bâti, particularités ... pour enfin comprendre ce qui lie les hommes à leur terre, à la nature, à leur environnement.

Le tourisme lent, c'est la redécouverte des cinq sens en décélérant le quotidien, en oubliant la course aux loisirs. En changeant de mode de transport et en réduisant la mobilité, on appréciera le calme, on échappera enfin au stress.

L'association Perle des Alpes a pour vocation la promotion du tourisme durable avec une mobilité respectueuse de l'environnement. Le projet regroupe 17 communes dans cinq pays européens: Italie, Suisse, France, Allemagne et Autriche. Les vacanciers bénéficient d'une mobilité organisée sur place et du cadre de localités alpines pittoresque. Les communes n'ont pas d'installations industrielles et d'entreprises émettant un taux important de pollution sur leur territoire. Elles s'engagent à gérer le trafic, à mettre en place des zones piétonnes et à déposer des décrets contre la nuisance sonore.

Les conditions pour devenir «Perle des Alpes» sont d'être accessible quatre fois par jour en train ou en bus et de proposer un service de bagage ainsi que des transferts des touristes vers les circuits de randonnée pédestre et cycliste (y compris le transport des vélos). Enfin, la localité doit être proche d'un parc naturel.

Il s'agit une fois encore d'apporter un service complet au client au niveau de la mobilité qui lui permettra de découvrir à son rythme son nouvel environnement.

| location | *holiday rental* |

B *Relisez la première moitié du texte et classez les concepts en deux catégories: «tourisme traditionnel» et «tourisme lent».*

tourisme traditionnel	tourisme lent
• véhicules individuels	• prendre son temps
• ...	• ...

C *Relisez la seconde moitié du texte et trouvez les mots correspondant à ces trois définitions.*

1. unité administrative qui gère un territoire, d'un petit village à une grande ville
2. loi ou règlement, adopté soit au niveau national, soit au niveau local
3. espace officiellement désigné pour la sauvegarde des richesses naturelles et le développement social et culturel

D *Que pensez-vous de la notion de «tourisme lent»? Est-ce qu'elle vous attire? Est-ce que vous pensez qu'elle va se répandre en France? Écrivez un paragraphe et justifiez vos réponses.*

Module 4, Units 5–6

A *Le site Web* Human Village *annonce le lancement d'un autre site,* Stop Carbone. *Lisez le texte et faites correspondre le français et l'anglais.*

1	viser à	(a)	to aim to
2	le comportement	(b)	behaviour
3	le bien-être	(c)	to carry out
4	l'état des lieux	(d)	domestic appliance
5	mettre en valeur	(e)	heating
6	l'éclairage	(f)	inventory, examination
7	le chauffage	(g)	lighting
8	l'appareil ménager	(h)	to bring to the fore
9	repenser	(i)	to rethink
10	réaliser	(j)	well-being

Stop Carbone, pour un habitat économe en énergie

Nous en avions déjà parlé, et aujourd'hui, nous avons le plaisir de vous annoncer que le site de *Stop Carbone* est en ligne.

- **Stop Carbone**

Stop Carbone est un programme de lutte contre le réchauffement climatique développé à l'échelle nationale. Il vise à sensibiliser les Français à l'habitat économe en énergie, et donc à l'environnement et au développement durable. Le programme tente de montrer dans quelle mesure des comportements individuels responsables peuvent avoir des conséquences positives sur l'environnement, mais aussi sur la vie quotidienne, dans les domaines de la santé, du bien-être, des finances. Pour cela, *Stop Carbone* a pour objectif de réduire les gaz à effet de serre, via des mesures très concrètes.

- **Comprendre et agir**

Pour pouvoir agir, il faut d'abord comprendre comment une maison fonctionne. Sur le site de *Stop Carbone*, on peut réaliser un état des lieux du climat et du bâtiment, savoir si sa maison est une passoire, réaliser un bilan carbone, et avoir des notions du DPE, diagnostic de performance énergétique. Pour agir, il faut mettre en valeur des bonnes pratiques, concernant l'éclairage, le chauffage, les appareils ménagers. Mais agir, c'est aussi repenser son habitat et parfois être amené à réaliser certains travaux. Un investissement durable, autrement dit.

Parce que la planète, ça commence chez vous!

http://www.stop-carbone.com/index.php

B *Remplissez les blancs avec la bonne préposition,* à, de *ou* sur *(et le bon article si nécessaire).*

1 *Human Village* a le plaisir ____ annoncer le lancement du site de *Stop Carbone*.
2 Le programme *Stop Carbone* vise ____ sensibiliser la population ____ économies ____ énergie dans les maisons.
3 Le programme tente ____ montrer l'importance ____ comportements individuels.
4 Changer ses habitudes a des effets positifs ____ l'environnement.
5 Un comportement responsable a des conséquences ____ la vie quotidienne.
6 L'objectif de *Stop Carbone* est ____ réduire les gaz ____ effet ____ serre.
7 Pour adapter sa maison, on est amené ____ faire des changements.

C *Voici un texte adapté du site Web de* Stop Carbone. *Traduisez-le en anglais.*

L'objectif du programme *Stop Carbone* est d'inciter les citoyens à changer leurs comportements dans le cadre de leur vie domestique. Il consiste en actions spécifiques encourageant le grand public à réduire ses émissions de gaz à effet de serre ou à les compenser. Le but principal est de sensibiliser les propriétaires ou locataires au développement durable et à la préservation de l'environnement. Il s'agit de donner envie aux gens de faire des travaux chez eux et de leur montrer que la performance énergétique est synonyme d'économies.

Module 4, Units 8–9

A *Pour chaque mot du texte, entourez la bonne paraphrase ou le bon synonyme.*

1 l'exposé – le devoir / la présentation
2 durable – difficile / à long terme
3 la problématique – la question / l'argument
4 impuissant – sans pouvoir / sans volonté
5 rabâché – oublié / répété
6 impliqué – important / concerné
7 le comportement – l'attitude / la coopération
8 la formation – la promotion / l'éducation

Suzanne 4/10/2007

Jeunes hypersensibilisés, professionnels hyposensibilisés

Je suis professeur de Sciences de la Vie et de la Terre (SVT) dans le secondaire.

À mon avis, les écoliers et collégiens sont bien assez sensibilisés à l'écologie, et cela depuis très longtemps. Moi-même, née en 1977, j'ai pu à l'école faire nombre d'activités, exposés, etc. en rapport avec le recyclage, les pluies acides et autres thèmes. C'est encore le cas, voire davantage, aujourd'hui. Au lycée aussi, avec les textes en cours de langue, les études de cas en géographie, les cours et TP* de SVT (effet de serre, couche d'ozone dans les programmes de seconde), auxquels s'ajoutent les expositions de panneaux (Yann Arthus-Bertrand), sortie au cinéma voir *Le peuple migrateur*, semaines de sensibilisation au développement durable … les lycéens sont hypersensibilisés!

J'observe que les jeunes, face à ces problématiques, se sentent concernés, voire inquiets (c'est peut-être nécessaire, je ne me prononce pas). Les 6ème auxquels on explique pour la millième fois que nos mers sont fragiles et qu'il faut les protéger sont plus que d'accord! Mais ils se sentent impuissants et il faut bien avouer qu'ils le sont. Que peuvent-ils faire à part s'abstenir de jeter des sacs plastiques? Attention: je ne dis pas que cette information est inutile, mais qu'elle est déjà redondante. Ils connaissent BIEN les messages essentiels, rabâchés tout au long de leur scolarité et dans tous les médias. Ils connaissent MOINS BIEN les mécanismes précis impliqués (confusion effet de serre et trou dans la couche d'ozone, par exemple, classique). Ce n'est peut-être pas très grave, encore une fois, ce sont des observations.

Je pense donc qu'il est inutile d'ajouter des opérations de sensibilisation à destination des jeunes. Ceux qui, parmi les jeunes, ne respectent pas l'environnement, n'ont pas ce comportement par manque d'information.

Au contraire, c'est au sein de toutes les formations professionnelles qu'il faudrait un mini-module «développement durable dans votre branche». Avec des données précises sur le secteur concerné et des recommandations. Et la formation tout au long de la vie sera essentielle, puisque les nouvelles technologies, nous pouvons l'espérer, vont réellement s'installer dans tous les domaines.

*TP – travaux pratiques

B *Êtes-vous d'accord avec Suzanne? Écrivez 150 mots.*

- *Pensez-vous que les élèves sont hypersensibilisés à l'écologie?*
- *Que pensez-vous de sa contre-proposition, améliorer la formation au travail et dans les entreprises?*

C *Lisez le dernier paragraphe du texte et traduisez-le en anglais.*

Enfin, en tant que professeur et donc éducatrice, je me permets de rappeler que l'exemple est souvent mieux suivi que la parole, et que la sanction a aussi un rôle. Quand les bords des routes sont jonchés de détritus et qu'aucune amende n'est dressée (c'est certes difficile); quand on éclaire des panneaux publicitaires, le message écologique se brouille.

Answers to worksheet exercises

Worksheet 1 (Transition Module, Unit 2)

A 1 s'agrandit 2 un gros souci 3 ultraléger 4 résolues 5 lacunes 6 à première vue 7 remplace 8 étend 9 dispose d(e)

B 1 history, SVT (biology / earth sciences) 2 They are fun and they are light to carry. 3 Find the definition of a word, enlarge a picture, see/view an illustrated chronology. 4 The battery only lasts two hours and students have to do the exercise in a workbook. 5 At €1000, they are very expensive.

C testent – tester, dispose – disposer, remplace – remplacer, marche – marcher, porter, pèse – peser, (se) présente – (se) présenter, naviguer, comprends – comprendre, clique – cliquer, (s')affiche – (s')afficher, (s')agrandit – (s')agrandir, mémoriser, apparaît – apparaître, propose – proposer, révèle – révéler, raconte – raconter, regrette – regretter, travailler, affirment – affirmer, reste – rester, coûte – coûter, étend – étendre, payer

D 1 Est-ce que tu **utilises** ton ordi tous les jours? 2 Oh oui! D'abord, je **télécharge** souvent de la musique. 3 Mon père **achète** tous ses livres sur *Amazon*. 4 Ma mère **remplit** beaucoup de formulaires en ligne. 5 Par contre, mon grand-père ne **répond** jamais aux e-mails. Il **préfère** téléphoner. 6 À Noël, mon frère et moi, nous **choisissons** les cadeaux pour la famille sur *eBay*. 7 Et après Noël, je **revends** les cadeaux que je n'aime pas aussi sur *eBay*. 8 Ma petite sœur **tchate** avec ses copines sur MSN en faisant ses devoirs. 9 Elle et ses copines **envoient** aussi des texto, mais elles **préfèrent** MSN. 10 Alors souvent, elles ne **finissent** pas leurs devoirs avant minuit. 11 Et dans ta famille, vous **passez** aussi beaucoup de temps devant l'ordi?

Worksheet 2 (Transition Module, Unit 4)

A (Activities involving climbing in bold type.) *sauter dans la mer du haut des falaises* – jumping from clifftops into the sea, *faire du surf* – surfing, *baignade* – swimming, **grimper aux arbres – climbing trees**, *foncer en rollers* – tearing along on rollerblades, *faire du ski hors piste* – skiing off piste, *sauter en parapente* – paragliding, **alpinisme – mountaineering**, **spéléologie – caving**, **canyoning – canyoning**

B très effrayé(e) – mort(e) de trouille, courage – cran

C 1 tout ce qui est un peu risqué 2 elle reconnaît qu'elle a le goût du risque 3 l'occasion de changer d'air 4 l'idée d'un monde à part 5 chercher une émotion rapide 6 une mise à l'épreuve de soi 7 une recherche de ses limites 8 éprouver son courage 9 une épreuve de volonté

Worksheet 3 (Transition Module, Unit 5)

A 1 population 2 consomment 3 gros 4 santé 5 week-end 6 garçons 7 relations 8 bière 9 vin

B 1 V 2 F – *Les jeunes Français ne boivent pas d'alcool tous les jours.* 3 F – *Le soir ou le week-end, les jeunes boivent et recherchent l'ivresse.* 4 V 5 V 6 F – *L'écart entre les filles et les garçons est beaucoup moins important dans les pays du Nord.* 7 F – *Les garçons préfèrent consommer de la bière et des alcools forts. Ils consomment très peu de vin.* 8 V

C *Suggested answers:* Un jeune Français typique ne boit pas tous les jours. En revanche, quand il boit, il recherche l'ivresse. Il préfère boire le week-end, ou pendant une soirée avec des amis. Il boit très peu de vin. Il préfère consommer de la bière et des alcools forts.
Une jeune Française typique ne boit pas tous les jours. Elle veut garder la maîtrise de ce qu'elle fait. Quand elle boit, elle boit très peu de vin ou de bière. Elle préfère consommer des alcools forts.

Worksheet 4 (Transition Module, Units 6–7)

A *vendeur (de mousse au chocolat)* – (chocolate mousse) salesman, *paléontologue* – paleontologist, *travailler avec les ordinateurs* – working with computers, *funambule* – tightrope walker, *avocat* – lawyer, *faire de la recherche* – doing research, *maîtresse* – (female) primary school teacher, *juge des enfants* – juvenile court judge, *pompier* – firefighter, *gendarme* – police officer, *policier* – policeman, *carrière dans l'armée* – army career

B 1 fonds de commerce 2 trifouiller 3 bosser 4 coupable 5 trouvaille 6 maîtresse 7 stage en entreprise 8 cabinet

C 1 Il a compris qu'un vendeur de mousse au chocolat ne mange pas ses mousses au chocolat. 2 Il a voulu devenir paléontologue. 3 Il a travaillé/bossé et économisé. 4 Il a étudié les maths pendant deux ans. 5 Le diplôme s'appelle une licence. 6 Elle a longtemps voulu être funambule. 7 Elle n'a pas voulu défendre des personnes coupables. 8 Elle veut faire de la recherche (scientifique). 9 Oui. Elle dit «ça me plaît». 10 Oui. Elle envisage maintenant une carrière dans l'armée.

Worksheet 5 (Transition Module, Units 8–9)

A 1 l'enthousiasme 2 la végétation 3 le bambou 4 le dôme 5 la lave 6 arrondi 7 les fumées 8 en file indienne 9 le code d'urgence 10 convaincu 11 l'estomac 12 le rocher

B 1 délirant 2 incroyable 3 le trou 4 le gouffre 5 béant 6 sec/sèche 7 se lancer 8 la chute 9 s'enfoncer dans 10 atteindre 11 la muraille 12 cracher 13 se cacher 14 la paroi 15 avaler 16 le casse-croûte 17 s'arrêter 18 grignoter 19 ressentir 20 se dépasser 21 se rendre compte 22 appartenir

C 1 ont 2 volcan 3 sont 4 bambous 5 gouffre 6 diamètre 7 enfoncés 8 béant 9 cacher 10 se 11 manger/avaler/grignoter 12 s'est 13 la Terre
Suggested translation: On holiday on the island of Saint Vincent, Antho and his friends climbed an impressive volcano, the Soufrière. They went up through a bamboo forest. The crater is a real abyss – more than a kilometre across. Antho and his friends went down into that gaping hole, where it is impossible to hide from the sun. They stopped to eat/gulp down/munch their sandwiches. Antho loved the experience. He went beyond his own limits without realising it. He also understood/learned that Man does not own the Earth.

Worksheet 6 (Module 1, Unit 1)

A 1 énergies renouvelables (vent, soleil) 2 énergies fossiles, non-renouvelables (pétrole, gaz, charbon) 3 énergie nucléaire

B 1 le développement durable 2 le principal enjeu 3 les besoins en énergie 4 cela ne suffira pas 5 l'effet de serre 6 séquestrer 7 les déchets radioactifs 8 la centrale nucléaire

C 1 la recherche s'efforce … de trouver la manière de séquestrer le carbone issu des ces énergies: en réinjectant dans le sol? Dans les océans? En replantant des arbres? 2 il s'agit de renvoyer les particules polluantes dans le soleil, qui est en fait une énorme centrale nucléaire. Ce projet est étudié – depuis 1975 – par les militaires américains. 3 Or, même si l'on développe les énergies renouvelables – ce qui va se faire –, cela ne suffira pas. Nous aurons toujours besoin des énergies fossiles (pétrole, gaz, charbon). 4 Dans trois mois, nous rencontrerons tous les spécialistes mondiaux autour de cette question. 5 En 2060, nous serons près de 10 milliards sur terre, au lieu de 6 milliards aujourd'hui.

Worksheet 7 (Module 1, Units 3–4)

A 1 Barbie 2 Senorita 3 Diabolo 4 Senorita 5 Vitamine, Diabolo 6 le père de Vitamine 7 Senorita 8 Diabolo, les parents de Barbie

B 1 (b) I often argue with my parents. 2 (d) My parents annoy me all the time. 3 (f) It depends on why your father annoys you. 4 (e) Parents are (t)here to teach us important things / the things that are important. 5 (a) My parents are not trying to help me. 6 (c) The teacher tells you to work more/harder.

C 1 Ses parents l'embêtent. 2 Alizée les aide. 3 Nolwenn ne lui parle plus. 4 Damien leur téléphone souvent. 5 Ses parents ne la comprennent pas. 6 Juliette l'adore. 7 Sa mère ne lui explique rien. 8 Samuel ne leur confie pas ses problèmes.

Worksheet 8 (Module 1, Unit 7)

A 1 F 2 V 3 F 4 V 5 F 6 V 7 F 8 F

B 1 étude 2 adultes 3 information 4 mots 5 évaluent 6 cliquent 7 armés 8 recherches

Worksheet 9 (Module 1, Unit 9)

A 1 La première passion de Fabien, c'était **le sport** et plus particulièrement **le foot** et **le basket**. 2 Il n'a pas réalisé son projet professionnel à cause d'un **accident**. 3 Les **médecins** n'étaient pas optimistes mais Fabien était **courageux** et **déterminé**. 4 Un an plus tard, il a recommencé à **marcher**. 5 Il a commencé à faire du slam sous le **pseudonyme/nom** de Grand Corps Malade. 6 Le **slam** est une sorte de poésie parlée dans laquelle il n'y a pas de **musique**.

B 1 Son ami S Petit Nico a ajouté de la musique à ses morceaux. 2 Il parle de sa ville, Saint-Denis, de son amour de la vie, d'un chagrin d'amour et de son accident. 3 GCM est devenu célèbre / Le public français a découvert le slam / GCM a remporté deux «Victoires de la musique». 4 Il déclame ses morceaux quelquefois sans accompagnement, quelquefois avec un accompagnement musical, d'une voix naturelle et compréhensible. La narration et l'humour sont très importants pour lui. 5 Il aide des enfants, des ados et aussi des personnes âgées à écrire des textes de slams.

Worksheet 10 (Module 2, Units 1–2)

A 1 (f) *être amateur de* – to be keen on 2 (k) *la sensation forte* – thrill 3 (e) *intégrer* – to join 4 (b) *l'épreuve* – event 5 (a) *s'affronter* – to compete 6 (l) *se déplacer* – to travel

7 (j) *conséquent* – sizeable 8 (c) *disposer de* – to have 9 (d) *le revenu* – income 10 (i) *l'échantillon* – sample. *Conséquent* meaning 'sizeable' is colloquial.
B 1 ? 2 V 3 F 4 F – just *démonstration* 5 V 6 V 7 V 8 F – *pour ses sponsors*

Worksheet 11 (Module 2, Units 3–4)

A 1 «sport» 2 éphémères 3 stade/club/institution 4 liberté 5 «zapping» 6 identification 7 loisirs 8 la musculation / le combat
B 1 distraction – amusement 2 ascétisme – discipline stricte 3 multiplication – nombre de plus en plus grand 4 diversification – variété accrue 5 modalité – forme 6 engouement – vogue 7 quête – recherche 8 ils ont envie de – ils veulent

Worksheet 12 (Module 2, Unit 6)

A 1 le service des urgences, le service psychiatrique 2 extrêmes, désastreux au niveau psychologique 3 elle doit rester dans son milieu familial / chez elle 4 (1) les parents / la famille / les proches; (2) les professionnels de santé (médecin, diététicien) 5 des professionnels, par exemple médecin et diététicien, qui aident et conseillent la personne malade restée chez elle 6 les parents, les top-models, l'alimentation / les régimes 7 le docteur ne donne pas de cause / ne parle que du traitement
B 1 On hospitalise la jeune fille, en l'envoyant dans un service psychiatrique. 2 On la nourrit de force, en utilisant par exemple une sonde. 3 Il faudrait la soigner chez elle, en organisant un «hôpital de ville». 4 On peut l'aider, en trouvant par exemple un bon diététicien. 5 Il faut maintenir les liens familiaux, en ne l'hospitalisant pas. 6 On ne peut pas expliquer l'anorexie en accusant les régimes et les top-models.

Worksheet 13 (Module 2, Unit 7)

A 1 par la répétition 2 d'un seul coup 3 peu à peu 4 après le réveil 5 dans les débuts 6 À la place 7 liés à l'arrêt 8 arrêter de fumer
B Ambre – i, Enzo – iv, Flavien – v, Julie – ii, Louis – vi, Nolwenn – ii, Rachida – iii, Thibaut – intro

Worksheet 14 (Module 2, Unit 8)

A 1 (e) *la séropositivité* – HIV infection 2 (g) *le stade tardif* – late stage 3 (f) *la méconnaissance* – ignorance 4 (a) *la croyance* – belief 5 (b) *la désinvolture* – casualness 6 (j) *reconnu d'utilité publique* – State-approved 7 (i) *la sensibilisation* – awareness-raising 8 (h) *le dépliant* – leaflet 9 (c) *le préservatif* – condom 10 (d) *l'intervenant* – contributor
B 1 **on découvre** plus d'un tiers des infections VIH à un stade tardif 2 **elle/Sidaction utilise** 50% des fonds qu'elle collecte pour les programmes de prévention 3 **on doit / vous devez distribuer** les préservatifs pendant la soirée
C *Suggested translation:* Ignorance of the risks is certainly one cause of the high level of infection among young people. According to the report by the ORS (Observatoire Régional de Santé), awareness of the disease has improved since 1992, but the mechanisms by which HIV is transmitted are still not well enough understood. Indeed, 15% of people aged 18 to 69 think that washing oneself after having sex is effective against HIV, as high a proportion as a decade ago.
Given this worrying situation, and the casual attitude of the younger generation, it is essential to educate students about high-risk behaviours, to deepen their knowledge of sexually transmitted diseases and to provide them with the necessary preventive tools.

Worksheet 15 (Module 3, Unit 1)

A 1 managers – *les cadres* 2 (manual) workers – *les ouvriers* 3 teachers – *les enseignants* 4 professionals – *les professions libérales* 5 families with limited means – *les familles modestes* 6 baccalauréat option centered on science – *la filière S / le bac S (scientifique)* 7 baccalauréat option with a vocational bias – *la série Pro (professionnelle et technologique)* 8 baccalauréat preparing for service industries – *le bac STT (sciences et technologies du tertiaire)* 9 baccalauréat preparing for healthcare jobs – *le bac SMS (sciences médico-sociales)* 10 short, non-baccalauréat course at 16+ – *la filière courte*
B 1 V 2 V 3 F – *il y a plus d'enfants d'ouvriers* 4 F – *c'est la filière S la plus prestigieuse* 5 F – *il y a plus d'enfants d'ouvriers* 6 F – *les enfants d'ouvriers arrivent moins nombreux au bac* 7 V 8 V

Worksheet 16 (Module 3, Units 2–4)

A 1 se dérouler 2 siéger dans 3 se faire entendre 4 le quotidien 5 élire 6 se laisser faire 7 le titulaire 8 le suppléant 9 le collaborateur 10 le représentant 11 faire partie de 12 se réunir 13 démissionner 14 commencer à la base 15 le devoir
B 1 On a créé les **CVL** pour que les lycéens **puissent** participer aux décisions sur la vie du lycée. 2 Le but de ces conseils **est** d'améliorer la **vie** quotidienne des lycéens. 3 Selon **Damien**, il

faut que les lycéens **aient** «un moyen de libre expression». **4** Damien voudrait que les lycéens **soient** déterminés à imposer leurs **idées**. **5** Les **représentants** élus aux CAVL **reçoivent** une formation. **6** Les CAVL ne **comprennent** pas que des **lycéens**. **7** Quand il était membre du **CNVL**, Damien **a exposé** ses idées au ministre. **8** Selon **Alexandre/l'auteur**, il est important que les lycéens **aillent** voter en octobre.

Worksheet 17 (Module 3, Unit 5)

A **1** (a) inconvénients de l'université: attitude des étudiants: glandeurs, graines de grévistes; attitude des professeurs: les étudiants sont obligés de se débrouiller; débouchés professionnels: il n'y en a pas
(b) avantages des prépas: attitude des étudiants: travailleurs; attitude des professeurs: ils encadrent le jeune bachelier, ils lui donnent des méthodes, une structure, une culture; débouchés professionnels: elles ouvrent de nombreuses portes; elles garantissent l'entrée dans une école
2 (a) inconvénients des prépas: attitude des professeurs vis-à-vis de la discipline: ils infantilisent les jeunes; même discipline qu'au lycée; attitude des professeurs vis-à-vis de l'enseignement: ils mâchent le travail, ils bourrent le crâne; développement de l'étudiant: il ne travaille pas pour le plaisir; débouchés professionnels: elles ne garantissent pas l'entrée dans une école; beaucoup d'élèves de prépa se retrouvent à la fac
(b) avantages de l'université: attitude des professeurs vis-à-vis de la discipline: ils ne demandent pas d'explication quand l'étudiant est absent; attitude des professeurs vis-à-vis de l'enseignement: ils ne font pas le travail à la place de l'étudiant, qui doit prendre de vraies notes et chercher de l'information supplémentaire; développement de l'étudiant: lieu où on apprend à grandir et à se débrouiller, où on prend plus de plaisir à étudier; débouchés professionnels: l'université aussi prépare à des concours

Worksheet 18 (Module 3, Unit 6)

A **1** Marie **2** Daphné **3** Valérie **4** Marie **5** Sophie **6** Stéphanie **7** Sophie
B **1** certaines **2** personnels **3** après **4** travaille **5** alternance **6** vu **7** hospitalisation **8** soignants **9** raisons **10** différente

Worksheet 19 (Module 3, Units 7–8)

A **1** une grande méconnaissance **2** la peur, le fantasme **3** des doutes importants **4** l'envie de passer à autre chose **5** le désir d'évoluer **6** renoncer à des temps de loisirs **7** se défoncer au boulot
B **1** F **2** F **3** V **4** F **5** V **6** V **7** V **8** F

Worksheet 20 (Module 4, Units 1–2)

A **1** L'organisation Croq'Nature organise des vacances différentes, centrées sur **le développement** du pays visité. **2** L'entreprise de Naji Azizi fait découvrir **le désert** et **le nomadisme** aux touristes. **3** Cette expérience semble réussie, puisque les voyageurs sont généralement **enthousiastes**. **4** Ils sont tout à fait satisfaits de leur **séjour**. **5** Jean, par exemple, a beaucoup apprécié **la rencontre** avec les habitants. **6** Monique était surprise mais contente de ce qu'elle a **mangé**. **7** Michel a trouvé ce qu'il cherchait; une expérience proche de **la nature**. **8** Bien que certains **détails** ne soient pas au point, il est tout de même heureux. **9** Annick a été choquée par **le dénuement** de la population.
B *Suggested answers:*
Naji Azizi explique qu'ils doivent leur développement au tourisme équitable. Pour eux, il s'agit essentiellement de permettre à leurs visiteurs de découvrir dans les meilleures conditions possibles le désert et la culture du nomadisme. Il ajoute que la solidarité et la redistribution des richesses faisaient déjà partie de leurs valeurs.
Jean déclare que cela faisait longtemps qu'ils souhaitaient visiter un pays autrement. Cette découverte fraternelle du désert fut un enchantement. Il dit que leur voyage fut avant tout une rencontre avec des personnes. Le fait que cela représente un bénéfice réel y ajoute réellement du sens.
Monique précise qu'ils ont toujours très bien mangé. Ils ne savaient pas d'où ça sortait, mais c'était toujours frais.
Michel considère qu'à part quelques petits détails, tout était parfait. Plus nature, on ne fait pas. Il ajoute que c'est justement ce qu'ils cherchaient.
Annick rapporte qu'au fur et à mesure de leurs randonnées, ils se sont réellement rendu compte du dénuement extrême de certaines familles vivant le long de la route de la caravane. Elle ajoute qu'alors qu'en France, et bien que cliente, elle est parfois sceptique sur le commerce équitable, elle a pu constater que cette forme de tourisme bénéficie réellement aux populations locales.

Worksheet 21 (Module 4, Unit 3)

A **1** cool – *fraîche/frais* **2** at dawn – *dès l'aube* **3** tipper truck – *camion-benne* **4** hilly – *vallonné(s)*

5 green – *verdoyant(s)* 6 hamlet – *hameau* 7 local – *du coin* 8 to taste – *goûter* 9 in seventh heaven – *aux anges* 10 in a good mood – *de bonne humeur*

B pûmes – pouvoir, trouvèrent – trouver, arrêtâmes – arrêter, acheva – achever, fascinèrent – fasciner, fûmes – être. The other verbs are in the imperfect tense.

C 1 insectes 2 curieux 3 plantes 4 apprendre 5 impossible 6 éloignée 7 passionner 8 impatients 9 débusquer 10 grimper 11 accompagner

D 1 les paysages, le village de transmigrants, les hameaux, les maisons en bambou 2 l'hospitalité des gens, leur humour 3 aux insectes, aux petits animaux et aux plantes 4 Les enfants étaient les meilleurs guides: les Dayaks ne s'intéressaient pas à la nature et étaient trop impatients, tandis que les enfants savaient où trouver les oiseaux et les insectes.

Worksheet 22 (Module 4, Unit 4)

A 1 prendre son temps 2 transports en commun 3 transports non motorisés 4 véhicules individuels 5 réduire la mobilité 6 mobilité organisée sur place 7 gérer le trafic 8 mettre en place des zones piétonnes 9 proposer un service de bagage 10 randonnée pédestre 11 randonnée cycliste

B **tourisme traditionnel:** véhicules individuels; produits standards de l'hypermarché; lieux «à voir absolument» dans les 100 km à la ronde; course aux loisirs; stress
tourisme lent: prendre son temps; s'immerger dans le lieu visité; respect de l'environnement; transports en commun; transports non motorisés; produits de terroir de l'épicerie locale; lieux proches: topographie, patrimoine, particularités; décélérer le quotidien; calme

C 1 commune 2 décret 3 parc naturel

Worksheet 23 (Module 4, Units 5–6)

A 1 (a) *viser à* – to aim to 2 (b) *le comportement* – behaviour 3 (j) *le bien-être* – well-being 4 (f) *l'état des lieux* – inventory, examination 5 (h) *mettre en valeur* – to bring to the fore 6 (g) *l'éclairage* – lighting 7 (e) *le chauffage* – heating 8 (d) *l'appareil ménager* – domestic appliance 9 (i) *repenser* – to rethink 10 (c) *réaliser* – to carry out

B 1 *Human Village* a le plaisir **d'**annoncer le lancement du site de *Stop Carbone*. 2 Le programme *Stop Carbone* vise **à** sensibiliser la population **aux** économies **d'**énergie dans les maisons. 3 Il tente **de** montrer l'importance **des** comportements individuels. 4 Changer ses habitudes a des effets positifs **sur** l'environnement. 5 Un comportement responsable a des conséquences **sur** la vie quotidienne. 6 L'objectif de *Stop Carbone* est **de** réduire les gaz **à** effet **de** serre. 7 Pour adapter sa maison, on est amené **à** faire des changements.

C *Suggested translation:* The objective of the *Stop Carbone* programme is to give ordinary people an incentive to change their behaviour in the domestic context. It consists of specific actions which encourage the public at large to reduce their greenhouse gas emissions or to offset them. The main goal is to raise awareness of sustainable development and environmental protection among homeowners and tenants. It is about making people want to carry out home improvements and showing them that energy efficiency means saving money.

Worksheet 24 (Module 4, Units 8–9)

A 1 l'exposé – la présentation 2 durable – à long terme 3 la problématique – la question 4 impuissant – sans pouvoir 5 rabâché – répété 6 impliqué – concerné 7 le comportement – l'attitude 8 la formation – l'éducation

C *Suggested translation:* Finally, speaking as a teacher and therefore an educator, I'd like to point out that examples are often more effective than words, and that there is also a place for penalties. When roadsides are strewn with rubbish and nobody is fined (true, that is difficult); when billboards have spotlights trained on them, the environmental message becomes muddled.

Acknowledgements

The editor and publisher would like to thank:

Rachel Sauvain, Naomi Laredo, Deborah Manning, Sam Pope, Nancy Brannon, Helen Ryder, Geneviève Talon, Sabine Tartarin.

The editor and publisher would like to thank all who have given permission to reproduce material in this book.

Worksheet 1: © Okapi, Bayard Jeunesse, 2001; **Worksheet 2:** Christine LEGRAND and Arnaud SCHWARTZ © La Croix, Bayard Presse 2006; **Worksheet 3:** © Le Journal Santé - 26/02/2007; **Worksheet 4:** © Phosphore, Bayard Jeunesse, 2007; **Worksheet 5:** Anthony Jean, published on www.voyageforum.com; **Worksheet 6:** © Florence Leray, Environnement & Stratégie, Groupe Victoires Editions, www.environnement-magazine.fr; **Worksheet 8:** www.internetactu.net; **Worksheet 9:** www.monsponsor.com; **Worksheet 11:** Claire Perrin, "Les Journées de la prévention", "Promouvoir la santé des enfants et des jeunes", 2èmes journées annuelles, 29&30 March 2006, INPES; **Worksheet 12:** Extracts from the Docteur Meunier interview by Alain Sousa, Doctissimo.fr, "Tout ce qu'on dit sur l'anorexie est faux!", tous droits réservés, Doctissimo, 2008; **Worksheet 13:** © Laboratoire GlaxoSmithKline - source www.gsk.fr, May 2008; **Worksheet 14:** reproduced with the kind permission of the Fédération des associations générales étudiantes, www.fage.asso.fr; **Worksheet 15:** Véronique Soule, © Libération 03/07/2007; **Worksheet 16:** Extract from "Typo" Journal lycéen départemental, N°85, October 2006, lycée Niepce de Chalon sur Saône (71), published in "De l'actualité" press review of educational and secondary education journals, 2008 edition, edited by Clemi, Centre de liaison de l'enseignement et des médias d'information - Ministère de l'Education nationale, France www.clemi.org; **Worksheet 17:** © Phosphore, Bayard Jeunesse; **Worksheet 18:** Géraldine Dauvergne, l'Etudiant, www.letudiant.fr; **Worksheet 19:** © Studyrama; **Worksheet 20:** Pierre-Mary Courpry, www.novethic.fr, 01/12/04; **Worksheet 21:** Frédéric Le Rochais, published on www.voyageforum.com; **Worksheet 22:** Marie Jaouen, memoireonline.com, http://www.memoireonline.com/10/07/662/m_ecomobilite-developpement-durable-activite-touristique12.html; **Worksheet 23:** Association Human Village, www.humanvillage.org; **Worksheet 24:** Suzanne Dijon, agrégée de Sciences de la vie et de la Terre, published on www.forums.gouv.fr;

Every effort has been made to contact copyright holders of material reproduced in this book. Any omissions will be rectified in subsequent printings if notice is given to the publishers.

The websites used in this book were correct and up-to-date at the time of publication. It is essential for tutors to preview each website before using it in class so as to ensure that the URL is still accurate, relevant and appropriate. We suggest that tutors bookmark useful websites and consider enabling students to access them through the school/college intranet.